L'ELECTRONIQUE ?..
RIEN DE PLUS SIMPLE !

AUTRES OUVRAGES DU MÊME AUTEUR AUX ÉDITIONS RADIO

- Emploi rationnel des transistors
- Emploi rationnel des circuits intégrés
- Technologie des circuits imprimés
- Transistors à effet de champ

J. P. ŒHMICHEN

L'ÉLECTRONIQUE ?..
Rien de plus simple !

Dix-sept causeries amusantes
expliquant d'une manière simple
les bases de l'électronique et
ses applications dans l'industrie

*Dessins marginaux
de Christine Œhmichen*

5e édition

EDITIONS RADIO
9, RUE JACOB - 75006 PARIS
TEL. 329.63.70 - C.C.P. 1164-34 PARIS

Imprimé en France

Imprimerie Berger Levrault : Nancy

Dépôt légal : 1ᵉʳ trimestre 1979
Nº Éditeur : 775 - Nº imprimeur : 779716
I.S.B.N. 2-7091-0775-9

PREFACE

Si la Mathématique est, à juste titre, considérée comme la Reine des Sciences, il serait légitime de proclamer l'Electronique Reine des Techniques.

En effet, si, dans le passé, nous avons connu l'ère de la Mécanique, puis celle de l'Electricité, notre époque est nettement caractérisée par le prodigieux essor de l'Electronique. Celle-ci est présente partout, elle a pénétré dans tous les domaines de l'activité humaine, elle facilite l'accomplissement de tâches les plus variées, allant de l'ouverture automatique des portes à la résolution des plus complexes problèmes de calcul opérationnel...

Comment expliquer ce rapide développement d'une technique née en 1906, avec l'invention, par Lee de Forest, du premier tube électronique, la triode, qu'il appela « audion »? Comment expliquer l'universalité des applications d'une aussi jeune technique?

Ce sont les propriétés intrinsèques de l'électron qui ont déterminé l'extraordinaire destin de la jeune technique. Doué d'une masse infime (10^{-27} g), mais d'une charge électrique non négligeable (1,6. 10^{-19} coulomb), l'électron répond quasi instantanément à toutes les sollicitations des champs électriques ou magnétiques. Cette absence d'inertie, cet « esprit vif » de l'électron lui permettent de s'acquitter de toutes les tâches requérant une action aussi rapide que la pensée. Et, de fait, l'Electronique est, avant tout, une technique mettant en jeu l'intelligence. Alors que la Mécanique est venue affranchir l'homme de tâches subalternes en se substituant à ses muscles, l'Electronique nous dispense de fastidieuses opérations intellectuelles, sans pour autant avoir une intelligence autre que celle dont l'homme l'a dotée.

Opérant souvent avec des puissances infimes, l'Electronique permet de commander des actions de grande envergure; elle met des microwatts au service des gigawatts et terawatts. De la sorte, la course des fusées dans l'espace est commandée comme peut être coordonné l'ensemble des opérations d'une usine, comme sont mesurées les diverses fonctions d'un organisme vivant, comme sont comptés les ions engendrés dans une enceinte par le bombardement de divers rayonnements... le tout grâce à la mise en jeu d'appareils composés toujours des mêmes éléments : tubes, semiconducteurs, résistances, condensateurs et bobinages.

Comment dès lors peut-on, en cette seconde moitié du XXe siècle, ignorer les principes fondamentaux de cette merveilleuse technique aux applications de jour en jour plus étendues? Pour accéder à la connaissance de l'Electronique, pour en explorer le royaume magique, il faut un guide compétent et sûr. Tel est le présent ouvrage.

Nul n'était mieux qualifié pour le rédiger que mon ami J.-P. Œhmichen. Ingénieur dans une des principales entreprises de l'Electronique, il possède une solide expérience industrielle. Enseignant à l'Institut Supérieur d'Electronique du Nord, il a vu s'épanouir le talent pédagogique hérité de son père, professeur au Collège de France et célèbre inventeur de l'hélicoptère.

Ayant des choses à dire et sachant les exprimer clairement, J.-P. Œhmichen est auteur de très nombreuses études et ouvrages techniques ayant très efficacement contribué à la formation de la génération actuelle des techniciens.

C'est dire avec quelle facilité, en s'amusant peut-on affirmer, il a rédigé le présent ouvrage où, empruntant (avec ma bénédiction pleine et entière) les deux personnages que j'avais créés il y a bien des années, il fait dialoguer Curiosus et Ignotus de manière à exposer avec bonheur les notions essentielles de l'Electronique.

Ce faisant, il ne se borne point à un survol général de la jeune technique : bien au contraire, s'attaquant courageusement aux problèmes les plus difficiles, il fait pénétrer le lecteur dans les méandres les plus profonds et les plus complexes de l'Electronique. A ce titre, plus et mieux qu'un livre d'initiation, l'ouvrage sera d'une grande utilité aux électroniciens eux-mêmes soucieux de mieux ordonner en un ensemble méthodique leurs connaissances acquises au cours de l'explosive évolution de la technique.

L'exposé suit une ligne logique qui facilite grandement l'assimilation. Il commence par les « capteurs », ces dispositifs qui « traduisent » en signaux électriques des grandeurs de natures les plus variées. Puis, sont étudiées les diverses manières de modifier les caractéristiques des signaux : leur amplitude, leur forme ou leur fréquence. Enfin, — et c'est la partie la plus passionnante des entretiens de nos jeunes amis, — l'auteur montre les mille et une façons d'utiliser les signaux modifiés.

Parsemés de pointes d'humour (qui procurent au lecteur une détente facilitant l'étude au même titre que des gouttes d'huile rendent plus aisé le mouvement des rouages d'un mécanisme), les dialogues sont agrémentés de spirituels dessins marginaux dus au talent de Mme J.-P. Œhmichen, exemple de parfaite collaboration conjugale.

Maintenant que cet excellent ouvrage voit le jour, paraphrasant le vieil adage « Nul n'est censé ignorer la loi », on peut affirmer avec raison : Nul n'est censé ignorer l'Electronique.

E. AISBERG

AVERTISSEMENT DE L'AUTEUR

L'origine de ce livre est tout simplement ce que les Normaliens appellent un « canular ».

Ayant appris les notions fondamentales de la technique radio-électrique dans « La Radio ?... Mais c'est très simple! », livre pour lequel l'auteur de ces lignes a toujours eu la plus grande admiration, nous avons eu un jour l'idée d'expliquer à un de nos amis le fonctionnement d'un servomécanisme dans le style de cet ouvrage. De là à nous amuser à en faire un petit pastiche, il n'y avait qu'un pas... que nous avons allègrement franchi. Il était tellement amusant de faire vivre Ignotus et Curiosus d'une façon presque clandestine, en cachette de leur père spirituel.

Cet amusement a été rendu plus facile par le fait qu'il s'agissait d'imiter un style original, très typique. D'innombrables auteurs ont pastiché Victor Hugo ou Anatole France, alors qu'il est presque impossible de pasticher un style terne, sans valeur originale.

Une fois le texte écrit agrémenté d'illustrations marginales dessinées par la femme de l'auteur, un peu dans le style du regretté GUILAC, le tout fut envoyé à M. AISBERG, et l'auteur attendit sa réaction avec une certaine inquiétude. On se doute qu'elle fut des plus indulgentes, puisqu'il en résulte ce livre. M. AISBERG donna à l'auteur sa bénédiction pour utiliser « comme il le voulait » ses personnages.

En écrivant les différents chapitres, toujours guidé par les précieux conseils du vrai père d'Ignotus et de Curiosus, l'auteur s'est aperçu qu'il ne pouvait pas tout à fait manœuvrer « comme il le voulait » nos deux compères. Ignotus et Curiosus ont un passé déjà long (bien qu'ils soient toujours aussi jeunes), et leur personnalité s'est nettement affirmée pendant les années où ils ont formé si brillamment plus de deux générations de radio-électriciens, puis d'électroniciens.

L'auteur s'est donc trouvé dans la situation du metteur en scène qui peut donner des indications aux grandes vedettes de son film ou de sa pièce, mais pas leur imposer étroitement sa façon de penser. Un tel phénomène n'est d'ailleurs pas nouveau; bien des auteurs de romans se sont sentis plusieurs fois dominés et menés par leurs personnages dont ils se croyaient les maîtres absolus.

Dans ces conditions, la seule solution pour l'auteur était de laisser les deux compères aussi libres que possible et, dès lors, la rédaction des différents chapitres fut infiniment plus facile. L'auteur s'est senti rajeuni de plus de vingt ans, ramené au moment où Ignotus et Curiosus lui apprenaient la radio. C'est la raison pour laquelle les illustrations marginales ont été conçues en fonction de deux compères ayant exactement le même âge que dans « La Radio ?... Mais c'est très simple ! » car de tels personnages sont éternellement jeunes.

Ce que l'auteur souhaite avant tout, c'est d'avoir bien écouté les indications que lui ont donné Ignotus et Curiosus tout au long de son travail. S'il l'a fait, il n'aura pas déformé ces deux grandes figures si familières à tous les électroniciens, et il s'estimera alors pleinement satisfait, puisque, une fois de plus, les deux personnages faciliteront à des milliers de jeunes gens (de tous les âges !) l'accession à ce merveilleux monde nouveau qu'est l'Electronique.

J.-P. ŒHMICHEN

Un essai d'Ignotus en vue de réaliser un système antivol électronique a partiellement échoué. Curiosus lui montre les défauts de son système, lui indique la solution préférable. Mais, pour utiliser celle-ci, Ignotus doit perfectionner ses connaissances en électronique. Après avoir défini ce qu'est l'électronique, Curiosus lui conseille de réviser ce qu'il sait déjà en radio pour se préparer aux conversations qui suivront.

PRISE DE CONTACT

Une protection mal conçue.

IGNOTUS. — Ah! Bonjour, Curiosus, enfin vous voilà!

CURIOSUS. — Bonjour, Ignotus. Mais pourquoi cet « enfin »? Je ne suis pas en retard, pourtant.

IG. — Non, mais, voyez-vous, j'étais tellement impatient de vous voir. Il n'y a que vous qui puissiez me donner un conseil utile... Je suis à la fois ravi et très embêté : mon engin ne marche pas, mais c'est passionnant et...

CUR. — Ne pourriez-vous pas être un peu plus clair? Je ne comprends absolument rien à ce que vous me racontez.

IG. — Eh bien, voilà. Un de mes amis, qui est bijoutier, m'a demandé, il y a quelques jours, de lui faire un petit système de protection contre les cambrioleurs. Oh! il ne voulait pas un engin sensationnel; il ne voulait, selon ses propres paroles, qu'une installation simplifiée qui lui permette de diminuer un peu le risque d'être cambriolé. Le peu qu'il garde dans son coffre-fort ne justifie pas une installation complexe et coûteuse, et il m'a demandé si je voulais m'en occuper.

CUR. — Passionnant cela. Vous avez accepté, j'espère?

IG. — Evidemment. Mais il fallait trouver un système pour détecter le cambrioleur éventuel. Alors j'ai pensé utiliser un microphone...

CUR. — Euh...!

IG. — Vous n'avez pas l'air emballé. En fait, j'aurais dû vous consulter avant de me lancer dans mon essai. J'ai installé près du coffre un microphone relié à un bon ampli, à la sortie duquel j'avais mis, à la place du haut-parleur, un relais actionné par un redresseur (fig. 1) et déclenchant une sonnerie chez mon ami, trois étages au-dessus.

CUR. — L'idée n'était pas bête en elle-même, mais je ne crois guère à l'efficacité de votre système. L'avez-vous essayé?

IG. — Bien sûr. J'ai commencé par faire semblant de fracturer le coffre : le relais a fonctionné. J'étais très content, tout semblait parfait. Le soir, j'ai mis le tout en service et... mon ami n'a pas dormi de la nuit.

CUR. — Oh! je vois cela d'ici. Il a dû, plusieurs fois dans la nuit, descendre à pas de loup, armé jusqu'aux dents, dans son magasin.. parce qu'une voiture avait freiné un peu sèchement devant son immeuble ou qu'on avait enfermé un chat dans la bijouterie.

Iɢ. — C'est un peu cela, avec le côté humoristique en moins; surtout quand je me rappelle ce que mon ami m'a dit le lendemain matin de mes capacités, de mon génie inventif, de mon avenir dans la radio..

Cᴜʀ. — J'imagine cela très bien, mon pauvre Ignotus. D'ailleurs, dites-vous bien que votre système, particulièrement sujet aux déclenchements intempestifs, pouvait ne pas réagir en cas d'authentique cambriolage.

Iɢ. — Ah non! Impossible; je l'ai vérifié moi-même.

Cᴜʀ. — Mais vous n'êtes pas cambrioleur, Ignotus. Imaginez donc un peu ce que fait un cambrioleur qui s'introduit de nuit dans un local : il s'efforce de faire le moins de bruit possible. Arrivé devant le coffre, il cherche le système de protection : il ne peut pas ne pas voir votre microphone, et il s'empressera de l'envelopper dans une couverture pour le rendre sourd. Il est possible qu'il y arrive.

Non, croyez-moi, vous aviez mal choisi votre capteur.

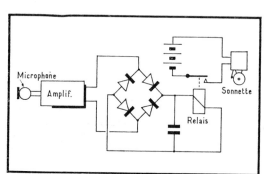

Fig. 1. — Un son produit devant le microphone, amplifié par l'amplificateur et détecté, ferme le relais, avertissant (en principe) le bijoutier de la présence d'un malfaiteur en train de fracturer son coffre-fort (ou, hélas! de n'importe quel bruit parasite).

De la radio vers l'électronique.

Iɢ. — Qu'est-ce que vous entendez par « capteur »?

Cᴜʀ. — Voyez-vous, Ignotus, dans tout appareil électronique, il y a une partie appelée « capteur » (fig. 2) qui... capte le phénomène à utiliser, déceler ou mesurer. Une autre partie reçoit le signal électrique fourni par le capteur et le transforme pour lui donner les caractéristiques désirées; on appelle cette partie le « transformateur », en donnant à ce mot un sens beaucoup plus général que celui qui vous est familier. Enfin, une dernière partie, le « restituteur », à partir du signal électrique transformé, exécute l'action que l'on attend de l'ensemble.

Iɢ. — C'est bougrement compliqué, tout cela. Je préférerais un bon exemple concret.

Cᴜʀ. — Eh bien, dans votre engin, le capteur c'était le microphone, « traduisant » le phénomène à déceler (le bruit) en un signal électrique. Votre transformateur était un amplificateur, augmentant la puissance du signal fourni par le microphone capteur. Le restituteur était le relais et le système d'alarme.

Iɢ. — Mais comment aurais-je pu (selon votre expression) capter le bruit autrement que par un microphone?

Cᴜʀ. — Ce n'est pas le bruit qu'il fallait utiliser, Ignotus, mais autre chose, par exemple l'interception d'un faisceau lumineux par le cambrioleur. Utilisez de préférence de l'infrarouge pour qu'il ne voie rien et ne se sente pas détecté, et, à l'aide d'une cellule photo-électrique...

Ig. — Non, pitié, Curiosus! Je ne connais rien à tout cela. De l'infra-rouge, des cellules photo-électriques, c'est épouvantable tout cet attirail! Il me faudrait au moins passer le certificat de Physique Générale pour pouvoir y comprendre quelque chose... et ce n'est pas demain la veille, croyez-moi!

Cur. — Détrompez-vous, Ignotus. Vous pouvez parfaitement comprendre l'électronique sans faire des études scientifiques abstraites à la Sorbonne; votre connaissance de la radio peut vous aider énormément. Je dirais plus : non seulement vous pouvez comprendre l'électronique, mais vous le devez. Vous êtes jeune; vivez avec votre temps. Au moment des satellites artificiels, des échos radar sur Vénus, des calculatrices à programme, des recherches nucléaires et de l'électronique industrielle, vous ne pouvez plus vous contenter de la technique radio. Il faut élargir votre horizon...

Ig. — Quel beau morceau d'éloquence! Je me serais cru au Palais

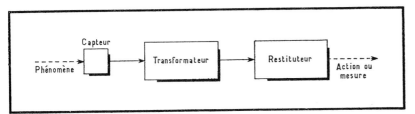

Fig. 2. — **Tout appareil électronique comporte un capteur qui transforme le phénomène à étudier en signal électrique, utilisable par la partie « transformateur »; ce dernier envoie son signal au « restituteur », chargé d'effectuer l'action désirée ou de permettre une mesure.**

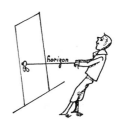

Bourbon. Mais, en un sens, vous avez raison : je suis tout disposé à « élargir mon horizon » selon votre digne expression. Par où faut-il commencer? J'espère que vous n'allez pas me parler de mathématiques...

Cur. — Rassurez-vous. Une connaissance des mathématiques un peu plus poussée que la vôtre (ce qui ne serait pas encore gigantesque, n'est-ce pas?) permettrait de mieux chiffrer les phénomènes; mais, à mon avis, une formule ou une équation n'ont jamais *expliqué* un fonctionnement. Avant de faire intervenir l'algèbre, il faut avoir compris physiquement comment les choses se passent.

Pour en revenir à votre question, je vous conseille de commencer... par le commencement, c'est-à-dire par les différents capteurs.

Ig. — Allons-y! Dites-moi comment fonctionne une cellule photo-électrique; ainsi je saurai tout sur les capteurs.

Cur. — Ignotus, vous êtes d'une modestie à côté de laquelle celle de la violette n'est rien... Quand vous saurez comment fonctionne une cellule photo-électrique (qui n'est d'ailleurs pas le seul organe sensible à la lumière qu'utilisent les électroniciens), vous ne pourrez prétendre savoir « tout » sur les capteurs. Il y en a tant de sortes...

Ig. — Mais, en dehors de la lumière et du son, que peut-on capter?

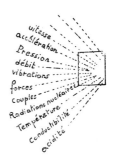

Cur. — Très peu de choses en effet : la vitesse, l'accélération, la pression, le débit, les vibrations, les forces, les couples, les radiations nucléaires, la température, la conductibilité, l'acidité, l'humidité, la...

Ig. — Pitié, Curiosus! N'en jetez plus! Mais c'est terrible, je n'arriverai jamais à connaître tous les capteurs correspondants. J'aime mieux y renoncer tout de suite.

Initiation méthodique.

Cur. — Vous auriez bien tort. Quand vous avez commencé à apprendre l'anglais, il y a six mois, vous êtes-vous découragé dès le départ en pensant que vous pouviez apprendre plus de quatre mille mots sans connaître tout de la langue de Shakespeare? Evidemment, quand on a votre âge, on veut toujours savoir « tout » sur un sujet, mais ce sera déjà très bien (et très utile) si vous arrivez à connaître un certain nombre de capteurs et la façon de les utiliser.

Ig. — Ça y est, vous allez me faire faire de l'électronique pour gens du monde...

Cur. — Mais, enfin, Ignotus, quand allez-vous perdre votre « complexe des mathématiques »? Estimez-vous que je vous ai fait de « la radio pour gens du monde »? Non, n'est-ce pas? Croyez-moi, je peux vous apprendre beaucoup de choses intéressantes en électronique; après quoi, vous pourrez vous perfectionner par la lecture des revues, des livres et surtout par la pratique. Vous n'aurez pas tant de mal à me suivre au début et vous serez tout étonné, après quelques discussions entre nous, de comprendre pas mal de publications qui vous rebuteraient maintenant.

Ig. — Au fond, vous avez raison. Vous allez me donner quelques détails sur ces capteurs et alors je saurai l'électronique, puisqu'au fond, l'électronique, c'est de la radio.

Un problème de définition.

Cur. — Pas du tout d'accord! Si vous voulez, dites que la radio, c'est de l'électronique. C'est par elle que l'électronique a commencé. Je connais des électroniciens de métier qui, en dix ans de pratique, n'ont pas touché une antenne, ni un haut-parleur, ni un microphone.

Ig. — Alors, avant d'aller plus loin, comment définiriez-vous l'électronique?

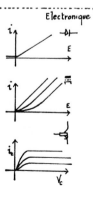

Cur. — Ça y est! Il faut dire que je l'ai presque cherché... Voyez-vous, Ignotus, vous me posez là une question assez embarrassante. Je vais essayer de vous répondre en vous disant que l'électronique est la technique qui utilise le mouvement des charges électriques dans des milieux autres que les métaux (le vide, les gaz ionisés, les semiconducteurs) et qui, travaillant sur de l'électricité à peu près « à l'état pur », ignore presque l'inertie. Etablir ou interrompre un circuit électrique par les moyens usuels nécessite de déplacer deux conducteurs, doués de masse, pour les amener au contact ou les écarter. Cela prendra un certain temps. Si l'on agit sur les charges, pratiquement dépourvues de masse, on peut le faire beaucoup plus vite.

La notion de temps, en électronique, est tout à fait spéciale : on y compte en microsecondes (μs), soit en millionièmes d'une seconde; on utilise même les nanosecondes (milliardièmes de seconde ou ns). Enfin, je crois que l'on peut dire que l'électronique commence là où finit la loi d'Ohm.

Ig. — Mais ça ne va pas du tout! Dans un amplificateur (qui est pourtant électronique), il y a des bonnes résistances qui suivent la loi d'Ohm!

Cur. — Ne me faites pas dire ce que je n'ai pas dit! L'électronique utilise les éléments « non ohmiques », mais elle utilise *aussi* les éléments classiques de l'électrotechnique, et c'est d'ailleurs pourquoi la connaissance de l'électricité générale est tellement fondamentale en électronique, encore plus que pour le domaine restreint de la radio.

Système

Ig. — Bon, admettons. Mais alors comment allons-nous faire pour parcourir ensemble cet immense champ de connaissances qu'est l'électronique? (Vous voyez, votre éloquence est nettement contagieuse.)

Cur. — Je crois vous avoir indiqué l'essentiel. Nous allons parler des capteurs, de la partie électronique qui transforme le signal issu du capteur, puis du restituteur qui produit l'action désirée. Pour compléter votre connaissance de certains montages électroniques qui nous seront

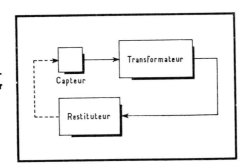

Fig. 3. — Dans un système bouclé, le restituteur agit sur le capteur.

utiles par la suite, nous passerons à l'étude du comptage électronique et à ses applications aux calculatrices. Enfin, en utilisant une action du restituteur sur le capteur (fig. 3), c'est-à-dire un « système bouclé », nous réaliserons des servo-mécanismes et des systèmes de calcul par analogie électrique. Si vous vous sentez encore en forme, nous parlerons aussi de la mesure des temps, si riche d'applications, puis nous verrons ce que l'électronique peut apporter à la biologie, à l'astronomie, à...

Ig. — Pitié! Je n'en sortirai pas vivant!

Cur. — Mais si! Voulez-vous que nous commencions demain?

Ig. — Plutôt après-demain. Je vais commencer par relire ce que vous m'aviez dit au sujet de la radio.

Cur. — Excellente idée. Cela vous sera fort utile. Regardez surtout ce qui a trait à l'électricité générale, aux tubes électroniques et aux transistors, mais ne vous fatiguez pas sur les détails strictement « radio »

Nos amis parlent des « capteurs », ces instruments transformant le phénomène à étudier en signal électrique utilisable. Même si ce phénomène est déjà électrique, il faut quelquefois un « capteur » (tensions continues, ou très élevées). Pour les champs magnétiques, il existe aussi des capteurs simples. S'il s'agit de forces, on peut utiliser des résistances spéciales qui varient suivant leur allongement sous l'influence de la force, et que l'on mesure au pont de Wheatstone. Enfin, les cordes vibrantes et les phénomènes piézo-électriques permettent également des mesures de forces.

CAPTEURS ELECTRIQUES, MAGNETIQUES et CAPTEURS de FORCE

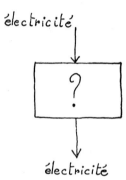

électricité

CURIOSUS. — Alors, Ignotus, en forme?

IGNOTUS. — Oui, pas mal. Il y a bien quelques formules que je ne vois pas clairement, mais dans l'ensemble, j'ai relu assez facilement ce que j'avais noté pendant nos premières conversations. Alors, puisque nous parlons aujourd'hui des capteurs, dites-moi donc comment fonctionnent ces fameuses cellules photo-électriques.

CUR. — Pas encore, Ignotus. Nous allons commencer par les capteurs sensibles aux actions électriques.

électricité

De l'électricité à l'électricité.

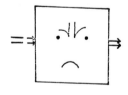

IG. — Mais vous vous moquez de moi, Curiosus! Vous m'avez expliqué qu'un capteur transforme l'action à étudier en signal électrique. S'il s'agit d'un phénomène déjà électrique, il n'y a rien à « capter », le travail est tout fait!

CUR. — Je reconnais que, dans certains cas, vous avez raison. Mais pas toujours. Il se peut que le « phénomène électrique » ne soit pas directement utilisable. On doit alors le modifier pour le rendre utilisable par le « transformateur ». L'engin qui est chargé de cette modification est un véritable « capteur ». En voici un premier exemple : supposez qu'il s'agisse d'une très faible tension *continue*, que ferez-vous?

IG. — Je commencerais par l'appliquer à un amplificateur...

CUR. — Celle-là, je l'attendais! Mais, Ignotus, les amplificateurs que vous connaissez n'amplifient que les tensions *alternatives*. D'accord, nous parlerons bientôt ensemble de modèles capables d'amplifier aussi des tensions continues, mais vous verrez que ces appareils préfèrent nettement utiliser une tension d'entrée suffisante, sinon il faut pousser trop leur gain et leur dérive peut nous gêner. Il convient de noter les progrès faits dans les amplificateurs différentiels en réalisation intégrée : par exemple, le fameux circuit μA 709 (ou 709 B 4, ou SFC 2709) est un amplificateur complet, à couplages intégralement continus de l'entrée à la sortie, d'un gain en tension d'au moins 30 000 (voir les amplificateurs opérationnels, page 223). Non, il vaut mieux transformer notre faible tension continue en une tension alternative...

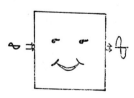

IG. — Et là je peux déjà dire que vous n'utiliserez pas un transformateur, puisqu'il n'est utilisable que pour les tensions alternatives.

CUR. — Vous avez parfaitement raison. J'utiliserai un de ces vibreurs spécialement réalisés que l'on appelle en franglais des « choppers ». Ce sont des relais très soignés (et fort coûteux, hélas!) que l'on fait vibrer très vite. Si vous regardez le schéma ci-dessous (fig. 4), vous voyez que la tension u à l'entrée de l'amplificateur est égale à e quand le contact K du vibreur est ouvert (nous supposons que la résistance d'entrée de l'amplificateur est grande par rapport à R). Mais, quand K est fermé, u est presque nul, en supposant évidemment la résistance de contact de K très petite par raport à R. La tension u est donc alternative, ou plus exactement, elle présente une composante alternative que l'amplificateur renforcera correctement et que nous détecterons ensuite.

Fig. 4.—Le contact K, périodiquement fermé et ouvert convertira la tension continue e en tension alternative u plus facile à amplifier.

(Le petit rectangle symbolyse la bobine avec son noyau magnétique.)

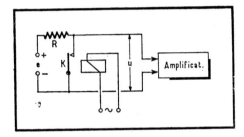

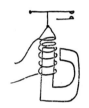

IG. — Très malin, ce système. Mais comment faites-vous vibrer le contact K?

CUR. — Vous le voyez sur le schéma : j'envoie dans la bobine du courant alternatif, par exemple celui du secteur à 50 Hz. Il y a dans cette bobine un aimant qui fait que le relais ne colle que 50 fois par seconde et non 100...

IG. — Je connais l'astuce : c'est ce que l'on fait dans les écouteurs ou les anciens haut-parleurs magnétiques. Mais, dites-moi, ne pourrait-on pas employer ici la même méthode que pour les haut-parleurs dynamiques et faire actionner le contact par une bobine mobile?

CUR. — Non seulement on le pourrait, mais on commence à le faire, et je crois que c'est l'avenir.

IG. — Bien, j'aime mieux cela. Mais pourquoi dites-vous que ces relais spéciaux sont si chers. Au fond, ce ne sont que des relais relativement rapides?

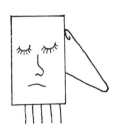

CUR. — Pensez donc, pour commencer, au nombre de fonctionnements du contact qu'ils doivent supporter. A 50 collages et décollages par seconde, cela en fait 180 000 à l'heure, soit 4 300 000 par jour...

IG. — Pitié, ne me dites pas combien cela en fait par mois, je me sens déjà fatigué!

CUR. — Le relais le sera avant vous : les modèles de bonne qualité assurent au plus 100 heures de fonctionnement. Et puis, il faut aussi que la bobine n'induise aucune tension dans la spire formée par le contact, sans compter les éventuelles tensions résiduelles qui peuvent subsister lorsque le contact du relais se ferme.

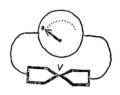

IG. — Alors là, non, je ne suis pas d'accord! Quand deux métaux se touchent, cela fait bien un court-circuit, non?

CUR. — Deux métaux *identiques*, oui (et encore). Mais, quand on commence à mesurer les tensions en millivolts, ce n'est pas si simple.

Enfin, retenez que ces vibreurs sont difficiles à réaliser... et à payer quand on les achète.

On peut efficacement remplacer les vibreurs par un système modulateur en tout ou rien, communément appelé « chopper » en semi-conducteur. La meilleure solution consiste à utiliser un transistor à effet de champ, dont le canal de silicium, entre l'électrode « source » et l'électrode « drain », présente une résistance minimale (souvent de 300 à 60 Ω quand l'électrode « grille » n'est pas polarisée, alors que la résistance entre la source et le drain devient pratiquement infinie dès que la grille est polarisée négativement. En appliquant à cette grille une tension de modulation, on peut faire jouer à l'espace source-drain le même rôle (ou presque) que le contact d'un vibreur mécanique, avec cette différence que l'on élimine totalement la tension de contact, ainsi que la fatigue, bien entendu, puisque rien n'est déplacé mécaniquement dans le transistor à effet de champ. La seule différence avec le modulateur mécanique est la présence d'une résistance résiduelle drain-source, pouvant descendre à moins de 100 Ω à l'état « fermé », alors que le contact, quand il est fermé, ne présente qu'une résistance presque nulle.

IG. — Nous avons donc épuisé le chapitre des capteurs pour phénomènes électriques... selon votre expression.

Les très hautes tensions.

CUR. — Tant s'en faut. Nous ne pouvons évidemment pas tout passer en revue, mais je vous demande un peu comment vous utiliseriez une forte tension alternative, une tension de 30 000 V efficaces, par exemple?

IG. — Je ferais d'abord très attention.

CUR. — Et vous auriez raison. Mais cela ne suffit pas, il faut aussi l'utiliser, cette tension. Je suppose que vous n'allez pas l'appliquer directement à la grille d'un amplificateur?

IG. — Ça, c'est méchant : j'ai déjà dit des bêtises, mais pas de cette taille. Non, je commencerais par l'appliquer à un potentiomètre...

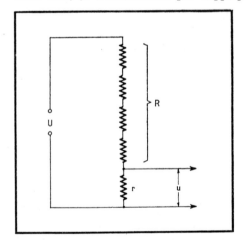

Fig. 5. — Diviseur de tension pour une tension U élevée : la résistance R est formée de plusieurs résistances pour que chacune d'elles ne supporte pas trop de tension à ses bornes.

CUR. — Oh là là! Si vous prenez un modèle classique, il fera simplement explosion. Il ne faut tout de même pas oublier qu'une tension de 30 000 V, cela peut faire jaillir une étincelle dans l'air sur plus de

40 mm. A la rigueur, vous pourrez faire un diviseur de tension spécial comme celui-ci (fig. 5). La tension de sortie est réduite dans le rapport

$$\frac{u}{U} = \frac{r}{R + r}$$

IG. — Bon, cela me semble juste. Mais pourquoi R est-elle constituée de plusieurs résistances en série?

CUR. — Je n'en ai dessiné que quatre; en fait, j'en mettrais plus de cent, tout simplement pour qu'il n'y ait aux bornes de chacune d'entre elles que 300 V au maximum. En dehors de modèles tout à fait spéciaux, une résistance classique ne supporte pas à ses bornes une tension plus grande, pour des raisons d'isolement. Seulement, voyez-vous, la résistance r, malgré cette dénomination, est relativement élevée. N'oubliez pas que votre tension est alternative et qu'il y a forcément une capacité parasite C en parallèle avec r : c'est la capacité parasite des fils de liaison et celle de l'entrée de votre partie électronique où vous enverrez la tension prélevée aux bornes de r.

IG. — Et alors? Cela me laisse tout à fait froid.

CUR. — C'est dans le dos que cela devrait vous faire froid! Votre condensateur C peut avoir, à la fréquence considérée, une impédance non infinie par rapport à r; alors le rapport de réduction de votre diviseur de tension est abaissé.

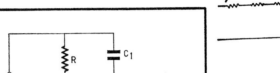

Fig. 6. — Pour que le diviseur R-r soit apériodique (pour que le rapport U/u soit indépendant de la fréquence), il faut que l'on ait $R\,C_1 = r\,C_2$

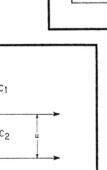

Fig. 7. — S'il ne s'agit que de tensions alternatives, on peut faire un diviseur de tension avec deux condensateurs.

IG. — Nom d'un transistor! Je n'y avais pas pensé! Alors, il n'y a rien à faire? Ah si, je vois : il faut réduire R et r!

CUR. — Doucement, vous allez consommer trop de courant à la source U. Il se peut qu'elle ne soit pas capable de vous le fournir, et puis cela fera dissiper une puissance énorme sur les résistances R.

IG. — J'ai une idée! Puisque nos ennuis viennent de la capacité parasite aux bornes de r, il doit être possible de les corriger en plaçant un condensateur aux bornes de R.

CUR. — Très bien, Ignotus, excellente idée. Cela se fait et la com-

pensation est parfaite si l'on a (fig. 6) : $RC_1 = r C_2$, C_2 étant la capacité parasite. On simplifie encore ce montage si l'on se limite à des fréquences pas trop basses; on obtient alors le diviseur de tension capacitif tel que je vous le dessine (fig. 7). Je suppose que la résistance R d'entrée de l'engin auquel j'applique la tension réduite u est presque infinie par rapport à l'impédance de C_2; je peux dire que la charge qui traverse C_1 et C_2 à chaque alternance est la même. On peut en déduire que :

$$u \; C_2 = (U - u) \; C_1, \text{ d'où l'on tire...}$$

Ig. — Le résultat, s'il vous plaît, je vous fais confiance.

Cur. — Une seule ligne de calcul aurait suffi pour établir que :

$$\frac{u}{U} = \frac{C_1}{C_1 + C_2}$$

Ig. — C'est un peu la même formule que pour le diviseur de tension à résistances. Je devine déjà que vous allez me dire que la capacité parasite n'a pas d'importance, il suffira de réduire C_2 en conséquence...

Cur. — Parfaitement exact. Tous mes compliments, Ignotus.

Ig. — Je vous en prie, je suis toujours comme ça. Mais il y a certainement les mêmes ennuis, en ce qui concerne le condensateur C_1, qu'avec la résistance R de tout à l'heure. Ce condensateur supporte toute la tension. Vous allez sans doute en mettre une centaine en série?

Cur. — Mais non, et c'est justement là l'avantage de ce type de diviseur : le condensateur C_1, de très faible capacité, peut facilement être prévu pour supporter toute la tension U. On peut, par exemple, utiliser un morceau de ces câbles de radiologie, gainés de cuivre extérieurement et isolés au polythène, comme un coaxial. Entre l'âme du câble et la gaine métallique, vous réaliserez facilement une capacité d'une dizaine de picofarads.

Capteurs de champs électriques.

Ig. — Il me vient même une idée.

Cur. — En général c'est dangereux, mais dites tout de même.

Ig. — Vous tombez bien mal, mon idée vise justement à éviter le danger. Il s'agit de mesurer la tension qu'il y a sur les grandes lignes aériennes à 60 000 ou 220 000 V. On pourrait placer en dessous du fil, à une dizaine de mètres, un fil parallèle qui constituerait la deuxième armature de C_1 (fig. 8), et le tour serait joué!

Cur. — Je vous renouvelle mes compliments, Ignotus. Votre idée est appliquée. Il y a cependant quelques difficultés (amener toujours la seconde armature de C_1 dans la même position par rapport au câble haute tension, tenir compte de la présence d'autres câbles haute tension au voisinage de celui qui vous intéresse). Comme vous y avez pensé vous-même, vous me fournissez l'occasion rêvée de vous parler des capteurs de champ électrique. L'engin que vous venez de me décrire en est un, mais utilisable seulement pour les champs alternatifs.

Ig. — Euh... oui... Mais avant de vous suivre plus loin, rappelez-moi donc ce que vous entendez par « champ électrique ».

Cur. — Tout simplement l'état de toute une région de l'espace au voisinage de charges électriques et qui fait qu'une force s'exerce sur toutes les charges électriques situées dans cette région. Quand vous frottez un bâton de plastique, c'est le champ électrique qui l'entoure qui fait qu'il attire les corps légers. Entre la cathode et l'anode d'un tube, c'est le champ électrique qui attire les électrons vers l'anode.

Iɢ. — Je vois. Mais alors mon système est bon pour tous les champs. S'il s'agit de continu, il n'y a qu'à utiliser un de ces vibreurs dont vous venez de me parler...

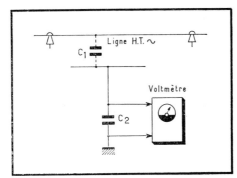

Fig. 8. — **On ne peut appliquer la méthode du découpage (de la figure 4) au cas d'une tension obtenue à travers un condensateur.**

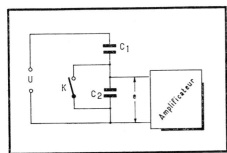

Fig. 9. — **Diviseur de tension capacitif pour les très hautes tensions alternatives : le condensateur C_1 est réalisé par la ligne haute tension et un fil situé à proximité de cette ligne.**

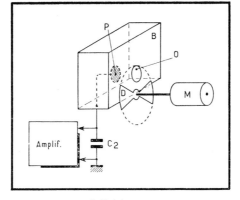

Fig. 10. — **Le disque P, enfermé dans la boîte B, est devant un trou 0 que le disque tournant D démasque périodiquement, modulant l'action du champ électrique sur P.**

Cᴜʀ. — Horreur! Supposons que nous réalisions ce que vous me dites (fig. 9). Je remplace le champ électrique par une pile de tension très grande U en série avec le condensateur C_1. Faites fonctionner un certain nombre de fois le vibreur K, et vous allez complètement décharger le condensateur C_2 qui ne se rechargera pas; la tension e restera obstinément nulle. Non, pas de vibreur; mais vous avez raison de vouloir transformer quelque chose de continu en quelque chose d'alternatif qu'il sera plus facile d'utiliser; seulement ce n'est pas à la tension qu'il faut vous en prendre, c'est au champ lui-même.

Une gymnastique épuisante.

Iɢ. — En approchant et en écartant très vite la pièce métallique reliée à C₂ du conducteur chargé qui produit le champ?

Cuʀ. — L'idée est bonne, mais je ne crois pas que vous arriviez à communiquer à cette pièce métallique un mouvement de va-et-vient de forte amplitude à 50 périodes par seconde; sinon il faut vous montrer dans un cirque! Il vaut mieux placer la pièce métallique P reliée à C₂ dans une boîte métallique B (fig. 10) qu'un disque perforé tournant D, entraîné par un moteur M, ferme et ouvre alternativement. La pièce est soumise en partie au champ quand l'ouverture O de la boîte est démasquée, soustraite au champ quand elle est masquée. Une tension alternative apparaît sur C₂, et il n'y a plus qu'à l'amplifier au moyen d'un amplificateur dit « électromètre » dont nous parlerons plus loin.

Iɢ. — C'est au fond un peu comme la méthode qu'emploie un de mes amis qui s'occupe d'un cyclotron...

Cuʀ. — Chez lui???

Iɢ. — Mais non, à Orsay. Il a, pour mesurer le champ d'un aimant, une petite bobine située au bout d'une canne et qu'un moteur fait tourner. Il mesure la tension induite dans sa bobine.

Cuʀ. — C'est en effet le système classique de mesure des champs magnétiques continus. On peut d'ailleurs procéder autrement. Vous savez que le fer et les ferrites (oxydes de fer magnétiques, ayant la structure des céramiques) ont la propriété, en général désagréable, de se saturer dans un champ magnétique. Il suffit donc de placer un bâton de fer ou de ferrite dans un champ; la saturation fait varier sa perméabilité (faculté qu'il a d'augmenter le coefficient de self-induction d'une bobine dans lequel on le place, en concentrant les lignes de force). Il n'y a plus qu'à mesurer cette perméabilité, simplement en déterminant le coefficient de self-induction d'une bobine placée autour du bâton et l'on connaît le champ magnétique. Il existe un autre capteur de champ magnétique fort intéressant : la « magnéto-résistance ». Il s'agit d'un semiconducteur, se comportant approximativement comme une résistance linéaire, dont la valeur ohmique est modifiée par un champ magnétique. On peut ainsi ramener la mesure du champ magnétique continu à une mesure de résistance, par exemple au moyen d'un pont de Wheatstone.

Iɢ. — Mais, dites-moi, si votre champ magnétique est alternatif, cela va faire de la pagaille avec la rotation de la bobine ou avec le courant alternatif que vous utiliserez sans doute pour mesurer le coefficient de self-induction?

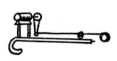

Cuʀ. — Vous cherchez la difficulté, Ignotus. Si le champ est alternatif, on laisse simplement la bobine immobile et on examine la tension induite.

Iɢ. — C'est en effet plus simple. Donc, vous m'avez parlé des capteurs de tension continue (les vibreurs), des capteurs de très haute tension (diviseurs de tension résistifs et capacitifs), de champ électrique et de champ magnétique (bobine tournante ou saturation de ferrite). De quoi voulez-vous me parler maintenant?

Capteurs de forces.

Cuʀ. — Je pense qu'il serait intéressant de parler des capteurs sensibles aux forces.

Iɢ. — Il y aurait peut-être un moyen de mesurer électriquement une force. Si vous appliquez la force à étudier à un fil au bout duquel il y a un ressort, celui-ci va s'allonger d'autant plus que la force est grande. Si on fait passer le fil autour de l'axe d'un potentiomètre, on pourra par des mesures électriques, déterminer de combien le potentiomètre a tourné.

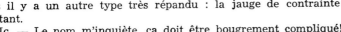

Cur. — Ignotus, vous êtes en pleine forme! On emploie souvent votre système, à peine modifié : le potentiomètre est réalisé avec un curseur qui glisse sur la résistance, celle-ci étant bobinée sur un mandrin droit; donc pas besoin d'enrouler le fil autour d'un axe : on l'attache directement au curseur. Une tension continue (fig. 11) est appliquée à la résistance, et un voltmètre V, placé entre une extrémité de celle-ci et le curseur, permet de lire la position, donc la force, sous forme de tension. Mais il y a un autre type très répandu : la jauge de contrainte à fil résistant.

Ig. — Le nom m'inquiète, ça doit être bougrement compliqué!

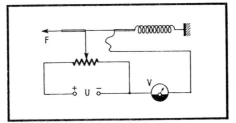

Fig. 11. — Suivant la valeur de la force F, le curseur du potentiomètre se trouve à droite ou à gauche; on lit donc la valeur de la force sur le voltmètre V.

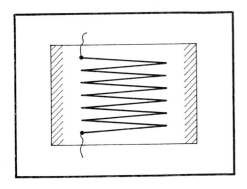

Fig. 12. — Une jauge de contrainte est constituée d'un fil résistant en zigzag fixé sur une feuille de papier.

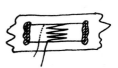

Cur. — Seul le nom est compliqué (et encore, je ne vous l'ai pas donné sous la forme bien française de « strain gauge », très utilisée). Voyez-vous, Ignotus, la valeur d'une résistance en fil fin varie quand on tire sur le fil.

Ig. — Ah! je comprends alors pourquoi on dit de ne pas tirer sur les fils de connexion des résistances dans le câblage des postes : cela aurait fait varier leurs valeurs, et...

Cur. — Oh! ce n'est pas du tout la raison. D'abord la variation dont je vous parle n'atteint que quelques millièmes (au plus 0,5 %) de la valeur initiale; ensuite elle ne se produit, suivant une loi connue, que pour les résistances en *fil métallique*. Le conseil qu'on vous a donné — et que je trouve fort judicieux — a juste pour but d'éviter une détérioration mécanique des résistances utilisées pour le câblage. Non, voyez-vous, nos résistances de mesure sont faites d'un fil très fin, placé en zigzag sur une feuille de papier (fig. 12). On colle celle-ci sur une pièce

(en général métallique) que l'on suppose soumise à des forces que l'on appelle des « contraintes » (tensions internes), qui provoquent la déformation de la pièce. S'il s'agit d'une tension, la partie de la pièce sur laquelle est collée la résistance s'allonge, le fil de la résistance en fait autant, et la valeur de cette résistance change.

Question d'élasticité...

IG. — Mais ça ne va pas du tout, Curiosus! Vous me parlez de pièce métallique...

CUR. — Pas forcément, c'est seulement le cas le plus courant.

IG. — Oui, mais si vous m'aviez parlé de caoutchouc, j'aurais admis qu'il se déforme sous l'influence d'une force, mais pas le métal.

CUR. — Première nouvelle! Regardez cette tige de fer, elle est bien droite si je la tiens verticalement. Je la place horizontalement, une extrémité tenue dans un étau; vous la voyez fléchir. Vous êtes bien obligé d'admettre que les fibres du métal situées en haut se sont allongées, celles qui sont en dessous s'étant raccourcies.

IG. — Vous n'auriez pas dû me dire ça! Quand je passerai sur un pont, je penserai que les pièces du tablier sont en train de s'allonger sous mon poids.

CUR. — Tant que vous ne leur faites pas dépasser la limite d'élasticité, l'allongement restant bien proportionnel à la force qui le provoque, il n'y a rien à craindre. Le pont est « étudié pour ». D'autre part, cet allongement est très petit, et c'est heureux pour notre résistance dont le fil ne peut s'allonger de plus d'une fraction de pour-cent sans casser.

IG. — J'admets. Mais une chose m'ennuie : vous m'avez dit que la valeur de la résistance ne variait que de moins de 0,5 %; on ne voit certainement pas une si petite variation de l'aiguille de l'ohmmètre.

La mesure des petites variations de résistance.

CUR. — Bien sûr, aussi n'est-ce pas un ohmmètre que l'on utilise pour cela. On fait des mesures avec un montage qui terrifie les élèves de première parce qu'ils 'n'en comprennent pas la simplicité : le pont de Wheatstone.

IG. — Oh, horreur! Je n'ai jamais rien compris à cet engin abominable : une épouvantable histoire de quatre équations à quatre inconnues...

CUR. — Nous allons procéder autrement. Voyez-vous le schéma de la figure 13. Qu'est-ce que c'est?

IG. — Il n'y a pas de mystère : c'est une pile avec deux diviseurs de tension.

CUR. — Bien. Pourriez-vous me dire les valeurs des tensions u et v?

IG. — Hum... voyons un peu. Je crois y arriver, en me reportant à la figure 5. Nous aurons :

$$u = \frac{X}{R + X}\, E \quad \text{et} \quad v = \frac{Q}{P + Q}\, E$$

Cur. — Ignotus, 20 sur 20!... Dites-moi maintenant quand u sera-t-il égal à v?

Ig. — Mais, bien entendu, quand

$$\frac{X}{R+X}\, E = \frac{Q}{P+Q}\, E$$

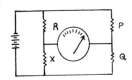

Cur. — Bon, suivez-moi maintenant :
Je commence par diviser les deux membres par E et j'arrive à

$$\frac{X}{R+X} = \frac{Q}{P+Q}$$

Dans cette proportion, le produit des termes extrêmes est égal à celui des termes moyens :

$$X.(P+Q) = Q.(R+X),\ \text{soit}$$
$$XP + XQ = QR + QX,$$

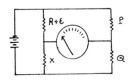

je retranche XQ aux deux membres, et il reste

$$XP = QR$$

Ig. — Jusqu'ici, je vous suis...

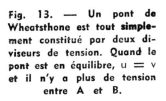

Fig. 13. — **Un pont de Wheatsthone est tout simplement** constitué par deux diviseurs de tension. **Quand le pont est en équilibre, u = v et il n'y a plus de tension entre A et B.**

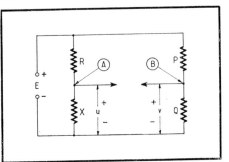

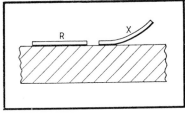

Fig. 14. — La jauge de contrainte R est collée sur la pièce à étudier et participe aux déformations de cette dernière sous l'influence des contraintes. La jauge X est collée par un seul bout, elle n'est pas soumise aux forces, mais elle est à la même température que R et permet la compensation de l'action intempestive de la température sur R.

Cur. — Eh bien, arrêtez-vous, c'est terminé. La formule que vous venez de lire est celle de l'équilibre du pont de Wheatstone, c'est-à-dire celle qui signifie que, dans notre montage (qui *est* un pont de Wheatstone), nous avons $u = v$, ce qui se voit par le fait qu'un voltmètre sensible, placé entre A et B, reste au zéro.

Ig. — D'accord, le pont de Wheatstone, c'est très simple. Mais qu'est-ce que cela nous donnera pour nos jauges de contrainte?

Cur. — Imaginez que P, Q et X soient des résistances fixes, et R soit la résistance sensible à l'allongement. Nous commencerons par mettre le pont en équilibre en agissant sur P et Q. Un voltmètre entre A et B est alors au zéro. Si la valeur de R varie, même très peu, u et v ne sont plus égaux, et le voltmètre dévie, éventuellement jusqu'au bout, s'il est assez sensible.

Ig. — Remarquable, cette méthode! Et comme c'est pratique cette résistance R qui n'est sensible qu'à la tension mécanique du fil qui la constitue!

Influence de la température.

CUR. — Ce serait même trop beau : la résistance est au moins aussi sensible à la température qu'aux forces. Mais c'est là que le pont de Wheatstone se révèle encore plus avantageux : nous allons mettre en X une autre résistance, identique à R, mais non soumise à la tension mécanique. On la place à côté de R (fig. 14) pour qu'elle soit à la même température qu'elle, mais on ne la colle que par un bout (pour éviter qu'elle soit soumise à des efforts mécaniques). La variation de la température affecte R et X dans le même rapport; elle n'agit plus sur l'équilibre du pont, que l'allongement du fil de R peut seul déranger.

IG. — Bougrement astucieux, cette méthode! Dommage que la résistance X ne serve qu'à une compensation.

CUR. — On peut faire encore mieux. Dans l'exemple de la tige de fer qui fléchit, le haut de la tige est étendu, le bas est comprimé. Si nous fixons (fig. 15) les jauges R et X, l'une en haut, l'autre en bas, l'action de la température sera encore compensée (sauf si le haut de la

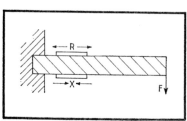

Fig. 15. — Dans le cas d'une poutre qui fléchit, on peut faire en sorte que la jauge de compensation X intervienne plus activement dans la mesure : placée de l'autre côté de la poutre, elle est comprimée quand R est étendue.

Fig. 16. — Une corde vibrante, tendue, dans un tube de protection T, dans l'entrefer d'un aimant, et soumise à une force permettra la mesure de cette dernière par variation de sa fréquence d'oscillation mécanique.

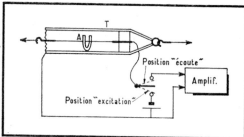

tige est plus chaud que le bas), mais l'augmentation de R (allongée) se combine à la diminution de X (comprimée) pour améliorer la sensibilité. On pourrait même augmenter encore la sensibilité en faisant agir la tension et la compression sur les résistances P et Q qui seraient aussi des jauges, fixées en des points choisis.

Les cordes vibrantes.

IG. — Mais, dites-moi, Curiosus, on doit avoir quelquefois de la peine à utiliser vos jauges de contrainte? J'ai entendu dire qu'on faisait des mesures d'efforts (et c'est sûrement avec elles) dans des grands barrages, en centralisant les appareils de mesure en un endroit qui peut être relativement éloigné du point où l'on veut mesurer les efforts. Il y a de grandes longueurs de fils, qui doivent introduire des variations avec la température et des fuites qui perturbent tout.

Cur. — Parfaitement raisonné. Quand on est trop ennuyé, on utilise alors une autre propriété d'un fil tendu, variant avec la force de traction : sa fréquence de résonance.

Ig. — Comment? On réalise un circuit oscillant avec le fil et un condensateur?

Cur. — Vous n'y êtes pas du tout. Je parle de sa résonance *mécanique*. Vous avez déjà vu et entendu un violoniste qui accorde son instrument : suivant la tension de la corde, la note change. Pour notre méthode acoustique d'extensométrie (on appelle ainsi la technique de la mesure des contraintes et des allongements qui en résultent), la corde, protégée par un tube métallique T, est placée dans l'entrefer d'un aimant A (fig. 16). Elle peut vibrer perpendiculairement au champ magnétique quand on la fait parcourir par un courant alternatif, et il est facile, même de loin, de mesurer sa fréquence de résonance. On peut, par exemple, envoyer un courant très bref dans la corde; cela lui fait le même effet que le marteau sur la corde d'un piano. Elle se met alors à vibrer, en oscillations amorties; son mouvement dans l'entrefer de l'aimant induit une tension entre ses extrémités, tension dont on mesure la fréquence. Même à grande distance, il est facile de faire cette mesure. Ainsi, en tendant une corde entre deux points d'une poutre, par exemple, nous pourrons aisément déceler tout changement de l'écart entre ces points.

Ig. — Donc, nous voici en possession d'un nouveau capteur de force. Je suppose que la série est épuisée?

Mesurons toujours les forces.

Cur. — Il s'en faut de beaucoup. Je vous citerai au passage le condensateur dont une armature, déformable ou fixée élastiquement, peut s'écarter plus ou moins de l'autre suivant la force qui lui est appliquée, modifiant la capacité du condensateur. On peut aussi faire varier la distance de deux bobines montées en série : la variation du coefficient de couplage fait varier le coefficient de self-induction de l'ensemble. Pour ces deux types, on peut constituer un oscillateur que l'élément variable module en fréquence. Je vous citerai aussi les cristaux « piézo-électriques », dans lesquels se développent des champs électriques quand ils sont soumis à des forces. On coupe dans la bonne direction une lame dans la substance cristalline (céramique, quartz ou sel spécial), on la métallise sur ses deux faces, et il apparaît aux bornes de ce condensateur une tension quand on exerce sur lui des actions mécaniques.

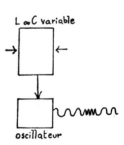

L ∞ C variable

oscillateur

Ig. — Je pense qu'avec votre sadisme caractérisé vous allez m'annoncer que tout ce que vous m'avez énuméré, et qui commence à faire nettement gonfler ma tête, n'est qu'une infime partie de la liste complète des capteurs sensibles aux actions mécaniques.

Cur. — Ignotus, vous devriez un jour vous établir « voyant extralucide ». Il y aurait des volumes entiers à écrire au sujet des capteurs mécaniques; mais il me semble que vous regardez avec inquiétude votre montre. Cela aurait un rapport avec Paulette que je n'en serais pas étonné.

Ig. — Je pense que, vous aussi, vous excellez dans la lecture de pensées et je vous dis « à demain ».

Curiosus va révéler à son ami les mystères cachés sous le mot bien classique « accélération », et comment on mesure cette accélération. D'autres capteurs seront évoqués, sensibles aux sons, à la chaleur et enfin à la lumière (les fameuses cellules photo-électriques qu'Ignotus tenait tant à connaître).

CAPTEURS D'ACCELERATION ET CELLULES PHOTO-ELECTRIQUES

IGNOTUS. — Dites-moi, Curiosus, j'espère que vous n'allez pas me parler toute cette soirée des capteurs mécaniques. J'en ai sincèrement un peu assez.

CURIOSUS. — Rassurez-vous. Je compte vous citer seulement, avant de passer aux autres catégories, les capteurs de position, c'est-à-dire ceux qui permettent de traduire sous forme électrique la position d'un organe mobile.

IG. — Il me semble que bien des engins dont vous m'avez parlé hier pourraient servir. Par exemple, ce fameux potentiomètre à bobinage rectiligne, ou bien le condensateur déformable.

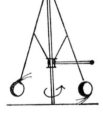

CUR. — Parfaitement exact. On peut aussi utiliser (fig. 17) une pièce qui obstrue plus ou moins un faisceau lumineux dont une cellule photo-électrique (nous allons bientôt en parler) mesure ce qui reste. Mais passons aux capteurs de vitesse, en commençant par la vitesse angulaire (ou vitesse de rotation).

Mesures de vitesses.

IG. — On doit pouvoir utiliser une sorte de régulateur à boules, comme il y en avait sur les machines à vapeur, vous savez bien, cet axe tournant avec deux boules et des bielles : quand l'axe tourne vite, la force centrifuge fait écarter les boules.

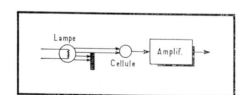

Fig. 17. — Suivant la position de l'obstacle mobile, les rayons lumineux de la lampe arrivent plus ou moins à la cellule.

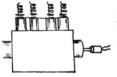

CUR. — Parfaitement possible. Mais il est plus simple de lier l'axe à une petite dynamo : la tension qu'elle fournit est proportionnelle à la vitesse (fig. 18) (le fabricant indique le chiffre en volts par tour/seconde). On peut aussi coupler à l'arbre un petit alternateur dont on mesure la fréquence.

IG. — Très joli, tout cela, mais il doit y avoir un freinage de l'arbre par cette dynamo ou cet alternateur?

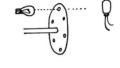

CUR. — Tout à fait exact. Remarquez que, si l'arbre est mû par un Diesel de 1 000 CV, c'est relativement peu grave. Cependant, dans la solution de l'alternateur, on peut ne provoquer aucun freinage : l'arbre tournant est simplement muni d'un petit aimant qui tourne au voisinage d'une bobine dans laquelle il induit une tension. Si vous voulez n'introduire aucun freinage, vous pouvez aussi fixer sur l'arbre un disque portant des trous qui obstrue n fois par tour un faisceau lumineux arrivant sur une...

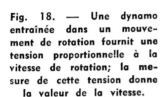

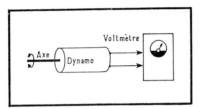

Fig. 18. — Une dynamo entraînée dans un mouvement de rotation fournit une tension proportionnelle à la vitesse de rotation; la mesure de cette tension donne la valeur de la vitesse.

IG. — ... cellule photo-électrique! Tant que je ne connaîtrai pas ces cellules, je crois que je ne saurai rien de l'électronique!

CUR. — Oui, on s'en sert énormément. Mais laissez-moi d'abord vous parler des capteurs de vitesse utilisables pour des mouvements rectilignes.

IG. — Oh! dans ce cas, on attache un fil à la pièce qui bouge et on l'enroule sur un tambour. On est, comme en mathématiques, « ramené au cas précédent ».

CUR. — Le système a du bon. On peut aussi lier à la pièce mobile un aimant qui se déplace dans un bobinage : la tension induite dans celui-ci est fonction de la vitesse de déplacement.

Avant de quitter ce domaine, je voudrais encore vous dire un mot des capteurs d'accélération ou accéléromètres.

L'accélération.

IG. — Mais, dites-moi, l'accélération, c'est une variation de la vitesse. On pourrait se contenter d'un capteur de vitesse et tirer l'accélération de ses indications.

CUR. — Vous avez en partie raison. Mais en partie seulement : d'abord, vous avez l'idée classique selon laquelle l'accélération n'est qu'une variation de la *valeur numérique* de la vitesse, ce qui n'est vrai que pour un déplacement rectiligne. Dans ce cas particulier, on pourrait en effet se contenter d'un capteur de vitesse dont les indications seraient dérivées par un circuit différentiateur...

IG. — Tout, mais pas ça...!

CUR. — C'est beaucoup plus simple que vous ne croyez. Mais, en fait, l'accélération a un sens un peu différent de celui que vous imaginez : on appelle ainsi toute variation d'une vitesse en grandeur *ou en direction*. C'est ainsi que, dans les virages, une accélération est donnée à une voiture roulant à vitesse constante : vous sentez cette accélération parce qu'une force (que l'on appelle force centrifuge) vous pousse sur le côté de la voiture, exactement comme une force agit sur vous quand la vitesse de la voiture change, en valeur arithmétique, sur une route droite.

IG. — Ces forces-là, je les connais bien. J'ai un ami qui possède une voiture de sport; quand il démarre, il s'en faut de peu pour que je me

retrouve sur le siège arrière; chaque fois qu'il freine, je risque de passer à travers le pare-brise.

Cur. — Vous me présenterez votre ami : s'il me propose un jour de m'emmener quelque part en voiture, je ferai gagner de l'argent à la S.N.C.F.... En attendant, Ignotus, supposez que, dans la voiture de votre ami, vous soyez assis sur un siège parfaitement lisse et que vous soyez fixé cependant (ce qui vaudrait mieux pour vous) par des ficelles qui vous attachent à quatre capteurs de force...

Ig. — Je ne serais pas bien du tout...

Cur. — C'est secondaire. L'essentiel est que, comme vous êtes doué de masse, votre corps a tendance à rester immobile...

Ig. — Oh! Curiosus, je ne suis tout de même pas si mou de nature!

Cur. — Il ne s'agit pas ici d'une question de caractère, mais d'une loi de physique. Tout objet doué de masse a tendance à rester immobile ou à garder une vitesse constante en valeur et en direction (autrement dit, un mouvement rectiligne uniforme). Pour faire changer votre vitesse, il faut vous appliquer une force dans le sens du mouvement (pour augmenter la valeur de la vitesse), dans le sens contraire (pour la diminuer) ou perpendiculairement au mouvement (pour modifier la direction de votre vitesse). Or, quand on vous appliquera une force, vous réagirez par une force égale et directement opposée (là aussi, il ne s'agit pas de caractère, mais d'une loi physique, dite de « l'action et la réaction »). Cette force, vous l'exercerez sur les capteurs; ils indiqueront la ou les forces auxquelles vous êtes soumis à chaque instant...

Ig. — Bien malgré moi...

Cur. — Mais soumis tout de même. L'ensemble de la voiture, de vous et des capteurs de force constitue un accéléromètre, indiquant à chaque instant l'accélération de l'auto.

L'accéléromètre économique.

Ig. — Alors, pour réaliser un accéléromètre, il faut une auto et un homme et...

Cur. — Soyez sérieux, Ignotus. Vous pensez bien qu'il suffit (fig. 19) d'une boîte B, liée à l'organe mobile A, dans laquelle un objet M, doué

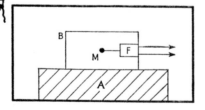

Fig. 19. — Un accéléromètre est une boîte B, solidaire de l'objet mobile A. Dans cette boîte, une masse M agit, par son inertie, sur le capteur de force F quand A est soumis à une accélération.

de masse est lié à des capteurs de force F (piézo-électriques, à potentiomètres ou autres). A moins d'avoir un accéléromètre multiple, il en faut en général trois, pour déceler les accélérations suivant trois directions, deux horizontales et une verticale (qui n'avait pas d'intérêt dans le cas de la voiture). Pour cette dernière, il n'y a d'accélération verticale que lors du passage des « cassis »...

Ig. — Je les prends toujours avec très peu de vermouth!

Cur. — Ignotus! Au lieu de faire des plaisanteries d'un goût douteux, réfléchissez plutôt à l'emploi des capteurs d'accélération. On en

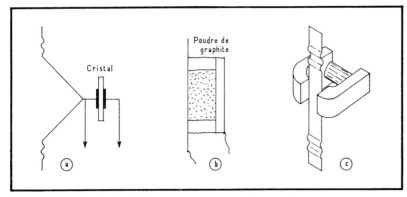

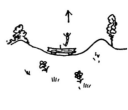

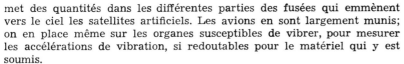

Fig. 20. — Les microphones peuvent utiliser la compression par la membrane d'un cristal piézo-électrique (a) ou d'une poudre de graphite (b); ils utilisent aussi la tension induite dans une bobine ou un ruban (c) qui se déplace dans l'entrefer d'un aimant.

met des quantités dans les différentes parties des fusées qui emmènent vers le ciel les satellites artificiels. Les avions en sont largement munis; on en place même sur les organes susceptibles de vibrer, pour mesurer les accélérations de vibration, si redoutables pour le matériel qui y est soumis.

Ig. — C'est en effet très utile.

Maintenant, écoutons...

Cur. — Quittons la mécanique. Nous allons faire un petit tour rapide dans le domaine des capteurs acoustiques. Vous les connaissez depuis longtemps...

Ig. — Pardi, ce sont les microphones! La dernière utilisation que j'en ai faite ne m'a pas réussi.

Cur. — En effet, il y a les microphones tels que vous les connaissez. Ils consistent (fig. 20) en une membrane qui agit sur un capteur de force (cristal piézo-électrique, contact de graphite, condensateur) ou de vitesse (bobine mobile, ruban) : ce sont des capteurs acoustiques. Mais il y en a d'autres : les hydrophones ou microphones destinés à l'écoute des sons qui se propagent dans l'eau (ils sont en général piézo-électriques) et les géophones, destinés à l'écoute des sons qui se propagent dans le sol.

Ig. — Ces derniers seraient bien utiles aux Sioux!

Cur. — Nom d'un superhétérodyne! Je ne vois pas le rapport!

Ig. — Curiosus! Vous n'allez pas me dire que vous n'avez jamais lu Mayne Red ni Fenimore Cooper! Tout le monde sait que le grand chef colle son oreille au sol afin d'entendre le bruit des sabots des chevaux de ses ennemis ou de la diligence qu'ils vont attaquer.

Cur. — C'est vrai, excusez-moi, il est permis d'oublier un peu ses classiques... Pour revenir en Europe, les géophones servent d'ailleurs plus à écouter des bruits d'explosion, afin de savoir où se trouvent les couches souterraines qui ont réfléchi le son de l'explosion d'une charge de TNT. C'est très employé par les prospecteurs de pétrole.

Mais, puisque ces histoires de Sioux m'ont échauffé l'imagination, il me semble logique de passer aux capteurs sensibles à la température.

Pour remplacer les thermomètres.

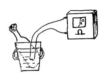

Ig. — J'ai trouvé! Vous m'avez dit la dernière fois que les résistances des jauges de contrainte étaient sensibles à la température. Il suffit d'en utiliser une seule, soumise à la température et non soumise à des actions mécaniques, et le tour est joué!

Cur. — Parfaitement raisonné. Cela se fait. On n'utilise cependant pas, comme élément sensible à la température, une jauge de contrainte, élément dans lequel on a tout fait pour *diminuer* sa sensibilité à la température, mais une résistance plus classique. En moyenne, à la température ordinaire, on peut dire que la résistance d'un fil métallique augmente de 1 % tous les 3 °C.

Ig. — Je pense donc qu'on leur préfère ces résistances sensibles à la température dont j'ai entendu parler sous le nom de « thermistances »?

Cur. — Oh, pas toujours! Les thermistances (j'allais vous en parler) sont des semiconducteurs, suivant cependant la loi d'Ohm pour les faibles puissances électriques (qui ne les font pas sensiblement chauffer), mais dont la résistance *diminue* quand la température augmente. Leur variation est d'ailleurs beaucoup plus rapide que celle des résistances classiques : on arrive à 4 % par degré-centigrade, douze fois plus qu'avec des métaux. On appelle aussi ces éléments des « thermistors » ou C.T.N. (ce qui signifie : Coefficient de Température Négatif).

Ig. — Mais alors, si ces CTN sont douze fois plus sensibles à la température que les résistances métalliques, je suppose que l'on n'utilise jamais ces dernières.

Cur. — On les utilise aussi beaucoup, car elles peuvent supporter des températures qui détruisent les CTN. En outre, leur loi de variation en fonction de la température est simple, presque linéaire, tandis que celle des CTN est relativement complexe. Une résistance de platine peut servir à la mesure des températures allant de quelques degrés absolus (vers — 260°) jusqu'à 1 500 °C. Notons aussi la présence de résistances dites « C.T.P. » (Coefficient de Température Positif). Leur valeur ohmique augmente quand la température s'élève, un peu comme le ferait celle d'un fil métallique. Mais, à la différence de ce dernier, la variation de résistance des C.T.P. est extrêmement rapide autour d'une valeur critique, variable suivant le type de C.T.P., permettant ainsi de connaître (et de stabiliser si besoin est) une température avec une grande précision. Mais il y a aussi les couples thermo-électriques : deux métaux (ou semiconducteurs) mis en contact et dont le point de jonction est chauffé se transforment en une véritable pile (fig. 21).

Ig. — Formidable! Il suffit donc d'avoir de ces couples, de les chauffer, et on obtient de l'électricité. Il y a un avenir énorme là-dedans!

Cur. — Certainement. En particulier en U.R.S.S. où l'on a beaucoup étudié le problème (car, étant donné la dimension du pays, il y a beaucoup d'endroits non électrifiés), on peut alimenter un poste à transistors avec une batterie de thermo-couples placés autour du verre d'une lampe à pétrole qui sert à l'éclairage.

Le rayonnement.

Ig. — Et pour les températures très élevées, au-dessus de 2 000 °C, comment fait-on?

Cur. — Vous savez qu'un corps très chaud émet de la lumière : c'est sous cette forme qu'il rayonne de l'énergie. On a pu vérifier pour des températures pas trop élevées que la puissance rayonnée par 1 cm²

de corps chaud (à la température *t* en °C) est à peu près proportionnelle à la quatrième puissance de la température *absolue* T du corps (c'est-à-dire sa température au-dessus du zéro absolu, qui est à — 273 °C). En mesurant cette puissance rayonnée on connaît la température. On emploie même cette méthode pour la mesure de températures considérables. Mais on procède alors en faisant des extrapolations un peu hardies sur les lois du rayonnement, lois dont la réussite des explosions thermonucléaires a démontré l'inexactitude aux très hautes températures : selon ces lois, une bombe H ne peut pas exploser...

IG. — Pour ma part, je préférerais que les lois aient raison!!!

CUR. — Moi aussi, mais l'expérience prouve que la bombe explose. Ces extrapolations sont donc un peu fantaisistes. Aussi, quand on me dit que la température de telle étoile est de 6 millions de degrés, cela me fait à peu près le même effet que si l'on me disait : « Sa température est de 3 tonnes, ou de 10 minutes... »

IG. — Les mesures par rayonnement ne valent donc rien?

CUR. — Tant s'en faut. Par exemple, l'emploi des thermocouples a permis de mesurer la température de différents points de la lune et de

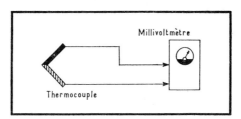

Fig. 21. — Un thermocouple est constitué par deux métaux différents soudés. Suivant la température de la soudure, la tension qui apparaît à ses bornes varie.

Millivoltmètre

Thermocouple

quelques planètes en faisant réfléchir, grâce à un miroir de télescope, l'image de l'astre ou de la partie d'astre étudiée sur un thermocouple dont l'échauffement varie suivant la température du point visé. C'est tout de même un beau résultat!

IG. — Je l'admets bien volontiers. Mais je voudrais que vous me parliez enfin des cellules photo-électriques.

CUR. — J'allais y arriver. Vous souvenez-vous de la méthode utilisée pour faire sortir des électrons de la matière dans les tubes électroniques?

IG. — Bien sûr; on élève la température d'un corps; cela augmente l'agitation moléculaire; les électrons sont secoués à tel point que, finalement, ils sortent de la matière.

CUR. — C'est assez cela. Pour être plus précis, je dirai que l'augmentation d'énergie des électrons, due à la température, leur permet de franchir la surface. Eh bien, Ignotus, on peut aussi augmenter l'énergie des électrons en faisant arriver un rayonnement lumineux sur la matière dans laquelle ils se trouvent...

IG. — Formidable! Mais alors, on peut remplacer, dans les tubes électroniques, les cathodes chaudes par des cathodes éclairées?

Les cellules photo-électriques.

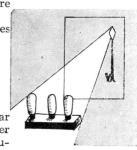

CUR. — Cela serait possible, en effet, mais pas très intéressant, car le courant obtenu ainsi est relativement faible. Si nous voulons réaliser une cellule photo-électrique, nous mettrons (fig. 22) une plaque recouverte d'une substance adéquate, particulièrement apte à émettre des

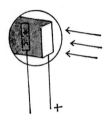

électrons quand on l'éclaire, dans une ampoule où nous aurons fait le vide. Une autre électrode dans cette ampoule sera portée à un potentiel positif par rapport à cette plaque enduite (appelée cathode). Les électrons émis par la cathode sous l'influence de la lumière qu'elle reçoit iront vers l'autre électrode (l'anode), ce qui établira un courant I_a, fonction de l'éclairement de la cathode.

IG. — Au fond, cela n'a pas l'air tellement compliqué, une cellule photo-électrique. C'est une diode dont la cathode est éclairée au lieu d'être chauffée. Mais, dites-moi, pourquoi avez-vous dessiné une anode aussi petite, un vrai fil? On devrait en faire une bien plus grande.

CUR. — Cela n'est pas indispensable; et surtout il ne faut pas oublier que l'anode ne doit pas porter ombre sur la cathode et doit laisser le passage à la lumière. D'ailleurs, avec le faible courant I_a (qui atteint difficilement une dizaine de micro-ampères et reste souvent en dessous d'une fraction de micro-ampère), il n'y a pas besoin d'une anode bien grande.

IG. — Ils sont bigrement petits, vos courants de cellule. Et puis, comme c'est ennuyeux, de devoir placer l'anode sur le parcours des rayons lumineux!

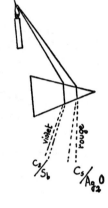

CUR. — Vous verrez que nous nous accommoderons très bien de ces petits courants. D'autre part, on peut utiliser une cathode semi-transparente, déposée sur la paroi de l'ampoule : les rayons lumineux l'attei-

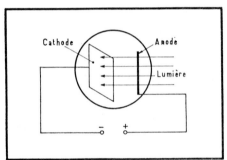

Fig. 22. — **Cellule photo-électrique : la cathode émet des électrons sous l'influence de la lumière et l'anode capte ces électrons.**

gnent par un côté et font émettre des électrons de l'autre côté; donc l'anode n'a pas besoin d'être du côté de la source lumineuse. Puisque je vous parle de la cathode, laissez-moi vous préciser qu'il y a beaucoup de sortes de cathodes. Certaines, constituées par du césium sur de l'antimoine, sont sensibles au bleu et au violet. On en fait aussi en césium sur oxyde d'argent, sensibles surtout au rouge et à l'infrarouge. Retenez enfin que le courant I_a est à peu près indépendant de la tension anodique : il ne dépend que de l'éclairement de la cathode (d'une façon quasi-proportionnelle, ce qui permet de définir la sensibilité de la cellule en micro-ampères par lumen). Au fond, la cellule à vide se comporte à peu près comme une diode saturée dont le courant de saturation ne serait fonction que de la température du filament.

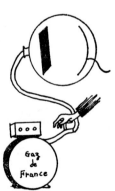

IG. — Vous dites : les cellules *à vide*. Il y en a donc d'autres?

CUR. — Hélas, oui : les cellules à gaz, pratiquement identiques aux précédentes, mais dans lesquelles on a introduit une faible quantité d'un gaz qui s'ionise sous l'influence des électrons issus de la cathode. L'ionisation du gaz multiplie le courant photo-électrique par un facteur pouvant aller jusqu'à 4 et...

IG. — Mais c'est épatant, ça, quand le courant initial est si petit. Pourquoi dites-vous : hélas?

Cur. — Parce que ces cellules sont tout au plus indiquées pour les « lecteurs » du cinéma sonore. Vous savez que le son du cinéma sonore est, en général, enregistré sous forme d'une « piste sonore », bande de transparence variable, située sur le côté du film. Cette piste passe entre une lampe L (fig. 23) et une cellule C. Les modulations de la lumière atteignant C sont traduites par cette dernière en signaux électriques qui

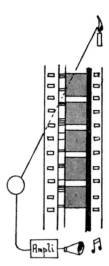

Fig. 23. — **Sur le côté du film, une piste sonore à transparence variable d'un point à un autre intercepte plus ou moins la lumière issue de la lampe L et arrivant sur la cellule photo-électrique C, reproduisant ainsi le courant B.F. de sonorisation.**

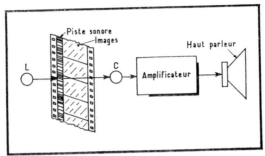

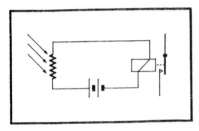

Fig. 24. — **Une « photo-résistance », éclairée, diminue de résistance et le courant qui la traverse peut actionner directement un relais.**

attaquent un amplificateur. Elles ont, pendant plusieurs années, supplanté toutes les autres. Or, elles sont fragiles, le courant anodique dépend énormément de la tension anodique, leur sensibilité varie avec le temps et la température, le retard à l'ionisation et à la désionisation du gaz fait qu'elles ne peuvent pas suivre les variations très rapides de la lumière (elles perdent déjà 3 dB à 10 kHz)...

Ig. — N'en jetez plus. Pour moi, les cellules à gaz sont condamnées sans appel. Je regrette seulement qu'il n'y ait pas d'autres éléments sensibles à la lumière que les cellules à vide.

Eléments photosensibles.

Cur. — Ne regrettez rien. Il y a des quantités d'autres engins photosensibles. D'abord les photo-résistances : certains corps, notamment le sulfure de plomb, le sulfure de cadmium ainsi que des séléniures et antimoniures, convenablement traités, présentent une résistance électrique qui varie considérablement suivant leur éclairement. Les courants qu'on peut en tirer sont bien plus importants : ils atteignent souvent plusieurs dizaines de milliampères. Mais ces corps ne sont pas toujours de vraies résistances. Certains sont des semiconducteurs : le courant qui les traverse n'est pas proportionnel à la tension qu'on leur applique. En plus, ils peuvent avoir une grande inertie et n'être sensibles qu'à des variations lentes de la lumière (plusieurs dixièmes de seconde). Mais les photo-résistances, peu indiquées pour les mesures de lumière, sont parfaites pour les déclenchements de relais (fig. 24).

IG. — Je crois que c'est ce qu'il m'aurait fallu pour mon système anticambriolage de l'autre jour.

CUR. — En effet, surtout si l'on remarque que ces photo-résistances sont assez sensibles à l'infrarouge.

IG. — Encore cet infrarouge! Qu'est-ce que c'est et comment le produit-on?

CUR. — Il n'y a aucun mystère. L'infrarouge est uniquement une lumière située dans le spectre, un peu plus loin que le rouge. Nos yeux ne peuvent pas l'apercevoir, mais, certaines cellules photo-électriques y sont aussi sensibles qu'à la lumière visible. Pour produire l'infrarouge,

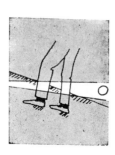

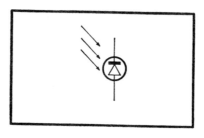

Fig. 25. — Une photodiode est symbolisée ainsi dans les schémas.

vous utilisez simplement une lampe à incandescence et un filtre qui arrête toutes les radiations visibles tout en laissant passer l'infrarouge. Vous avez ainsi un faisceau que vous pouvez déceler avec une cellule à vide dont la cathode, sensible à l'infrarouge, est composée d'une couche de césium sur une plaque d'argent oxydé. Ces cathodes sont en général appelées « cathode S_1 » par les constructeurs de cellules. Vous pouvez aussi utiliser une photo-résistance sensible à l'infrarouge : elle détectera l'occultation du faisceau, sans que personne puisse le voir.

IG. — Et c'est vraiment bien pratique. Citez-moi donc les autres capteurs de lumière; je devine qu'il en est bien d'autres!

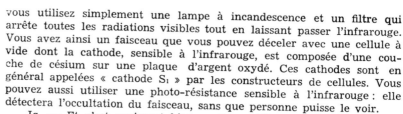

Les photo-diodes.

CUR. — Oh, oui! Il y en a même beaucoup d'autres. Je ne vous citerai plus que la photo-diode (fig. 25). Il s'agit d'une diode à jonction au germanium ou au silicium, comportant une zone N et une zone P. Si l'on rend la zone P positive par rapport à la zone N, le courant passe sans difficulté. Par contre, si l'on polarise la diode en sens inverse, le courant ne passe pas...

IG. — Comme dans toutes les diodes de bonne famille!

CUR. — Oui, mais cette diode « de bonne famille » prend de mauvaises idées quand elle reçoit de la lumière sur la jonction : les chocs dus aux photons (grains de lumière) provoquent l'apparition d'ensembles électrons-trous à la jonction, et la diode laisse alors passer une sorte de « courant de fuite », d'ailleurs sensiblement indépendant de la tension.

IG. — Nom d'une diode! Vous venez de me donner l'explication d'un phénomène qui m'avait laissé rêveur : j'avais fait un contrôleur universel avec un galvanomètre et quatre diodes au germanium à jonction et j'avais remarqué que mon engin, sur les tensions alternatives, marchait très mal dans la matinée et mieux l'après-midi. Or la fenêtre de mon labo donne vers l'est, et les diodes étaient violemment éclairées le matin.

Cur. — C'est une explication. Il y a aussi l'échauffement possible de vos diodes. Elles sont en principe recouvertes de peinture noire qui les préserve de la lumière.

Ig. — Il y en avait au départ, mais je l'avais grattée pour voir ce qu'il y avait dessous.

Cur. — Très morale, cette histoire : la curiosité est toujours punie. La photo-diode présente l'intérêt d'avoir une sensibilité qui est souvent trois cents fois plus grande que celle des meilleures cellules à vide. En plus, elle a très peu d'inertie et suit facilement les variations de lumière à une cadence de 100 000 périodes par seconde. Son principal défaut est celui de tous les semiconducteurs : sa sensibilité à la chaleur.

Ig. — Trois cents fois plus sensible que les meilleures cellules à vide, quel exploit! On doit utiliser ces diodes uniquement avec une lumière crépusculaire!

Cur. — Ne croyez pas cela. La surface sensible des photo-diodes est minuscule, et il faut un bon éclairement pour faire arriver dans cette surface infime le petit nombre de lumens nécessaires pour obtenir un bon courant. Ce sont toutefois des éléments très utiles, qui supplanteront certainement les cellules à gaz pour les « lecteurs » du cinéma sonore...

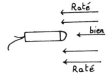

Ig. — Bien fait!

Cur. — Je ne porterai pas le deuil non plus. Cependant, il y a un autre moyen pour augmenter énormément la sensibilité des cellules.

Ig. — L'amplification?

Cur. — Exactement. Mais je pense en ce moment à une façon d'amplifier tout à fait différente de celles que vous connaissez, utilisant l'émission secondaire.

Les photo-multiplicateurs.

Ig. — Qu'est-ce que c'est que cette bête-là? Ah oui, je me souviens, c'est le phénomène qui nous avait empoisonnés dans les tétrodes : les électrons, accélérés par l'écran et tombant sur l'anode, peuvent en faire rejaillir plus d'électrons qu'il n'en arrive. Dans certains cas, l'écran les capte, s'il est à un potentiel supérieur à celui de l'anode, et il y a une sorte de courant qui va de l'anode vers l'écran, l'anode jouant le rôle d'une cathode secondaire.

Cur. — Ignotus, vingt sur vingt! Pour utiliser ce phénomène dans une cellule photo-électrique, on s'arrange pour que les électrons sortant de la cathode éclairée (portée au potentiel 0) arrivent sur une première électrode portée au potentiel + 100 V. Cette électrode est recouverte d'une substance qui a un grand pouvoir d'émission secondaire et elle est située au voisinage d'une autre électrode portée au potentiel + 200 V. Pour un électron issu de la photo-cathode et arrivant sur l'électrode à + 100 V, il en sort 2 ou 3 de cette électrode pour aller sur celle qui est à + 200 V. Au voisinage de celle-ci, une autre électrode, portée à + 300 V en recueille 4 ou 9 (fig. 26).

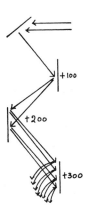

Ig. — Mais dites-moi, Curiosus, tout cela est très bien, mais qu'est-ce qui empêche les électrons d'aller directement de ce que vous appelez la photo-cathode à l'électrode dont le potentiel est + 200 V ou, encore mieux, à celle dont le potentiel est + 300 V?

Cur. — La disposition des électrodes qui donne la forme des champs électriques s'y oppose. Mais dites-vous bien qu'il y a toujours quelques

électrons « mauvaises têtes » qui vont où ils ne devraient pas aller. L'essentiel est qu'ils soient peu nombreux, statistiquement parlant. On peut arriver, au moyen d'une dizaine d'étages multiplicateurs, à multiplier le courant photo-électrique par un facteur qui atteint plusieurs millions. La sensibilité de ces « photo-multiplicateurs » arrive à être fantastique. Il s'agit d'ailleurs de tubes très couramment employés dans l'industrie, dans les mesures, en astronomie... J'en ai apporté un pour vous le montrer.

IG. — Oh! Je m'attendais à trouver un engin immense, surtout pour celui-là dont vous m'avez dit qu'il avait 11 étages multiplicateurs. A

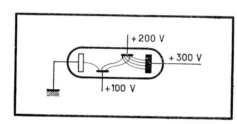

Fig. 26. — Dans un photomultiplicateur, les électrons émis par la cathode provoquent une émission secondaire sur la première « dynode », qui renvoie ses électrons à une autre, à potentiel plus élevé. Cette seconde dynode multiplie encore la quantité des électrons qui en sortent pour aller à l'anode.

propos, comment s'appellent ces électrodes qui sont à la fois des anodes (pour la partie qui précède) et des cathodes (pour celle qui suit)?

CUR. — On les appelle les dynodes. On les porte aux potentiels adéquats au moyen d'une chaîne de résistances ou au moyen d'une chaîne de petits tubes à néon qui offrent l'avantage de stabiliser la tension. Je préfère toutefois (fig. 27) la chaîne de résistances, qui permet une variation continue de la tension par dynode. En effet, la sensibilité de

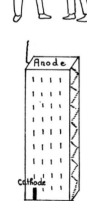

Fig. 27. — Pour alimenter un photomultiplicateur à plusieurs étages, le mieux est de polariser les dynodes par une chaîne de résistances entre la cathode (à potentiel fortement négatif) et la masse.

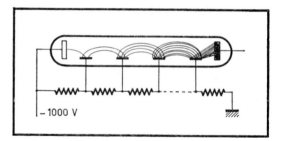

l'ensemble (ou plutôt le pouvoir multiplicateur des étages) varie énormément en fonction de la tension par dynode.

IG. — Je vois. Mais pourquoi, sur votre schéma, avez-vous utilisé une tension négative pour la cathode?

CUR. — Je préfère porter la cathode à — 1 000 V par rapport à la masse et avoir ainsi l'électrode finale (l'anode) à un potentiel voisin de zéro, puisque c'est sur elle que je vais recueillir le courant photo-électrique amplifié.

IG. — Mais quel est au fond l'intérêt d'avoir une cellule photo-électrique d'une sensibilité aussi monstrueuse?

CUR. — Il arrive très souvent que vous disposiez d'un flux lumineux très faible. Le cas le plus typique est celui de l'utilisation dans les « scintillateurs » qui servent à détecter les radiations nucléaires.

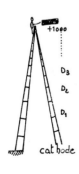

Ig. — Vous voulez dire les rayons atomiques?

Cur. — En un sens, mais je n'aime pas du tout cette expression qui fait un peu « science-fiction de bas étage pour grande presse ». Tous les phénomènes improprement appelés « atomiques » sont, en fait, ceux où intervient une modification du *noyau*.

Ig. — Je vois où vous voulez en venir. L'arrachage des électrons, dans une cathode de tube électronique ou dans un gaz ionisé, affecte les atomes et pourrait mériter le titre de « phénomène atomique ».

Cur. — Exactement. Et encore, vous oubliez les réactions chimiques, dans lesquelles les différents atomes échangent des électrons entre eux. Dans la désintégration du radium, par exemple, ce sont les *noyaux* des atomes qui sont altérés, comme dans le métal des bombes atomiques (que l'on devrait appeler « bombes nucléaires ») ou dans celui des piles qui produisent le plutonium.

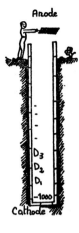

Ig. — C'est encore assez nébuleux pour moi, ces histoires de radio-activité. Mais, dites-moi, puisque vous commencez à me parler de cela, je peux conclure que nous avons changé de classe de capteur, et, comme les horloges ont l'air d'indiquer qu'il est très tard, je crois que je ne pourrais plus rien absorber aujourd'hui. Si vous voulez, nous continuerons demain.

Cur. — D'accord, et nous pourrons ainsi terminer cette question des capteurs, un peu fastidieuse sans doute, mais de grande importance en électronique.

Plongeant au cœur de la matière, Curiosus va initier son ami aux mystères des particules, protons, neutrons et autres, ainsi qu'aux rayonnements nucléaires. Il passera donc tout de suite aux capteurs sensibles à ces rayonnements (compteur de Geiger, chambre d'ionisation, scintillateur); et, puisque nos amis parlent de particules, ils en arrivent à ce qui se passe dans les ions, au cœur des solutions. Ignotus se verra révéler ce qu'est le pH (qui mesure le degré d'acidité d'une solution) et son pouvoir oxydant, et ce que sont les capteurs qui permettent de mesurer ces nombres.

MESURES NUCLEAIRES ET CHIMIQUES

IGNOTUS. — Curiosus, je suis complètement découragé. J'ai essayé de lire une publication qui parlait des « phénomènes nucléaires » (comme vous les appelez) et j'y ai été assailli par une avalanche de termes inconnus : rayons bêta, neutrons, isotopes, électronvolt, bévatron...

CURIOSUS. — Je ne vais pas tous vous les expliquer, mais vous verrez que ce n'est pas si horrible que vous le pensez. D'abord, je vous demanderai de me rappeler comment sont faits les noyaux des atomes?

Constitution des atomes.

IG. — Ce sont des petites boules chargées positivement et contenant la quasi-totalité de la masse de l'atome.

CUR. — Il y a du vrai. Mais on en sait plus sur eux. Ils sont composés de deux espèces de particules : les *protons*, petits grains chargés positivement et les *neutrons*, petits grains de même masse, mais non chargés. La charge d'un proton est égale à celle d'un électron, mais est de signe opposé. Evidemment, dans un atome qui est neutre, il y a autant de protons dans le noyau que d'électrons qui tournent autour. Le nombre de protons s'appelle le « numéro atomique ». Par exemple, le noyau d'hydrogène simple n'est qu'un unique proton autour duquel tourne l'électron de l'atome. Le numéro atomique de l'hydrogène est donc 1. Mais il y a aussi une autre sorte d'hydrogène, dit hydrogène lourd (ou deutérium) qui existe, mélangé à l'hydrogène simple dans une très faible proportion (moins de $1/1\,000$ d'hydrogène lourd pour $999/1\,000$ d'hydrogène simple) dans le gaz hydrogène classique. Cet hydrogène lourd a, dans son noyau, un proton et un neutron (fig. 28). Chaque atome a aussi un seul électron comme pour l'hydrogène simple. Le deutérium a une densité plus élevée que l'hydrogène léger, mais des propriétés chimiques presque identiques. On le range dans la même « case » que l'hydrogène léger dans le tableau périodique des éléments dit « de Mendeleeff », et c'est pourquoi on appelle le deutérium et l'hydrogène léger des « isotopes », du grec « isos » (le même) et « topos » (place).

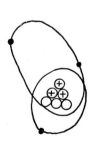

Il y a ainsi des atomes dont les noyaux, contenant le même nombre de protons, ont le même numéro atomique, mais qui peuvent exister sous deux formes. Celles-ci diffèrent l'une de l'autre par le nombre de neutrons fixés aux protons dans le noyau. Par exemple, dans le chlore, dont le numéro atomique est 17 (17 protons dans le noyau et 17 élec-

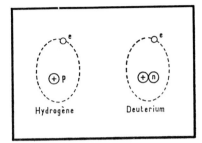

Fig. 28. — L'hydrogène simple ne comporte, dans son noyau, qu'un proton. Dans son isotope lourd, le « deutérium », il y a, en plus, un neutron dans le noyau. Pour les deux types d'hydrogène, il n'y a qu'un électron autour du noyau.

trons autour), il y a deux catégories d'atomes : ceux dont le noyau comporte, outre les 17 protons, *18* neutrons (nombre de particules total du noyau 35) et ceux dont le noyau comporte 17 protons et *20* neutrons (nombre de particules total du noyau 37). Ces deux sortes de chlore, rigoureusement identiques du point de vue chimique, sont deux isotopes.

Le mélange des isotopes.

IG. — Et le gaz que l'on appelle « chlore » est-il fait d'atomes à 18 neutrons ou d'atomes à 20 neutrons?

CUR. — Il contient les deux, environ 3/4 de chlore à 18 neutrons et 1/4 de chlore à 20 neutrons.

IG. — La proportion doit changer suivant l'origine du chlore?

CUR. — Non, et c'est là un des phénomènes les plus curieux que l'on connaisse : la proportion des deux isotopes est rigoureusement la même, que le chlore soit extrait du sel de l'océan Indien ou des chlorures de potassium que l'on trouve en Alsace.

IG. — Et il est impossible de les séparer, ces isotopes?

CUR. — Si, on peut y arriver, mais c'est extrêmement difficile. Cela représente une grande partie du travail des usines nucléaires actuelles : séparer les isotopes 235 (92 protons et 143 neutrons) et 238 (92 protons et 146 neutrons) de l'uranium naturel. En effet, l'isotope 235 de l'uranium est le seul qui soit radioactif, c'est-à-dire dont les noyaux de ses atomes éclatent spontanément. Il n'y en a que 0,7 % dans l'uranium naturel. Au fond, Ignotus, la plupart des corps que l'on dit « simples » sont en réalité des mélanges d'isotopes; mais ceux-ci sont si difficiles à séparer que l'on a longtemps considéré que ces corps n'étaient pas des mélanges, jusqu'au début du vingtième siècle. Considérez en plus que ces isotopes sont rigoureusement identiques du point de vue des propriétés chimiques, et vous comprendrez que leur découverte soit si récente.

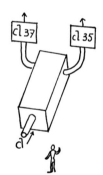

Le domaine des particules.

IG. — Je vois maintenant assez bien ce que sont les isotopes. Mais je voudrais bien savoir ce que sont les particules bêta et autres...

Cur. — J'allais y arriver. Les corps dits « radioactifs » ont une certaine instabilité qui fait que leurs noyaux explosent spontanément. Il y a, dans ce cas, des petits morceaux de noyaux qui partent dans toutes les directions. Cela peut être des neutrons (rayonnement neutronique), quelquefois des électrons (on dit alors qu'il s'agit de rayons bêta ou β). Il peut se faire aussi que l'on voie partir du noyau des groupes de quatre particules : deux neutrons et deux protons. On appelle ces groupes des « particules alpha (α) » ou « hélions », et le rayonnement formé par l'émission de ces particules s'appelle « rayonnement α ».

Il existe aussi un rayonnement qui accompagne les phénomènes nucléaires : le rayonnement gamma (γ) qui est analogue à la lumière (ou plutôt aux rayons X) et qui présente un aspect plus ondulatoire.

Ig. — Il est tout à fait différent des autres, ce rayonnement-là : au lieu d'être constitué de particules, c'est une sorte de lumière.

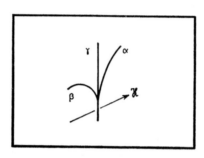

Fig. 29. — Un champ magnétique H ne dévie pas les rayons γ, il dévie un peu les rayons α et beaucoup (en sens opposé) les rayons β.

Cur. — Oh! Vous savez, il n'y a pas une telle différence entre les rayonnements de particules et les rayonnements du type lumineux. Les différences sont plutôt dans le pouvoir de pénétration.

Le rayonnement α ne va pas loin : quelques millimètres dans l'air. Les rayons β peuvent aller plus loin et traverser une certaine épaisseur de tôle d'aluminium ou même d'acier mince (un rayonnement nucléaire traverse une substance d'autant plus facilement que sa densité est plus faible). Les rayons γ sont très pénétrants. Ces trois rayonnements ont des propriétés ionisantes, c'est-à-dire qu'ils peuvent provoquer des ionisations dans les gaz qu'ils traversent, séparant les molécules de ces gaz en morceaux non neutres du point de vue électrique (ions) et rendant le gaz conducteur. Ils peuvent aussi provoquer la condensation de la vapeur d'eau quand celle-ci est refroidie au-dessous de la température qui devrait normalement (vu la concentration de la vapeur) provoquer sa condensation. La vapeur peut rester dans cet état instable de sursaturation un instant...

Ig. — Comme l'eau que l'on est arrivé à amener à quelques degrés en dessous de zéro sans qu'elle gèle.

Cur. — Excellente comparaison. Cette vapeur peut se condenser brusquement si un rayon nucléaire (α, β ou γ) la traverse; et l'on voit se dessiner en gouttelettes le parcours du rayon.

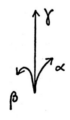

Ig. — C'est par la différence de pouvoir pénétrant que l'on peut distinguer s'il s'agit de rayonnement α, β ou γ?

Cur. — Ce serait un moyen. On préfère faire passer les rayons dans un champ magnétique : les rayons α (particules positives très lourdes) sont déviés, assez peu, dans un sens. Les rayons β (particules négatives très légères) sont fortement déviés dans l'autre sens. Les rayons γ ne

sont pas déviés (fig. 29). Les neutrons non plus ne sont pas déviés, mais le jet de neutrons n'est pas ionisant, il ne condense pas la vapeur d'eau, on l'aperçoit par des méthodes indirectes.

Ig. — Ces rayons peuvent sans doute traverser le corps humain, comme les rayons X?

Cur. — Oui, sauf pour les α. Comme les rayons X, ils sont très nocifs, à haute dose, pour l'homme et les êtres vivants, c'est pourquoi il est si important de les déceler.

Mesure des rayonnements.

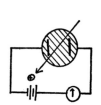

Ig. — Je suppose que vous allez utiliser la condensation de vapeur d'eau en « sursis de condensation »?

Cur. — On l'appelle « vapeur sursaturante ». Nous pourrions l'utiliser, et c'est ainsi que l'on étudiait la radioactivité il y a trente ans. On appelle l'enceinte contenant de la vapeur « chambre de Wilson ». Nous utiliserons plutôt la propriété qu'ont ces rayonnements de rendre les gaz conducteurs. Nous introduirons un gaz dans une enceinte (appelée « chambre d'ionisation »), entre deux électrodes auxquelles on applique une certaine tension. On mesure le courant qui passe dans la chambre d'ionisation : il est proportionnel au rayonnement, au volume de la chambre (en supposant que tout ce volume est soumis au rayonnement) et à la pression du gaz.

Ig. — Vous le mesurerez avec un ampèremètre?

Cur. — Oh que non! Même le plus sensible des micro-ampèremètres ne dévierait qu'avec une chambre d'ionisation géante, soumise à un

Fig. 30. — Les particules nucléaires, passant dans le gaz de la chambre d'ionisation, ionisent ce gaz, produisant un courant très faible dans cette chambre; on mesure la chute de tension produite par ce courant dans une résistance de très forte valeur.

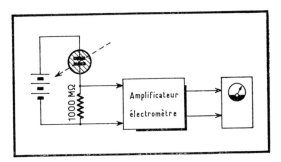

rayonnement monstrueux. En fait, il s'agit en général de courants voisins du millionième de micro-ampère ou moins encore. On les fait passer (fig. 30) dans des résistances extrêmement élevées (plusieurs milliers ou millions de mégohms) et on mesure la différence de potentiel aux bornes de ces résistances au moyen d'un « amplificateur électromètre » auquel j'ai déjà fait allusion et dont nous parlerons plus loin.

Ig. — Mais alors, ce n'est pas du tout sensible, votre méthode par chambre d'ionisation?

Cur. — La sensibilité est faible, mais il est utile de pouvoir mesurer les rayonnements très forts, allant de ceux dans lesquels un homme peut rester une dizaine d'heures sans danger notable à ceux qui le tueraient en une minute.

Ig. — Pour ces derniers, je préfère tenir la chambre d'ionisation au bout d'une longue perche!

Le compteur de Geiger.

CUR. — On fait encore mieux : on envoie des engins télécommandés pour effectuer les mesures. Pour les rayonnements plus faibles, on utilise les propriétés ionisantes autrement, dans le compteur Geiger-Muller.

IG. — Qu'est-ce que c'est que cet instrument?

CUR. — Il est extrêmement simple. Il s'agit d'une enceinte contenant un gaz à faible pression. On y place un cylindre entourant un fil isolé (fig. 31). Si nous établissons une certaine différence de potentiel entre le fil et le cylindre nous aurons...

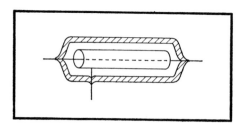

Fig. 31. — Dans un compteur de Geiger-Müller, un cylindre dans l'axe duquel est tendu un fil est placé dans une ampoule contenant un gaz sous faible pression, dans lequel l'ionisation produite par chaque particule s'étend à toute l'ampoule.

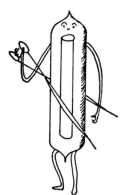

IG. — ... une chambre d'ionisation.

CUR. — Oh, cela y ressemble beaucoup et pourrait être utilisé comme tel. Mais la différence de potentiel appliquée est relativement élevée, voisine de celle qu'il faudrait pour amorcer l'ionisation dans l'enceinte. Si une particule nucléaire passe dans le gaz, elle peut provoquer l'ionisation.

IG. — C'est exactement comme dans la chambre d'ionisation.

CUR. — Non, pour deux raisons. D'abord, la différence de potentiel entre les électrodes est suffisamment élevée pour que, sous l'influence de l'ionisation locale provoquée par la particule, tout le gaz de l'enceinte s'ionise, produisant un courant élevé. Ensuite, nous n'allons pas chercher à mesurer ce courant. Nous chercherons simplement combien de fois par seconde ce phénomène se produit.

IG. — Alors, on compte les impulsions, celles-ci pouvant être importantes. C'est beaucoup plus pratique. Mais, ne m'avez-vous pas dit que l'ionisation se généralisait sous l'influence de la tension cylindre-fil; comment s'éteint-elle alors?

CUR. — Excellente remarque. En effet, si l'on ne fait rien de particulier, elle ne s'éteint pas. On peut, pour l'arrêter, utiliser un montage électronique dit « d'extinction » qui, après une impulsion d'ionisation, abaisse beaucoup la tension aux bornes du tube, provoquant la désionisation. La meilleure solution est de mettre dans le gaz du tube une petite quantité de vapeur d'un alcool lourd ou de brome : ses molécules, par leur inertie, provoquant une désionisation du compteur, une fois qu'il a été ionisé. Ce sont les compteurs « autocoupeurs ». Tenez, j'en ai apporté un ici : je l'alimente et je branche l'entrée de cet amplificateur aux bornes de la résistance où passe le courant du fil. Le haut-parleur à la sortie de l'amplificateur nous permettra d'entendre les impulsions. J'approche du compteur un morceau de pechblende (minerai de radium et d'uranium); vous entendez les coups qui se mettent à crépiter à cadence plus élevée.

Iɢ. — Oui, mais c'est étrange, cela ne donne pas un son défini, pas de fréquence musicale. C'est sans doute parce qu'il s'agit d'impulsions et pas de sinusoïdes.

Cuʀ. — Pas du tout, Ignotus. Les désintégrations se font suivant les seules lois du hasard. Il se peut que, pendant une seconde, il n'y en ait qu'une et que, pendant la seconde suivante, il s'en produise dix. Il n'y a pas plus de régularité dans la succession de ces impulsions que dans celle des gouttes de pluie sur un toit. En revanche, vous pouvez définir une cadence moyenne, en nombre de coups par minute (s'il y en a assez pendant une minute pour que la loi des grands nombres puisse jouer).

Iɢ. — Et maintenant, écartez très loin votre morceau de pechblende. Tiens, il doit y avoir un produit radioactif caché par ici : les tops continuent. Il faut dire qu'ils sont devenus très rares.

Solo de compteur

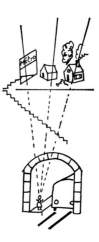

Les rayons cosmiques.

Cuʀ. — Ce que vous entendez maintenant, Ignotus, ce sont les rayons cosmiques : mystérieux rayons produits dans la haute atmosphère sous l'influence de particules venant des étoiles et qui tombent sur nous d'une façon incessante comme une pluie assez faible. Ils sont analogues aux rayons γ, mais encore plus pénétrants qu'eux : plusieurs mètres de béton n'en arrêtent même pas 10 %. Ils sont très ennuyeux pour les mesures, car on ne peut pas s'en débarrasser, et on est obligé de faire des mesures en en tenant compte, comme si l'on voulait faire des mesures de lumière sans arriver à se placer complètement dans l'obscurité.

Iɢ. — Oh, vous n'auriez pas dû me le dire. Ces rayons qui me traversent sans arrêt, cela m'inquiète.

Cuʀ. — Rassurez-vous, Ignotus, vous êtes soumis à ces rayons comme l'a toujours été toute l'humanité, et nous ne nous en portons pas plus mal.

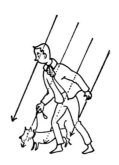

Iɢ. — Bon, je veux bien. Mais dites-moi, Curiosus, quels rayonnements peut-on déceler avec votre compteur?

Cuʀ. — Tous ceux qui, doués de propriétés ionisantes, peuvent entrer dans le cylindre du compteur : les γ toujours, les β assez pénétrants (surtout si la paroi du compteur est mince) et même certains α, si l'on prévoit en bout du compteur une fenêtre mince en mica qui les laisse passer. En tout cas, le compteur de Geiger est un instrument d'une très grande sensibilité : il commence à donner des impulsions, nettement plus rapides que celles dues aux rayons cosmiques, pour un niveau de rayonnement très faible, sans aucun danger pour l'homme, rayonnement produit par exemple par une faible quantité de minerai radioactif. C'est pourquoi on l'utilise pour la prospection, la détermination des fuites éventuelles de rayonnement et les recherches scientifiques.

Le scintillateur.

Iɢ. — C'est donc l'instrument le plus sensible pour la détection des rayonnements nucléaires?

Cuʀ. — Non, il est battu par le compteur à scintillation.

Iɢ. — Qu'est-ce que c'est que cet instrument? Je crois que vous

m'en avez dit un mot à propos des cellules à multiplication d'électrons?

CUR. — En effet. On utilise un cristal, ou un morceau de plastique spécial, ayant la propriété de donner un petit éclair quand il est frappé par une particule nucléaire. Ce cristal est placé contre la photo-cathode d'une cellule photo-électrique à multiplicateurs (fig. 32), cette cathode étant préservée de la lumière par un papier noir ou une couche opaque

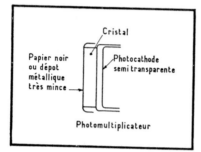

Fig. 32. — Les particules nucléaires pénètrent, à travers le papier noir ou la mince couche métallique (chargés d'arrêter la lumière) dans le cristal. Celui-ci, à chaque particule, émet un éclair qui est détecté par le photomultiplicateur sur lequel le cristal est collé.

que les particules doivent traverser pour atteindre le cristal. Le courant du photo-multiplicateur comporte donc une série d'impulsions dont on mesure la cadence moyenne. Ce procédé est tellement sensible qu'il permet la prospection en auto ou en avion, en survolant un pays dans lequel on pense qu'il peut y avoir des minerais radioactifs. En outre, le scintillateur donne, pour chaque particule nucléaire, une impulsion proportionnelle à l'énergie de cette particule, contrairement au compteur de Geiger qui donne des impulsions toutes égales. Cette propriété permet de faire des mesures de distribution d'énergie des différentes particules.

Il y aurait évidemment des volumes à écrire sur les mesures nucléaires, mais je pense que nous avons épuisé le sujet.

IG. — Ce n'est pas mon avis. Et moi-même, je ne me sens pas épuisé... Vous ne m'avez rien dit sur la détection des neutrons, ni sur l'utilisation des isotopes, ni sur les applications de ces mesures de radioactivité en dehors du domaine de la sécurité, de la prospection ou de la recherche scientifique.

CUR. — Je vous répondrai dans l'ordre. Pour ce qui est des neutrons, on a découvert que, s'ils rencontrent un atome de bore, ils provoquent une suite de réactions nucléaires qui s'accompagnent d'émissions de rayons γ. Il suffit donc de recouvrir une plaque d'acide borique, de la placer à proximité d'un compteur ou d'un scintillateur, et nous détecterons les neutrons.

IG. — Cela paraît, en effet, très simple.

Utilisation des isotopes.

CUR. — Les isotopes radioactifs sont des corps produits artificiellement, en bombardant des atomes normaux par un énorme flux de neutrons, comme celui que l'on peut produire dans une pile nucléaire. Ces neutrons peuvent pénétrer dans un atome et s'intégrer dans le noyau Le nouvel isotope obtenu ainsi est souvent instable, fortement radioactif. Il accompagne partout le produit normal, mais il émet des rayons nucléaires qui permettent de le repérer. Par exemple, si nous soumettons au rayonnement neutronique d'une pile un morceau d'acier, un segment de piston par exemple, il se forme des atomes d'isotope radioactif du fer. En mesurant la radioactivité des huiles de graissage du moteur qui utilise le segment, on peut ainsi connaître le taux d'usure. On a, en quelque sorte, marqué un repère sur les atomes qui cessent ainsi d'être anonymes, repère qui permet de les suivre par mesures physiques, au même titre qu'une bague numérotée sur sa patte permet d'identifier un pigeon voyageur. On peut aussi suivre la fixation d'iode (en partie mélangé à un isotope radioactif de l'iode) par les cancers de la thyroïde : un compteur de Geiger, promené sur le malade, indique les endroits où s'est rassemblé l'iode radioactif, donc l'iode ordinaire. Je crois avoir ainsi répondu à votre troisième question. Je vous signale aussi que l'on utilise la radioactivité comme une lumière aux propriétés spéciales, traversant des corps opaques pour la lumière ordinaire.

Vous pouvez, par exemple, pour repérer le niveau d'un liquide dans une cuve en acier opaque, placer une source radioactive S d'un côté, un compteur de Geiger C de l'autre (fig. 33) : suivant que le niveau du liquide est haut ou bas, le rayonnement est plus ou moins absorbé. On peut aussi mesurer l'épaisseur d'une tôle en voyant combien il reste de rayonnement nucléaire une fois qu'il a traversé cette tôle.

Ig. — Cela semble plein de promesses.

Cur. — Et encore, le temps me manque pour vous parler de la

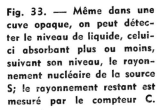

Fig. 33. — Même dans une cuve opaque, on peut détecter le niveau de liquide, celui-ci absorbant plus ou moins, suivant son niveau, le rayonnement nucléaire de la source S; le rayonnement restant est mesuré par le compteur C.

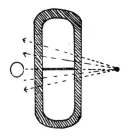

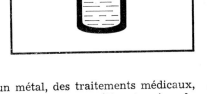

détection des défauts à l'intérieur d'un métal, des traitements médicaux, des études de purification... et de bien d'autres. Je préfère terminer la question des capteurs en vous parlant de ceux qui sont sensibles aux actions chimiques.

L'électrochimie des ions.

Ig. — C'est que je ne suis pas très fort en chimie.

Cur. — Cela ne fait rien. Il suffit que vous sachiez que les réactions chimiques ne sont que des actions électriques entre les différents ions (je ne parle que de la chimie des solutions). On appelle acide un corps qui, en solution, libère des ions hydrogène H^+, ou atomes d'hydrogène ayant perdu leur électron.

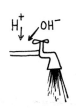

Ig. — Ce sont donc des protons.

Cur. — En effet. Ces protons ont une nette envie de récupérer leur électron perdu, et ils le font souvent en prenant celui que les ions négatifs ont en excès. Par exemple, on rencontre dans les solutions des ions dits « oxhydriles », OH⁻, groupes d'un atome d'oxygène, d'un atome d'hydrogène et d'un électron en excès. Ces ions OH⁻ ont fortement tendance à se combiner aux ions H⁺.

Iɢ. — Et qu'est-ce que cela donne?

Cᴜʀ. — Tout simplement de l'eau, H_2O, composé neutre. Réciproquement, l'eau a très légèrement tendance à se décomposer en ions H⁺ et OH⁻, mais extrêmement peu : l'eau pure est à peine conductrice. On écrit cette réaction : $H_2O \leftrightarrows H^+ + OH^-$

La double flèche indique qu'elle peut se produire dans les deux sens, mais c'est surtout dans le sens de droite à gauche qu'elle se produit le

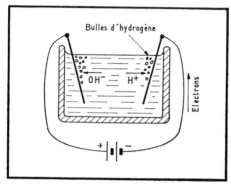

Bulles d'hydrogène

OH⁻   H⁺

Electrons

+   —

Fig. 34. — Si on applique entre deux électrodes placées dans l'eau une différence de potentiel, les ions H⁺ vont vers la cathode, y récupèrent l'électron qui leur manque et deviennent de l'hydrogène; c'est le phénomène appelé « électrolyse » (les ions OH⁻, également déchargés à l'anode, se décomposent en donnant de l'oxygène).

plus. On peut montrer, par une loi chimique, que le produit des teneurs en ions H⁺ (concentration, notée |H⁺|) et en ions OH⁻ (notée |OH⁻|) est une constante, qui vaut : $|H^+| \times |OH^-| = 10^{-14}$

Iɢ. — Ce n'est vraiment pas énorme! Cela fait un cent-millième de milliardième! Comment chiffrez-vous ces concentrations?

Cᴜʀ. — On les exprime en « ions-gramme par litre », soit le nombre de fois qu'il y a 1 gramme d'ions H⁺ ou 17 grammes d'ions OH⁻ par litre (ce qui correspond à 6.10^{23} ions vrais). Evidemment, on ne peut pas peser les ions, puisqu'il est impossible de les avoir à l'état libre. Mais on peut en déterminer la quantité par des moyens indirects. Par exemple, on peut restituer aux ions H⁺ leurs électrons manquants et il en résulte la formation de gaz hydrogène (fig. 34) dont on peut mesurer le volume, ce qui nous en donne le poids (1 g pour 11 litres environ).

Le pH.

Iɢ. — D'après votre équation de dissociation, il y a autant d'ions H⁺ que d'ions OH⁻?

Cᴜʀ. — Oui, si je n'ai pas ajouté dans l'eau un corps étranger. Puisque vous êtes ainsi sur la bonne voie, dites-moi la concentration des ions H⁺ dans l'eau pure.

Iɢ. — Cela doit être trouvable. Puisque $|H^+| = |OH^-|$ et que leur produit vaut 10^{-14}, chacun vaut 10^{-7}.

Cᴜʀ. — Parfait. Si maintenant j'ajoute dans l'eau un acide qui libère des ions H⁺ à haute dose, la concentration des ions OH⁻ diminue encore pour que le produit $|H^+| \times |OH^-|$ reste égal à 10^{-14}. Plus il y a d'ions H⁺, plus la solution a un caractère acide accentué. On a pris l'habitude de mesurer la quantité d'ions H⁺ dans une solution en donnant le logarithme changé de signe de |H⁺|, on l'appelle le pH de la solution.

Ig. — Oh! Un logarithme, j'ai horreur de ça!

Cur. — Retenez simplement que les nombres suivants ont les logarithmes indiqués à côté :

$$1 \dots\dots\dots\dots\dots 0$$
$$10^{-1} \text{ ou } 0,1 \dots\dots\dots\dots -1$$
$$10^{-2} \text{ ou } 0,01 \dots\dots\dots\dots -2$$
$$10^{-3} \dots\dots\dots\dots\dots -3$$
$$10^{-4} \dots\dots\dots\dots\dots -4 \text{ etc.}$$

Ig. — Ainsi donc le logarithme est tout bonnement l'exposant du nombre 10?

Cur. — Je ne vous le fais pas dire. Alors, quand on indique que le pH d'une solution est 6, par exemple, cela signifie que la concentration des ions H^+ dans cette solution est de 10^{-6}. Vous voyez que l'eau rigoureusement pure a un pH de 7. Pour des solutions acides, le pH est plus petit que 7...

Ig. — Ah non, alors! Dans des solutions acides, la concentration des ions H^+ est plus *grande*.

Cur. — Voyons, Ignotus, vous admettrez tout de même que 10^{-2} (ou 0,01) est plus grand que 10^{-7} (ou 0,000 000 1)?

Ig. — C'est vrai, vous avez raison. Alors, jusqu'à combien peut descendre ce pH dans les solutions très acides?

Cur. — Pour la valeur zéro du pH, on a 1 ion-gramme H^+ par litre. Comme on peut en avoir un peu plus, le pH peut descendre légèrement en dessous de 0, presque à — 1.

Au contraire, dans les solutions basiques (ou alcalines), où l'on a ajouté des ions OH^-, la concentration des ions H^+ descend en dessous de 10^{-7}, elle peut descendre jusqu'à 10^{-14} (quand il y a un ion-gramme OH^- par litre), et le pH atteint 14. On peut même aller un peu plus loin, presque à 15, mais c'est exceptionnel.

ph = 7,0000

La mesure du pH.

Ig. — Alors les mesures de pH doivent devenir absolument infaisables?

Cur. — Pourquoi voulez-vous qu'elles soient plus difficiles pour les pH élevés, autrement dit pour les solutions basiques?

Ig. — Parce que des quantités d'ions H^+ de 10^{-12} ou moins par litre, cela doit être absolument immesurable, même avec des appareils précis.

$H^+ = 10^{-11}$

Cur. — Ce serait parfaitement vrai (même dès le pH de 3) si l'on faisait des mesures chimiques. En réalité, on se borne à des mesures électriques. On a constaté que, quand une mince cloison de verre spécial sépare deux solutions dont les pH sont respectivement pH_1 et pH_2 (fig. 35), on obtient une pile dont la force électromotrice est sensible-

ment : $$E = E_0 + 0,06 \ (pH_1 - pH_2)$$

la constante E_0 dépendant de plusieurs facteurs. En fait, on immerge, dans la solution dont on veut mesurer le pH, une petite boule de verre spécial, contenant une solution acide de pH connu, où trempe un fil de platine. C'est ce que l'on appelle « l'électrode de verre ».

Ig. — Curiosus, enfin! Vous vous moquez de moi! Le verre est un isolant parfait (heureusement pour les tubes électroniques). Comment voulez-vous faire une électrode avec du verre qui est isolant?

Cur. — Pas celui-là. Je vous ai dit qu'il s'agit d'un verre spécial. Oh, je vous accorde que ce verre ne conviendrait pas pour poser des canalisations électriques chez vous; la résistance de l'électrode de

verre est même le grand défaut de cet engin, par ailleurs pratique. Elle va de 50 MΩ à plusieurs milliers de mégohms.

Ig. — Autrement dit, il ne s'agit pas de conducteur, mais d'un isolant imparfait. Et comment mesure-t-on le potentiel de la solution?

Cur. — On y immerge une autre électrode, dite « de référence » constituée en général par une chaîne : chlorure de potassium, chlorure mercureux (calomel), mercure et platine. Cette électrode « au calomel » constitue, avec le fil de platine de l'électrode de verre, une pile dont on mesure la force électromotrice. Cette dernière est liée au pH de la solution à étudier par une loi linéaire :

$$e = A + 0,06 \ pH$$

soit une variation de 60 mV par unité de pH. La constante A dépend de l'électrode au calomel et de la concentration de la solution connue dans le ballon de verre spécial. Le constructeur des électrodes vous l'indique.

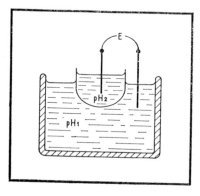

Fig. 35. —En séparant, par une mince cloison de verre (pas très isolant), deux solutions de pH différents, on provoque l'apparition d'une différence de potentiel, proportionnelle à la différence des pH, entre ces solutions.

Ig. — Ainsi donc, il n'y a plus qu'à mesurer la force électromotrice de cette pile, et le tour est joué!

Cur. — J'aime bien le « il n'y a plus qu'à... ». Imaginez un peu les problèmes que pose la mesure, à moins de 1 mV près, d'une tension fournie par une pile dont la résistance interne peut dépasser 1 000 MΩ. On n'y arrivera que par l'utilisation d'un amplificateur spécial dit « électromètre ».

Ig. — Encore...! Je commence à croire que la cellule photo-électrique et l'amplificateur électromètre sont les deux mamelles de l'électronique, comme aurait dit Sully de nos jours.

Le potentiel d'oxy-réduction.

Cur. — Nous verrons à notre prochain entretien la structure de ces électromètres qui jouent, en effet, un rôle assez important dans l'électronique. Mais, avant d'en arriver là, nous parlerons encore d'une autre grandeur importante en chimie des solutions : le potentiel d'oxydo-réduction (ou potentiel Redox). Savez-vous ce qu'est un oxydant?

Ig. — Oui, on me l'a expliqué : c'est un corps capable de dégager de l'oxygène ou de capter l'hydrogène de l'eau pour en faire dégager l'oxygène.

Cur. — La définition que vous me donnez là était tout à fait valable il y a cinquante ans. On la trouve encore dans de nombreux livres hélas! En fait, la définition générale et nettement plus claire est la suivante : un oxydant, en solution, est un ion qui peut donner des charges positives (ou plus exactement capturer des électrons) à d'autres ions ou atomes. Par exemple, les ions ferriques, qui correspondent aux atomes de fer, amputés de trois électrons et portant par suite trois charges positives, ont tendance à capter un électron pour se transformer en ions ferreux, ne portant plus que deux charges positives :

$$Fe^{+++} + e \leftrightarrows Fe^{++}$$

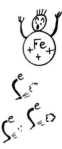

Ig. — Ça, alors! Pourquoi ne pas capter trois électrons et redevenir du bon fer métallique?

Cur. — On pourrait y arriver. Mais les ions ferriques ont très « envie » du premier électron, beaucoup moins des deux autres. Autrement dit, les ions ferreux ont une certaine stabilité, que les ions ferriques n'ont pas. Ou, si vous préférez, les ions ferriques sont affamés; mais ayant avalé un premier électron, ils se sentent passablement rassasiés.

Ig. — Bon, mais il y a autre chose qui m'étonne dans votre formule. Pourquoi la réaction est-elle réversible?

Cur. — Tout simplement parce que, si des ions ferreux se trouvent en présence d'un « mangeur d'électrons » (oxydant) plus affamé que le fer ferrique, c'est la réaction de droite à gauche qui aura lieu.

Ig. — Cette notion d'ions « affamés d'électrons » me plaît, mais elle est tout de même un peu qualitative. Comment voit-on tout d'abord qu'un ion est plus affamé d'électrons qu'un autre?

Cur. — Pas possible, Ignotus! C'est vous qui me demandez de passer à la notion quantitative! On aura tout vu... Rassurez-vous, c'est d'ailleurs très simple. Si vous mettez en présence des ions ferriques et des ions stanneux (étain à deux charges positives), les ions ferriques sont réduits à l'état d'ions ferreux, tant qu'il reste des ions stanneux à oxyder en ions stanniques (à quatre charges positives) :

$$2\ Fe^{+++} + Sn^{++} \rightarrow 2\ Fe^{++} + Sn^{++++}$$

Cette fois, la réaction est irréversible, et elle se poursuit jusqu'à la disparition d'un des constituants de gauche.

En revanche, si l'on met en présence d'ions ferreux et ferriques des ions cériques (cérium à quatre charges positives), ceux-ci se réduisent en ions céreux (à trois charges positives) en oxydant entièrement les ions ferreux : $\quad Ce^{++++} + Fe^{++} \rightarrow Ce^{+++} + Fe^{+++}$

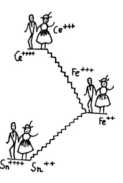

Donc, le mélange d'ions ferreux et ferriques peut : oxyder les ions stanneux; réduire les ions cériques.

Cela montre que le mélange Fe^{++}/Fe^{+++} est plus avide d'électrons que le mélange Sn^{++}/Sn^{++++}, mais moins que le mélange Ce^{+++}/Ce^{++++}.

On caractérise chacun de ces mélanges par un potentiel, dit potentiel d'oxydo-réduction, qui est tout simplement la différence de potentiel que prend une électrode inattaquable, plongée dans la solution, par rapport à cette solution elle-même.

Ig. — Pourquoi inattaquable?

Cur. — Pour qu'elle ne puisse échanger avec la solution que des électrons, et pas des ions. On prend en général du platine, et l'on mesure donc la différence de potentiel entre le fil de platine et la solution, grâce à une électrode de référence, en général au calomel (fig. 36). Les différences de potentiel peuvent aller de — 1 V (réducteurs énergiques) à ⊥ 2 V (oxydants très forts).

Ig. — Et, naturellement, il vous faudra pour cette mesure un électromètre.

Cur. — Non, pour une fois. La résistance interne de l'électrode au calomel est faible, celle de la solution aussi, et l'on peut se contenter d'un bon contrôleur. Mais qui peut le plus peut le moins, et l'on utilise en général l'électromètre qui sert aux mesures de pH.

IG. — Il me vient une idée qui doit être idiote, mais je voudrais vous en parler. Au fond, ces ions H⁺, autrement dit les protons, ont envie de capter des électrons pour redevenir de l'hydrogène de bonne famille. Ne pourrait-on pas les considérer un peu comme des oxydants?

CUR. — Ce *sont* des oxydants. La réaction d'attaque d'un métal par un acide, autrement dit par les ions H⁺, est une oxydation du métal. Il est possible de relier les théories de l'oxydation et celles de l'acidité, mais cela nous entraînerait trop loin. Mais vous voyez à quel point vos notions « antédiluviennes » sur l'oxydation se sont élargies?

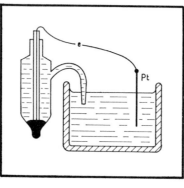

Fig. 36. — **Pour mesurer le potentiel d'oxyde-réduction d'une solution, on plonge dans celle-ci une électrode inattaquable en platine et une « électrode de référence ».**

Anciennes méthodes de mesure de pH.

IG. — Enormément. Mais je pense que la notion de pH est vieille de quelques années à peine : avant de disposer des ressources de l'électronique qui permettait seule d'utiliser une « électrode de verre », il était impossible de faire des mesures.

CUR. — On y parvenait cependant. D'abord, on a utilisé les produits colorants à deux formes possibles, changeant de composition et de couleur en fonction du pH, comme l'héliantine par exemple, colorant rouge en milieu de pH inférieur à 3 et jaune en milieu de pH supérieur à 5. On a aussi utilisé l'électrode, dite « d'hydrogène », constituée par un fil de platine, recouvert de mousse de platine et de noir de platine (métal pulvérulent) sur lequel on fait barboter de l'hydrogène gazeux. Cette électrode a une résistance interne réduite, mais elle est d'un emploi peu pratique et sensible à beaucoup de phénomènes perturbateurs qui n'affectent pas l'électrode de verre.

Il existe aussi des papiers recouverts d'un mélange de colorants qui, en présence d'une goutte d'une solution, prennent une teinte allant du rouge au violet sur une gamme de pH de 1 à 10. On mesure le pH par comparaison avec une échelle de teintes. Mais vous êtes ainsi limité à une précision de une unité, tandis que la méthode électrique bien conduite vous donne le pH à 1/100ᵉ d'unité près.

IG. — Et c'est important de connaître ainsi le pH au 1/100ᵉ?

CUR. — Très important. Par exemple, le pH du sang est rigoureusement constant : une variation, même très faible, annonce des maladies graves.

IG. — Que n'ai-je pas un pH-mètre pour surveiller ma santé!...

Nos amis connaissent maintenant une bonne quantité de capteurs divers. Ils vont donc examiner comment on utilise les signaux fournis par ces capteurs. Ignotus connaît un peu les amplificateurs, mais limités à leur utilisation « radio » et il va être nécessaire d'améliorer les performances de ces amplificateurs, aussi bien en ce qui concerne leur impédance d'entrée ou de sortie que du point de vue de l'élargissement de la bande passante.

L'IMPEDANCE DE SORTIE

Ignotus. — Alors, Curiosus, j'espère que, cette fois, vous n'allez plus me parler de capteurs : j'en ai une véritable indigestion.

Curiosus. — Ne vous inquiétez pas, Ignotus, nous passons aujourd'hui à la partie « transformateurs », autrement dit à la transformation du signal fourni par le capteur. Nous commencerons par les transformations ne portant que sur l'amplitude du signal électrique, autrement dit l'amplification.

Ig. — Ce sera vite fait. En dehors de l'amplificateur électromètre, je sais tout sur l'amplification.

Cur. — Je vois que vous êtes toujours aussi modeste, Ignotus! Je reconnais que vous saurez réaliser un amplificateur pour les signaux audiofréquence utilisés dans la radio, autrement dit de quoi amplifier les fréquences de 25 Hz à 15 kHz et appliquer la puissance de sortie à un haut-parleur, mais je pense que je vous embarrasserais beaucoup en vous demandant de me réaliser un amplificateur dont la tension de sortie soit appliquée à autre chose qu'à un haut-parleur.

Ig. — Ça, alors, c'est un monde! Vous ne m'embarrasseriez pas du tout : je prélèverais la tension de sortie sur le collecteur du transistor final et c'est tout.

Cur. — Je ne dis pas que ce soit faux, mais il y a bien des cas où cela n'ira pas aussi bien que vous le croyez. Je commence par vous poser une question « bête » : dans quel but produit-on une tension de sortie?

Ig. — Je ne voudrais pas vous vexer, mais le qualificatif que vous avez donné à votre question me semble parfaitement indiqué. Pourquoi produire une tension de sortie? Mais pour l'utiliser, voyons!

Cur. — C'est exactement ce que je voulais vous faire dire. Alors je questionne encore : qu'entendez-vous par « utiliser » une tension de sortie?

Ig. — Voilà bien une drôle de question : utiliser cette tension, c'est tout simplement... euh... l'appliquer à l'entrée d'un système qui va employer la tension, comme un moteur, ou un voltmètre.

Cur. — Je vous attendais là. Le système qui va « employer » la tension va certainement *consommer* un certain courant à la source de tension que constitue la sortie de l'amplificateur.

Ig. — Oui, évidemment, et alors...?

Cur. — Vous ne me ferez pas croire, Ignotus, que vous ne savez pas ce qu'est une résistance interne de source?

Ig. — Bien sûr que je le sais : dans une pile, quand on lui consomme du courant, une intensité i pour parler le langage algébrique que vous aimez tant, la tension v dont on dispose n'est plus alors la tension à vide E mais elle est réduite à une valeur v, l'écart E — v étant proportionnel à i.

Cur. — Parfait! Vingt sur vingt. Puisque :

$$E — v = r\,i$$

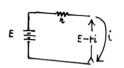

(en désignant par r la fameuse « résistance interne »), on peut aussi écrire la forme classique :

$$v = E — r\,i$$

Autrement dit, dès que vous consommez un certain courant à une source (qui peut être tout autre chose qu'une pile, ce que vous venez de dire est valable pour toute source de tension), sa tension se modifie. Si la valeur de r est importante, la tension de sortie s'effondre totalement quand on la branche sur quelque chose dont la résistance propre est faible par rapport à r.

Ig. — En effet, c'est un peu gênant, cela : on va donc réduire la tension disponible. Mais il suffit d'en tenir compte et de produire un peu plus de tension.

Les méfaits de la résistance interne.

Cur. — Cela ne suffira pas. Voyez-vous, Ignotus, nous pouvons avoir affaire à une tension qui contient des composantes alternatives à différentes fréquences. Si l'appareil qui « emploie » cette tension a une impédance d'entrée qui varie en fonction de la fréquence (si cet appareil comporte, par exemple, un condensateur en parallèle sur son entrée, ou une simple capacité parasite), nous aurons une réduction plus importante des tensions à fréquence élevée que des tensions à fréquence basse : il y aura déformation du signal.

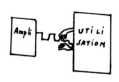

Ig. — Oh là là! Mais, dites-moi, c'est vraiment gênant cette résistance interne des sources. Je ne me doutais pas de son importance.

Cur. — Dites-vous bien, cher ami, que je considère que les trois pires ennemis de l'électronicien sont dans l'ordre :

1. La résistance interne des sources;

2. Les mauvais contacts (d'ailleurs pourquoi dire « mauvais » contacts, ce qui fait supposer qu'il peut en exister de bons...);

3. Les capacités parasites.

Oui, la résistance interne est, en quelque sorte, une « maladie honteuse » des sources. C'est aussi ce que j'ai appelé le « complexe des bravaches de café », vous savez, ces gens qui défient le monde entier et qui se... dégonflent lamentablement dès que quelqu'un relève vraiment le défi. La source à grande résistance interne est du même genre : elle vous dit : « Je suis forte, j'ai des volts, j'ai des volts... » et, si vous avez l'audace de lui demander quelques milliampères... n'y a plus personne pour cause de résistance interne. Croyez-moi, la résistance « interne » a bien raison de rester « interne » : si elle montrait le bout de son nez, nous l'attendrions, vous et moi, avec de gros fusils.

IG. — Vous m'avez convaincu : la prochaine résistance interne que je rencontre se sortira fort mal de la bagarre. Mais pour revenir à nos moutons, ou plutôt à notre amplificateur, quelle est sa résistance interne de sortie?

CUR. — Très facile à trouver : si vous avez un transistor final qui est chargé dans son collecteur par une résistance R, c'est cette valeur qui constitue la résistance interne de sortie, à peu de choses près. Si votre dernier étage est un transistor dont le collecteur est relié au + V$_{cc}$ par 1 000 ohms par exemple, cela fera une source ayant une résistance interne de sortie voisine de 1 000 ohms.

IG. — Alors, aucun problème : je vais diminuer la résistance de charge du dernier collecteur et tout sera dit. Que penseriez-vous d'une résistance de charge de 1 ohm?

CUR. — Je penserai que, pour pouvoir disposer d'une tension de sortie qui varie de ± 1,5 V, il faudrait que le courant collecteur de votre transistor varie de plus de 3 A. Vous ne pouvez pas tricher avec la loi d'Ohm.

IG. — Vous avez raison, je l'avais oublié. Mais alors, comment s'en sortir?

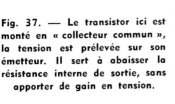

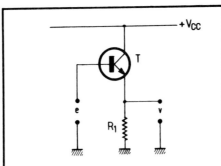

Fig. 37. — Le transistor ici est monté en « collecteur commun », la tension est prélevée sur son émetteur. Il sert à abaisser la résistance interne de sortie, sans apporter de gain en tension.

CUR. — Grâce à un montage passionnant et trop mal connu : le montage dit « collecteur commun » ou « émetteur-suiveur » (souvent appelé en « français » : Emitter-follower). Je vous en trace le schéma sur la figure 37. On y utilise un transistor assez classique, la tension d'entrée, e, lui est appliquée entre sa base et la masse, la tension de sortie v est obtenue aux bornes de la résistance de charge placée dans le circuit d'émetteur.

IG. — Comme le courant émetteur doit toujours être considéré comme pratiquement égal au courant collecteur, votre montage doit donner exactement la même chose qu'un amplificateur classique, avec la résistance de charge dans le circuit de collecteur.

CUR. — Totalement faux! Vous oubliez dans votre raisonnement une chose tout à fait essentielle : dans l'amplificateur classique, l'émetteur est à potentiel *fixe* : la tension appliquée entre la base et la masse se retrouve donc en totalité (du moins, en ce qui concerne ses variations) entre base et émetteur. La variation du potentiel de collecteur, due à la variation du courant collecteur, n'a pratiquement pas d'effet sur l'entrée.

Avec notre « émetteur suiveur », tout est changé : si vous augmentez *e*, le courant collecteur (et émetteur) du transistor a tendance à augmenter, donc le potentiel de l'émetteur augmente aussi, et cette augmentation se déduit de l'augmentation de *e*. Vous voyez que c'est tout à fait différent.

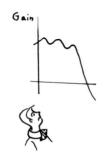

IG. — Je vois surtout que le gain doit être plus faible. Combien en reste-t-il alors?

CUR. — Si vous parlez du gain en tension, je peux vous dire tout de suite qu'il n'y en a plus du tout, autrement dit il est tombé à l'unité, ou même un peu en dessous : les variations du potentiel de l'émetteur sont légèrement *inférieures* à celles du potentiel de la base qui leur a donné naissance.

IG. — Un gain inférieur à l'unité? mais c'est minable, votre montage n'a aucun intérêt : on ferait aussi bien avec un simple potentiomètre!

La « pente » des transistors.

CUR. — Doucement, ne vous emballez pas. Oui, le gain en *tension* est « minable », comme vous dites. Mais le montage est fort intéressant en ce qui concerne sa résistance interne de sortie. Nous allons prendre un exemple numérique.

Supposons que le transistor fonctionne avec une résistance d'émetteur de 500 Ω. Il a un courant moyen de 3 mA, ce qui donne une tension continue moyenne de 1,5 V pour *v*. Dans ces conditions, on sait (enfin j'espère un peu que vous le savez) que la « pente » du transistor est voisine de 0,1 A/V...

IG. — Alors là j'avoue tout de suite que je ne sais pas. D'ailleurs qu'est-ce que c'est que cette notion de « pente » pour un transistor? La pente cela s'employait autrefois dans les tubes (je m'intéresse à l'histoire de l'électronique), et cela doit encore s'employer dans les transistors à effet de champ, dont j'ai entendu dire qu'ils constituaient une bonne introduction à l'étude des tubes... pour ceux qui sont tentés par la connaissance de l'électronique de grand-père.

CUR. — Amusant, cela, considérer les transistors à effet de champ comme préliminaire pour l'étude des tubes. On pourrait conseiller l'étude du « Concorde » comme introduction à l'étude des diligences... Cela dit, je ne vois pas pourquoi la notion de pente ne peut s'appliquer aux transistors : quand vous faites varier la tension base-émetteur d'un transistor, vous faites varier son courant collecteur I_c. En prenant le rapport de la variation de courant collecteur à la variation de tension base-émetteur qui lui a donné naissance, on trouve une « pente ». Par exemple, dans notre transistor, si l'on faisait varier la tension base-émetteur de 2 mV, on trouverait une variation de courant collecteur d'environ 0,2 mA, soit 0,0002 A. En divisant la variation de I_c (0,0002) par celle de V_{BE} (0,002 V ou 2 mV), on trouve donc 0,1 A/V.

Cette notion de pente est souvent mal comprise et fort peu utilisée, mais elle présente un intérêt énorme car je vais vous révéler une vérité presque secrète : la pente d'un transistor est pratiquement proportionnelle à la valeur moyenne de son courant collecteur, à raison de 35 mA/V par milliampère de courant moyen. Cela est valable pour les N-P-N, les P-N-P, les modèles de petit et de fort courant, quels qu'ils soient.

Utilisons la pente.

IG. — Mais c'est extraordinaire, cela! Une grandeur que je peux trouver sans chercher dans un manuel de caractéristiques. Mais alors, dites-moi, si je calcule bien, avec vos 3 mA moyens, cela fera

$$3 \times 35 = 105 \text{ mA/V et non } 100 \text{ mA/V, non?}$$

CUR. — Exact. Mais la loi donnée est assez approximative, alors ne cherchez pas une précision illusoire sur la valeur de la pente. Nous admettrons une valeur de 100 mA. Revenons au montage de la figure 37. Nous avons dit que la tension émetteur moyenne était de 1,5 V, alors, à votre avis, quelle doit être à peu près la tension base correspondante?

IG. — Ça, je sais : il y a toujours environ 0,6 V entre base et émetteur dans un transistor normal non bloqué. Donc nous aurons sur la base une tension par rapport à la masse de 1,5 + 0,6 = 2,1 V.

CUR. — Parfait. Maintenant, que se passera-t-il si nous portons le potentiel de base à 4,1 V?

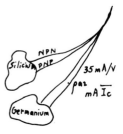

IG. — Le transistor va mourir instantanément : on m'a toujours dit qu'il ne fallait jamais appliquer une tension positive importante sur une base de transistor.

CUR. — Non, Ignotus, vous confondez les choses. *Si le potentiel émetteur est maintenu à une valeur constante,* vous avez raison, mais, ici, toute augmentation du courant émetteur fait augmenter le potentiel de l'émetteur. Si vous faites monter d'un coup le potentiel de la base de 2 V, celui de l'émetteur va en faire presque autant. Il arrivera donc presque à 3,5 V ce qui correspond à un courant émetteur de 7 mA (dans 500 Ω). La tension base-émetteur aura à peine augmenté, juste ce qu'il faut pour faire croître le courant de 3 à 7 mA, soit de 4 mA; avec une pente de 0,1 A/V (ou plus puisque, avec 7 mA de courant, la pente est plus grande encore, donc entre 3 et 7 mA elle a une valeur moyenne supérieure à 0,1 A/V), cela ne demande qu'une variation de moins de 4 mV de la tension V_{BE} : elle passera, par exemple, de 0,600 V à 0,604 V.

IG. — Comme je connais votre goût pour les simplifications et les approximations, je pense que vous allez me dire que la tension base-émetteur est pratiquement restée constante. Donc, on peut dire que le potentiel de l'émetteur a exactement suivi, dans sa variation, celui de la base. Je pense que c'est cela qui justifie le nom d'« émetteur-suiveur »?

CUR. — Evidemment. Vous voyez que nous pouvons calculer facilement le gain : pour une variation de la tension de sortie de 2 V environ, la tension V_{BE} varie donc de 2 mV. Il nous faudra donc une variation de tension d'entrée de 2 V + 2 mV pour avoir une variation de tension de sortie de 2 V, soit un gain de 2,000/2,002 = 0,999.

IG. — Vous appelez cela un « gain » : le nombre est presque égal à un, je le reconnais, mais il est inférieur à l'unité. Je dirais plutôt que la « perte » est de 1 pour 1 000.

La mesure de la résistance interne.

CUR. — Je ne vous chicanerai pas là-dessus, j'ai admis que le gain en tension, inférieur à l'unité, n'était pas, tant s'en faut, l'intérêt de ce montage. Non, vous allez voir son véritable intérêt. Nous allons en calculer la résistance interne.

J'en profite pour vous montrer comment on mesure la résistance interne d'une source (fig. 38). Il n'est pas possible, dans ce cas, d'utiliser un ohmmètre classique à pile : la tension de la source perturberait tout. On branche simplement sur la source une résistance R qui consomme un courant connu à la source. On mesure alors la variation de la tension de sortie, qui était, par exemple, A, avant de brancher R et qui est devenue B après le branchement de R.

La différence A — B est la diminution de la tension de source en raison du courant consommé par R (courant que vous connaissez, puisqu'il est égal à B/R). En divisant cette différence par le courant dans R, vous avez la résistance interne.

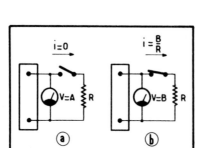

Fig. 38. — Pour mesurer la résistance interne d'une source, on peut mesurer la tension A qu'elle donne « à vide » (sans courant i débité). Puis (b), on fait débiter à l'extérieur un courant i, compatible avec les possibilités de la source, et l'on mesure la nouvelle tension aux bornes, B. On connaît le courant consommé B/R, et l'on calcule ainsi la résistance interne.

IG. — C'est bougrement compliqué, votre méthode. Pourriez-vous me donner un exemple numérique, cela me ferait du bien?

CUR. — J'allais le faire. Si je prends l'étage de la figure 37 et que je lui applique une tension d'entrée e constante (par exemple 2,15 V), je mesure, par exemple, une tension de sortie de 1,518 V (on peut parfaitement utiliser pour la mesure un voltmètre numérique de grande précision). Cette tension correspond au cas où le courant émetteur du transistor passe seulement dans la résistance de 500 Ω entre émetteur et masse.

IG. — Donc, c'est la tension que vous avez appelée A?

CUR. — C'est cela même. Maintenant nous allons brancher entre l'émetteur et la masse une résistance de 1 500 Ω, autrement dit nous allons « charger » la sortie de l'étage par 1 500 Ω. Imaginez que la tension de sortie passe de 1,518 V avant branchement de R (la 1 500 Ω) à 1,507 V après ce branchement, qu'allez-vous en conclure?

IG. — Malgré ma réputation de mauvais calculateur, et grâce à l'emploi d'une petite machine qui ne me quitte jamais, je vous dirai que l'on a :

A (tension avant branchement de R) = 1,518 V.

B (tension après branchement de R) = 1,507 V

d'où la réduction de tension A — B = 0,011 V.

Reste à connaître le courant consommé. Ah, oui, je me rappelle : quand on branche la résistance, il y a une tension 1,507 V à ses bornes, comme elle vaut 1 500 Ω, cela fait un courant de 1,507/1 500, soit, si ma calculatrice fait bien son travail, 1,0004666667 mA.

CUR. — Ignotus, vous allez m'enlever au moins 9 des 10 décimales que votre machine vient de vous donner, sinon je tire tout de suite...

IG. — Eh là!

CUR. — Vous n'êtes pas le premier qui tire des conclusions erronées d'une petite machine (par ailleurs admirable). La résistance vaut 1 500 Ω mais elle n'est définie qu'à 5 %, donc le courant qui passe dans cette résistance, même si l'on connaît à 1 pour mille près la tension (ceci grâce au voltmètre numérique), ne peut être calculé qu'avec une précision de 5 % : toute décimale après la deuxième n'a aucun sens. Nous dirons donc que le courant consommé est de 1 mA. Poursuivez votre calcul.

IG. — Il faut que je me remette de mon émotion pour commencer. Bien, nous avons dit que la diminution de tension A — B était de 0,011 V (vous allez m'admettre les trois décimales, j'espère, puisque cela vient de la différence entre deux valeurs très précises), et cela pour un courant de 1 mA (soit 0,001 A), on trouve une résistance interne de source de

$$0,011/0,001 = 11.$$

Eh bien! La résistance interne n'est que 11 Ω. Ce n'est pas beaucoup. Vous avez dû me donner des valeurs un peu fantaisistes pour le calcul.

CUR. — En aucune façon, ce sont des valeurs que j'ai relevées directement sur un montage du type de la figure 37. Vous auriez d'ailleurs pu prévoir le résultat. C'était même prévisible sans voltmètre de précision.

IG. — Vous faites des mesures de tension à 1 pour mille sans voltmètre, comme ça, par divination?

CUR. — En aucune façon, j'utilise simplement ce que nous savons, vous et moi : comme la tension finale B sera assez voisine de 1,5 V, le courant qui va passer dans R (1 500 Ω) sera donc proche de 1 mA. Il faudra donc que le courant collecteur (et émetteur) du transistor augmente de 1 mA, passant de 3 mA (courant dans la 500 Ω d'émetteur) à 4 mA (dont 3 dans la 500 Ω et 1 dans la 1 500 Ω).

Comme, avec un courant moyen de collecteur voisin de 3 mA, la pente du transistor est voisine de 0,1 A/V, il faudra, pour que le courant collecteur augmente de 1 mA (ou 0,001 A), que la tension base-émetteur augmente de 0,001/0,1 = 0,01 V.

Etant donné que le potentiel de la base reste constant, la tension base émetteur ne peut augmenter que par diminution du potentiel émetteur. Ce dernier doit donc diminuer de 0,01 V, ce qui est assez conforme aux résultats de nos mesures... supposées.

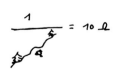

Si vous faisiez un petit calcul algébrique, vous trouveriez que la résistance interne d'un étage collecteur commun est voisin de l'inverse de la pente du transistor. Cette pente est ici de 0,1 A/V, son inverse est de 1/0,1 Ω, soit 10 Ω. Nous avons trouvé 11 Ω, mais n'oubliez pas que notre variation de potentiel émetteur est si faible que, même en utilisant un superbe voltmètre numérique (qui mesure le millivolt), nous n'avons les tensions A et B qu'au millivolt près chacune, leur différence n'est donc connue qu'à une précision de l'ordre de 2 mV.

I$_G$. — Quoique cela me semble assez peu précis, je suis d'accord avec vous et j'admets que nous avons obtenu une résistance de sortie très basse. Pourriez-vous me dire, cependant, ce que nous y avons gagné?

C$_{UR}$. — Comment, Ignotus, vous n'allez pas me dire que vous avez oublié ce que nous venons de dire, ce que nous savons sur les méfaits de cette « abominable » résistance interne? Mais, pensez un peu que maintenant avec une résistance interne de 10 Ω seulement, notre tension est devenue « imperturbable » (au sens éthymologique du terme, autrement dit impossible à perturber).

Imaginez une source ayant une résistance interne de 10 kΩ : si nous envoyons sa tension dans un câble blindé de 5 m de long, qui peut présenter une capacité parasite de 400 pF, par exemple, pour une fréquence de 100 kHz, l'impédance d'un tel câble ne fait que 4 kΩ environ. Un calcul simple montre que, alors, la tension restante en sortie de la source chargée par ces 4 kΩ a perdu : plus de 60 % par rapport à sa valeur à vide. + Si j'avais fait suivre ma source par l'étage collecteur commun (enfin, cela nécessite quelques précautions supplémentaires que nous reverrons), j'aurais pu abaisser la résistance de sortie à 10 Ω : alors la source se moque littéralement de la capacité parasite du câble.

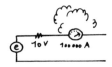

Résistance interne et courant maximal.

I$_G$. — Formidable, alors! La source, avec ses 10 Ω de résistance interne, peut envoyer un courant énorme dans le câble si on le désire.

C$_{UR}$. — Eh, doucement : de toute façon, vous ne pourrez pas obtenir de la source un courant illimité : le transistor ne le donnera pas sans dommage surtout si vous désirez que la source CONSOMME ce courant élevé...

I$_G$. — Surtout pas, je désire que la source le FOURNISSE.

C$_{UR}$. — Ne vous méprenez pas : la source délivre probablement une tension de sortie qui a une composante alternative, et, vraisemblablement, c'est cette dernière qui m'intéresse : comme la source doit fournir à la charge (dans notre exemple, à la capacité parasite du câble coaxial) un courant *alternatif*, il faudra que, pendant une demi-période, elle *fournisse* du courant et que, pendant une autre demi-période, elle en *consomme*.

I$_G$. — Là, je ne marche plus, le transistor non plus d'ailleurs : comment voulez-vous qu'il en consomme sur son émetteur, pauvre N-P-N qu'il est : il ne peut qu'en fournir.

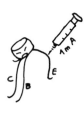

C$_{UR}$. — Tout à fait d'accord avec vous, mon cher. Si l'on « injecte » (fig. 39) un courant i dans l'émetteur du transistor, tout ce qu'il peut faire c'est d'aller à la masse à travers la résistance R$_1$ entre émetteur et masse (la 500 Ω dans notre exemple). Comme nous voulons que le transistor fonctionne encore normalement, il faut que le courant du transistor, i_T, soit encore positif. Il faut donc que le courant i injecté vers l'émetteur reste inférieur à la valeur qu'avait le courant du transistor avant que l'on n'injecte ce courant i.

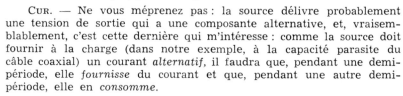

Iɢ. — Autrement dit, toujours dans le cas de notre exemple, avec un courant émetteur au départ de 3 mA, on ne pourra injecter que 3 mA maximum.

Cᴜʀ. — Parfaitement exact. C'est la raison qui détermine le choix de la valeur de R_1 et de la composante continue de la tension d'émetteur.

Mais dites-vous bien que, même en limitant le courant « absorbable » maximal à 3 mA, le montage est extrêmement intéressant. Supposez, par exemple, qu'une source de tension alternative (par exemple la sortie d'une tête de lecture de disque) fournisse un signal avec une résistance interne de 10 kΩ et que la connexion qui véhicule ce signal soit assez longue (fig. 40). Il se trouve qu'une tension alternative U est présente sur un conducteur qui, du fait de sa proximité avec le fil, est lié à ce dernier par une capacité parasite C_p : vous allez avoir une forte « influence » de la tension U sur la tension v en sortie, car l'impédance de C_p, quoique très grande, n'est pas infinie par rapport à 10 kΩ.

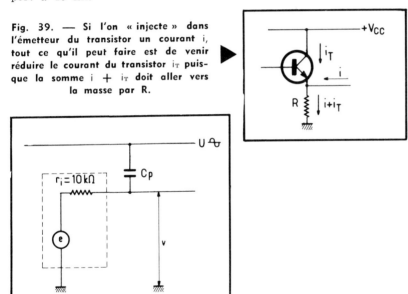

Fig. 39. — Si l'on « injecte » dans l'émetteur du transistor un courant i, tout ce qu'il peut faire est de venir réduire le courant du transistor i_T puisque la somme i + i_T doit aller vers la masse par R.

Fig. 40. — Quand une source a une forte résistance interne, elle est facilement perturbée, par exemple par la tension parasite U, couplée à la ligne par la capacité parasite C_p.

A l'opposé, si la source a une résistance interne de 10 Ω, le fil qui véhicule le signal se moque complètement de la tension U : la tension v est devenue, comme je vous le disais, « imperturbable ». Cela vous explique pourquoi j'ai, dans mon ensemble haute fidélité, sept fois un montage analogue à celui de la figure 37, utilisé en « abaisseur de résistance interne ».

Iɢ. — Cette fois, vous m'avez tout à fait convaincu. Quand je pense qu'un simple étage collecteur commun fait que la source ne débite absolument rien et que, à la sortie de cet étage, on ne peut plus perturber la tension (à condition de limiter le courant consommé et/ou fourni), je suis plein d'admiration.

Cur. — Et vous avez raison. Je corrige toutefois une chose : vous dites que la source ne débite rigoureusement rien. Ce n'est pas tout à fait exact avec un seul étage collecteur commun : n'oubliez pas, tout de même, que l'on doit faire varier le courant du transistor, ce qui exige une variation (bien plus faible, je le reconnais, mais non nulle) du courant base du transistor, or la source doit commander la base.

Ig. — C'est bien là la différence entre transistors et syndicats : dans ces derniers, on consulte « la base », dans les transistors, on la commande.

Cur. — Je reconnais qu'elle est un peu meilleure que vos astuces habituelles. Cela dit, si vous voulez une estimation plus précise, je vous dirai que l'étage de la figure 37, quand il est chargé, à sa sortie, sur une résistance R_0, se comporte, à son entrée, comme une une résistance d'entrée de $\beta \times R_0$, β étant le gain en courant du transistor. On arrive souvent à un gain de 150 ou 200; alors, comme vous voyez, pour un étage collecteur commun chargé en sortie par 100 Ω, par exemple, cela fait l'équivalent de 15 à 20 kΩ à l'entrée, c'est grand mais cela peut être encore trop petit.

Ig. — Alors, comment vous en tirez-vous dans ce cas?

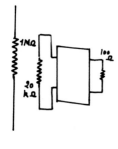

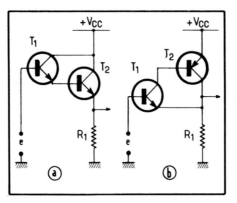

Fig. 41. — Deux moyens d'abaisser fortement la résistance interne d'une source : en (a) deux montages collecteur commun en cascade, en (b) le « muscleur », amplificateur à deux étages, de gain unité en tension, mais d'un gain très élevé en courant.

Cur. — On peut utiliser deux étages collecteur commun en cascade comme le montre la figure 41 (a) (je vous signale d'ailleurs qu'une telle association de deux transistors existe dans un boîtier unique, on l'appelle le « montage Darlington »). Je préfère, pour moi, utiliser le montage de la figure 41 (b), que j'appelle le « muscleur ». Son fonctionnement est facile à comprendre : si la tension de sortie v n'est pas très proche de $e - 0,6$ (pour maintenir les 0,6 V fatidiques entre base et émetteur de T_1), il y aura une variation importante de courant collecteur de T_1, plus important encore du courant collecteur de T_2 (directement couplé, puisque son courant base est tout simplement le courant collecteur de T_1). Cette variation agira sur la chute de tension dans R, pour ramener la tension de sortie v à être presque égale à $e - 0,6$.

Cette fois, il y a deux gains en courant entre la charge et la source e qui commande la base de T_1 : cette dernière ne débite qu'un courant correspondant à celui qu'elle donnerait dans une charge de très grande résistance, puisque ce serait le produit de la charge réelle

R$_L$ par le produit des gains de T$_1$ et de T$_2$, produit qui peut atteindre facilement 10 000 ou plus.

IG. — Je comprends le fonctionnement, mais pourquoi appelez-vous ce montage un « muscleur »?

CUR. — Parce que ce montage donne, en sortie, une tension égale à la tension d'entrée, mais, contrairement à la tension appliquée à l'entrée par une source « anémique » (« minée » par l'horrible résistance interne) et incapable de fournir un courant notable, la tension de sortie, ne donnant pas plus de volts que la tension de sortie, est, elle, tout à fait « musclée » : elle est fournie par une source qui a une très faible résistance interne, une source qui peut débiter du courant sans s'essouffler.

De quelques ohms à quelques milliards d'ohms.

IG. — Cette fois, je suis prêt à défendre des couleurs du « muscleur Curiosus ». Je vais en mettre partout dans mes étages de sortie. En même temps, il me semble qu'il réalise un excellent moyen de ne pas charger du tout la source qui donne la tension d'entrée : ne serait-ce pas là un moyen de faire l'équivalent de ce fameux « montage électromètre » dont vous m'avez si souvent parlé?

CUR. — Vous avez en partie raison. Mais en partie seulement : quand je souhaite employer un montage « électromètre », c'est pour ne consommer pratiquement RIEN à la source, pour ne pas la fatiguer, car il s'agit d'une source horriblement « affectée » de résistance interne : un « nanoampère » (il s'agit d'un millième de microampère) suffirait pour l'épuiser. Alors, même avec un bon transistor T$_1$ dans les montages de la figure 41, il y a peu de chances pour que l'on arrive à réduire le courant d'un transistor bien en dessous du nanoampère.

IG. — Problème insoluble, donc vous allez, comme d'habitude « souffler dessus » et trouver la solution.

CUR. — Merci de votre confiance! Je ne vais pas souffler (surtout quand il s'agit de montage électromètre : la vapeur d'eau dégagée par l'haleine de quelqu'un est un bon moyen pour faire des fuites très préjudiciables à l'isolement). Non, je vais utiliser des dispositifs semi-conducteurs que vous connaissez : les transistors à effet de champ, soit du type à jonction, soit du type M.O.S.)Metal Oxyde Semiconducteur), dans lequel on agit sur la conduction d'un barreau de silicium à travers une couche mince de silice, totalement isolante, donc sans consommer aucun courant.

IG. — Mais ces M.O.S. ne sont pas des transistors, ce sont des éléments de circuits intégrés : je le sais bien, on m'a dit qu'ils étaient le cœur de ma petite calculatrice et de ma montre à quartz.

CUR. — On PEUT utiliser les M.O.S. comme transistors composant un circuit intégré, mais on peut aussi les utiliser séparément. Cela dit, je vous accorde que la meilleure façon de les employer est de prendre un circuit intégré réalisé en M.O.S. Il y a des amplificateurs opérationnels ayant de tels éléments à l'entrée.

IG. — Oh, je ne tiens pas à employer ces instruments : les amplificateurs opérationnels, c'est d'une complexité d'utilisation horrible, leur emploi est réservé aux grands spécialistes et...

Cur. — Alors, là, je ne suis pas du tout d'accord avec vous. Nous allons nous limiter à un montage extrêmement simple : le « suiveur », nous reviendrons plus tard sur les autres emplois.

Il faut simplement savoir que ces amplificateurs ont deux entrées (appelées $e+$ et $e-$, car elles correspondent respectivement à un gain en tension positif et négatif) et qu'on les utilise toujours avec une sorte d'« auto-contrôle », circuit revenant de la sortie vers l'entrée —, de telle sorte que l'amplificateur, par cette action, réduit toujours à une valeur que l'on peut considérer comme nulle la différence de potentiel entre les entrées $e+$ et $e-$.

Ig. — C'est bien ce que je pensais, cela commence mal et je n'y comprends rien.

Cur. — Cela va s'arranger. Supposons que j'utilise un amplificateur, alimenté par deux sources de tension, une de + 6 V par rapport à la masse (fig. 42) et une de — 6 V (il faut bien cela pour permettre à la sortie d'avoir un potentiel qui puisse prendre des valeurs positives ou négatives par rapport à la masse).

Nous allons tout simplement appliquer la tension d'entrée e à l'entrée $e+$ et relier la sortie à l'entrée $e-$. Que se passera-t-il, à votre avis?

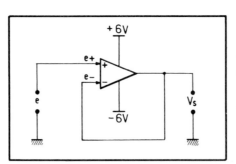

Fig. 42. — Un amplificateur opérationnel monté ainsi donne un gain qui est extrêmement proche de l'unité, et une résistance interne de sortie très faible.

Ig. — Euh... je suis bien ennuyé, mais, si j'applique de façon bête et disciplinée votre « loi », la tension de sortie V_s va probablement devenir presque égale à e, pour ramener à zéro (ou presque) la différence de potentiel entre les deux entrées. Mais, ensuite, je ne sais plus quoi dire.

Cur. — Mais il n'y a *plus rien* à dire! C'est fini : la fonction de l'amplificateur est de maintenir la tension de sortie V_s égale à e. Mais, comme l'entrée $e+$ attaque, dans le cas de l'amplificateur utilisé, un transistor M.O.S., le courant consommé sur cette entrée peut se réduire à un ce que l'on appelle un « picoampère » (soit le millionième de microampère, ou le milliardième de milliampère, ou le millième de nanoampère)? Cela vous plaît?

Ig. — Mais c'est incroyable! Cela représente une résistance d'entrée qui doit se compter en centaines de mégohms.

Cur. — Vous êtes bien modeste, Ignotus : parlez de millions de mégohms et cela commencera à être plus exact. Et, avec le gain qu'aurait l'amplificateur sans le circuit d'« autopilotage » (le retour de la tension de sortie vers l'entrée $e-$), gain énorme, nous allons réaliser un « asservissement » parfait de la tension de sortie à la tension d'entrée : la consommation d'un courant de sortie allant à plusieurs milliampères (l'amplificateur n'est pas prévu pour débiter ou consommer plus) ne causera qu'une variation de tension de sortie impossible à mesurer, tellement elle est petite : nous arrivons à une résistance interne de sortie presque nulle.

Ig. — Mais, dites-moi, cela fonctionne un peu comme votre « muscleur »... et d'ailleurs... pourquoi ne pas le remplacer par ce montage?

Cur. — Vous avez raison, le fonctionnement est exactement celui du « muscleur ». Si je garde ce dernier dans mon ensemble, c'est parce que ce nouvel amplificateur opérationnel à M.O.S. est assez récent, il n'existait pas encore quand j'ai réalisé ma chaîne haute fidélité. D'ailleurs, même économique, cet amplificateur coûte un petit peu plus cher que deux transistors classiques.

Ig. — Au fond, je m'en faisais un monde de ce montage électromètre et c'est si simple : un amplificateur opérationnel à M.O.S. et c'est tout.

Cur. — Là, vous simplifiez un peu. Quand vous manipulez des sources de tension auxquelles on ne doit pas consommer ne fût-ce qu'un dix millième de microampère, il y a lieu de prendre des précautions. Je vous parlais tout à l'heure de l'effet nocif de l'humidité dégagée par la respiration : il va falloir protéger toute la partie vraiment sensible du montage en l'enfermant dans une enceinte étanche, avec des traversées pour les connexions. Il faut aussi utiliser des isolants tout à fait spéciaux. Tout doit rester parfaitement sec et il faut prendre aussi des précautions assez complexes dans certains cas, des méthodes dites « anneaux de garde » dont la description nous entraînerait trop loin. Mais on y arrive quand même fort bien, surtout avec les technologies d'aujourd'hui.

Ig. — En quelque sorte, nous avons exploré les deux extrêmes : la valeur presque nulle pour les résistances internes de sortie, et la valeur quasi infinie pour les résistances d'entrée. Cette fois je commence à réaliser que je ne savais pas tout sur l'amplification.

Cur. — Et il y a encore de nombreuses choses à dire, au sujet de l'élargissement de la bande passante. Mais, comme nous avons pris beaucoup de temps pour réduire l'impédance interne (de sortie) et pour l'augmenter (à l'entrée), je crois que cela va nécessiter une nouvelle rencontre.

Les questions de haute impédance d'entrée et de faible impédance de sortie n'ayant plus de secrets (ou presque) pour nos amis, ils vont devoir revenir sur l'amplification pour savoir comment on élargit la bande passante des amplificateurs, tant du côté des fréquences basses que de celui des fréquences élevées.

« QUO NON DESCENDAM ? »
(Jusqu'où ne descendrons-nous pas ?)

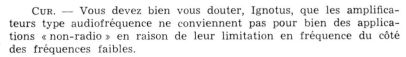

CUR. — Vous devez bien vous douter, Ignotus, que les amplificateurs type audiofréquence ne conviennent pas pour bien des applications « non-radio » en raison de leur limitation en fréquence du côté des fréquences faibles.

IG. — Pourtant, quand ils sont bien faits, ils peuvent amplifier des fréquences aussi basses que 20 ou même 15 Hz. Pourquoi descendre plus bas? Vous ne produirez aucun son audible avec du 5 Hz par exemple.

CUR. — Ignotus! Otez-vous une bonne fois de la tête vos idées sur la production de sons. Si je mesure le pH d'une solution avec l'électrode de verre que nous avons étudiée plus haut et que je désire appliquer la tension correspondante à un enregistreur (en passant par un amplificateur, bien sûr), il se peut que la « fréquence » de la tension de sortie soit de une période en une semaine.

IG. — Bon, j'admets. Mais alors, même en augmentant énormément les capacités des condensateurs de couplage et de découplage, on ne va pas y arriver.

CUR. — Oh, c'est hors de question. Il ne faut plus de condensateur de couplage, plus de condensateur de découplage. En ce qui concerne le couplage, par exemple, il faudra toujours relier directement l'électrode de sortie d'un étage à l'électrode d'entrée du suivant.

CONDENSATEUR
DE
DECOUPLAGE

IG. — Ah mais, ça va être horriblement calé cela! Tiens, mais il me vient comme un souvenir : dans vos « muscleurs », c'est ce que vous avez fait, si je ne me trompe.

CUR. — Vous avez parfaitement raison. Le muscleur en montage Darlington (fig. 41a) ou avec un N-P-N qui commande un P-N-P (fig. 41 b) est un exemple de couplage direct. Le second surtout, avec l'emploi de N-P-N et de P-N-P alternés : c'est une solution excellente. On pourrait généraliser le système avec quatre étages, comme le montre la figure 43.

IG. — Voilà un amplificateur formidable : une seule résistance pour quatre transistors, avec un gain qui doit être énorme!

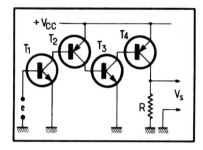

Fig. 43. — L'emploi de transistors N-P-N et P-N-P alternés permet de réaliser des couplages directs très simples.

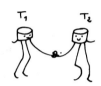

CUR. — Trop énorme, hélas, car un tel montage serait presque inutilisable tel quel en raison de la dérive. N'oubliez pas que l'on doit appliquer, entre base et émetteur d'un transistor, pour qu'il fonctionne correctement, une tension voisine de 0,6 V. Il faudra donc que la tension d'entrée e comporte une composante continue de 0,6 V.

IG. — Et alors? Je vais simplement ajouter cette tension à la tension e d'entrée. Il n'y a qu'à mettre une source de tension continue de 0,6 V en série avec la tension e... et le tour est joué.

La dérive.

CUR. — Je vous ai déjà conseillé, Ignotus, de vous méfier des « Y a qu'à... », race dangereuse entre toutes. Ce que vous semblez ignorer, c'est que la tension de 0,6 V à appliquer varie avec la température, à raison de — 2,2 mV par degré (j'ai mis un signe — car V_{BE} diminue quand la température augmente).

IG. — Vraiment, deux millivolts, ce n'est pas le bout du monde!

CUR. — Détrompez-vous, c'est énorme quand on agit sur une base de transistor. Supposez, par exemple, qu'un transistor ait un courant collecteur de 1 mA et que, en maintenant constante la tension base-émetteur qui lui est appliquée, j'augmente sa température de 10 °C. Que va-t-il se passer?

IG. — Rien, puisque vous maintenez constante sa tension V_{BE} : vous empêchez la température de faire varier cette tension.

CUR. — Oh! Quelle horreur! Mais je commence à croire que je me suis très mal expliqué : quand je dis que V_{BE} décroît de 2,2 mV quand la température augmente de 1 °C, cela veut dire que cette variation doit avoir lieu pour maintenir le courant collecteur constant. Si le transistor fonctionne à *courant collecteur constant* (par le jeu d'une sorte de régulation), sa tension base-émetteur diminuera de 22 mV quand j'augmenterai sa température de 10 °C. Mais si, en augmentant la température, je force V_{BE} à demeurer constant, cela fait le même effet sur le courant collecteur que si, à température constante, j'avais *AUGMENTE* V_{BE} de ces 22 mV (dans le cas de notre exemple, avec 10 °C d'échauffement).

IG. — Là, je vous vois venir : vous allez me dire que, avec 1 mA moyen de courant collecteur, la pente du transistor est de 35 mA/V, donc, pour une variation de V_{BE} de 22 mV, cela donnera une variation de courant collecteur de $0,035 \times 0,022 = 0,00077$ A soit 0,77 mA... oh là là! Mais le courant collecteur va donc varier de 77 %!

Cur. — Parfaitement calculé et raisonné. Alors, vous y croyez maintenant à la dérive, autrement dit à l'influence de la température sur le courant?

Ig. — Non seulement j'y crois, mais je suis effondré! Donc un amplificateur à transistor, si l'on veut qu'il transmette la composante continue, ne peut fonctionner que dans un thermostat.

Le montage symétrique.

Cur. — Vous avez toujours été l'homme des solutions extrêmes et des conclusions abusives. Le thermostat serait un moyen terriblement coûteux (et pas forcément suffisant) pour limiter la dérive. Non, on va y arriver en compensant la dérive thermique d'un transistor par celle d'un autre transistor presque identique.

Examinez le montage symétrique que je vous dessine sur la figure 44. Nous admettrons pour le moment que la tension négative — P est très élevée, la résistance R ayant une grande valeur. Donc, même si le potentiel des émetteurs des deux transistors varie un peu, on peut dire, en première approximation, que le courant dans R, soit i (c'est la somme des courants émetteur des deux transistors) reste constant.

Ig. — Avec ce que vous m'avez dit un peu plus tôt, je suppose que votre idée est de compenser la tension V_{BE} du transistor T_1 (c'est la tension que vous désignez par a dans votre schéma) par la tension b, qui est le V_{BE} du second transistor. Est-ce bien votre intention?

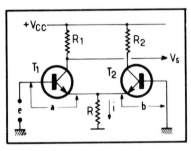

Fig. 44. — Amplificateur symétrique, dont le courant total des émetteurs est constant. Il lutte efficacement contre la dérive.

Cur. — Trois fois bravo, Ignotus! Vous avez parfaitement compris. Si, au départ, je m'arrange pour que, avec une tension e nulle, le courant soit le même dans les deux transistors (il sera alors $i/2$, puisque la somme — constante — des deux courants est toujours égale à i), nous aurons pratiquement la même tension base-émetteur dans T_1 et T_2, a et b seront pratiquement égales.

Ig. — J'ai tout à fait compris, maintenant: le transistor T_2 va amener automatiquement son émetteur (donc celui de T_1) au potentiel — b, donc appliquer à l'émetteur de T_1 la tension négative constante — b qui le polarise exactement à la bonne tension, quelle que soit la température,... et le tour est joué!

Cur. — Doucement, Ignotus. Vous êtes bien parti, mais vous avez fait une erreur en chemin. En effet, le rôle de T_2 est d'amener l'émetteur de T_1 à la bonne tension négative — b. Mais, contrairement à ce que vous pensez, la tension négative de l'émetteur de T_1 ne va pas être constante, même si la température ne change pas: n'oubliez pas que l'amplificateur doit « fonctionner », autrement dit que le cou-

i total constant

rant collecteur de T_1 doit changer : si je rends e positive, le courant collecteur de T_1 augmentera...

IG. — Là je vous arrête : celui de T_2 diminuera exactement autant que celui de T_1 n'a augmenté, puisque vous venez de me dire que l'on considérait la somme des courants comme constante.

CUR. — Parfaitement raisonné. Oui mais... vous conviendrez avec moi que, pour que le courant collecteur de T_2 diminue, il faut bien que sa tension base-émetteur, b, varie. Or le potentiel de sa base est fixe (elle est à la masse). Donc celui de son émetteur (et celui de l'émetteur de T_1) sera bien obligé de varier.

IG. — Indiscutable, votre raisonnement. Mais alors, dites-moi, il me semble que le gain apporté par le transistor T_1 n'est guère plus grand que si T_2 n'était pas là?

CUR. — Pour une fois, vous êtes trop modeste dans votre conclusion. Vous allez le voir sur un exemple numérique.

Supposons que le courant initial de chaque transistor soit de 1 mA (autrement dit notre courant total i est de 2 mA). Ceci correspondrait au cas où $e = 0$.

Maintenant, j'applique à e une tension positive de 2 mV, autrement dit, je porte la base de T_1 à un potentiel positif de $+ 2$ mV par rapport à la masse. Le courant de T_1 va donc augmenter, il passera à $1 + i_0$, et, comme vous me l'avez si bien dit, nous allons considérer que le courant total de T_1 et de T_2 reste constant; il y aura donc dans T_2 une diminution de courant égale à l'augmentation de courant dans T_1, et le courant de T_2 passera de 1 mA à $1 - i_0$.

Puisque l'augmentation de courant de T_1 (soit i_0) est la même que la diminution de courant dans T_2 et que l'on fonctionne avec la même pente dans les deux transistors, cela signifie que la tension base-émetteur de T_1, soit a, a augmenté autant que la tension base-émetteur de T_2, soit b a diminué. Alors, essayez de me trouver de combien elles ont varié chacune.

IG. — Je n'ai aucun moyen de le savoir. Tout ce que je peux vous dire c'est que la somme $a + b$ est restée constante, puisque a a autant augmenté que b a diminué.

CUR. — Excellente réponse en ce qui concerne la somme $a + 5$. Mais vous semblez oublier que vous connaissez $a - b$. En effet, depuis la masse (base de T_2), on descend de b pour aller au potentiel des émetteurs, puis on remonte de a pour aller au potentiel de la base de T_1, qui est e donc :
$$a - b = e$$

IG. — Alors, là, je peux répondre. Puisque la somme $a + b$ n'a pas changé et que la différence $a - b$ (qui vaut e) a augmenté de 2 mV, je conclus triomphalement que a a augmenté de 1 mV et que b a diminué de 1 mV.

CUR. — Ignotus, vous me semblez aujourd'hui dans une forme éblouissante. Vous voyez donc que la tension base-émetteur de T_1 n'a augmenté que de 1 mV (parce que la tension des émetteurs a augmenté, elle aussi de 1 mV) alors que la tension base de T_1 augmente de 2 mV. Donc, du fait de la présence de T_2, le gain de T_1 est moitié moindre de ce qu'il aurait été si T_1 avait été utilisé tout seul, avec une source de polarisation adéquate (mais constante) sur son émetteur.

IG. — Eh bien! Il n'y a pas de quoi pavoiser! Vous arrivez, avec deux transistors, à un gain moitié moindre qu'avec un seul! Bravo!

Cur. — Pour ce qui est du gain, je vous accorde bien volontiers que cela semble minable. Mais, voyez-vous, on n'a rien sans rien : le gain est réduit de moitié, ou divisé par deux, mais la dérive thermique, elle, peut être divisée par plus de *trois cents* dans ce montage. Alors, si je divise la dérive par 300 et le gain par deux, je multiplie quand même le rapport gain/dérive par 150, et alors, là, je « pavoise », pour reprendre votre expression.

Ig. — J'avais été si horrifié par cette dérive que je passe illico du mépris à l'admiration. Mais, dites-moi, la raison de cette réduction de la dérive dans un rapport 300, à quoi tient-elle donc? Est-ce que les tensions a et b sont rigoureusement égales?

Compensation de la dérive.

Cur. — Non, d'ailleurs elles ne le restent pas comme vous venez de le voir. La vraie raison est la suivante : la tension a diminue de 2,2 mV par degré (à courant collecteur constant). La tension b en fait à peu près autant, mais, ce qui est le plus important, c'est que la différence $a - b$, elle, varie à peine en fonction de la température, parce que les lois de variation de a et de b en fonction de la température sont presque identiques. On arrive parfaitement, avec deux transistors bien appariés, à réduire la dérive de $a - b$ (celle qui nous intéresse) à moins de sept *MICROVOLTS* par degré (alors que a varie de 2 200 $\mu v/°C$).

Ig. — Remarquable, cela. Mais je pense qu'il doit être nécessaire de maintenir les températures de T_1 et de T_2 exactement à la même valeur; comment y arrive-t-on?

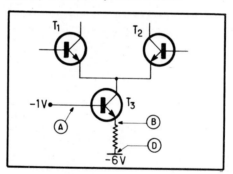

Fig. 45. — Dans l'amplificateur de la figure 44, le meilleur moyen pour rendre parfaitement constant le courant total des émetteurs est d'utiliser le transistor T₃, monté en base commune, comme « transistor à courant constant ».

Cur. — Vous avez raison, il faut le faire. On y arrive assez bien en réalisant T_1 et T_2 dans le même bloc de silicium (un peu comme un circuit intégré) et en logeant le tout dans un même boîtier. Ensuite, on fait en sorte que le dégagement de chaleur apporté par le fonctionnement de chaque transistor soit le même (on prendra $R_1 = R_2$ dans le montage, pour avoir la même tension collecteur-émetteur dans les deux transistors, donc la même dissipation de chaleur dans les deux). Enfin, on fait quelque chose de très astucieux : on s'arrange à amener la chute de tension dans R_1 (et dans R_2) au repos à la même valeur que la tension émetteur-collecteur de T_1 (et de T_2 au repos, puisqu'alors elles sont égales). On peut facilement démontrer que, dans ces conditions, une petite variation du courant collecteur ne modifie pas la dissipation de puissance sur le collecteur.

Ig. — Très ingénieux, votre montage. Mais il y a deux choses qui me tracassent : d'abord la nécessité d'avoir une tension — P très grande, ce qui n'est pas commode (et peut être dangereux quand on a des transistors au voisinage de cette source de tension); ensuite le fait que T₂ ne travaille pas réellement, à part son rôle de compensation de la dérive.

Cur. — Quand bien même il se limiterait à ce rôle, je serais déjà content, et nous allons voir qu'on peut l'utiliser plus efficacement encore. En ce qui concerne le système de la résistance R et de la grande tension — P, comme le seul but était d'obtenir un courant total constant pour les deux émetteurs, il y a une autre solution dont la figure 46 vous indique le schéma.

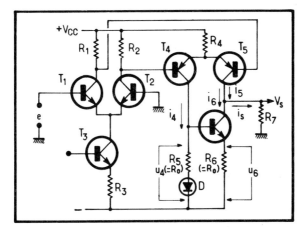

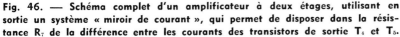

Fig. 46. — Schéma complet d'un amplificateur à deux étages, utilisant en sortie un système « miroir de courant », qui permet de disposer dans la résistance R₇ de la différence entre les courants des transistors de sortie T₄ et T₅.

Le transistors T₃ est, en fait, monté en « base commune ». On a porté le bas de la résistance R₃ au potentiel — 6 (point D) et la base de T₃ (point A) au potentiel — 1 V. Le point (B) est donc à un potentiel de l'ordre de — 1,6 V. Il y a donc une tension constante de — 1,6 = 4,4 V aux bornes de R₃, donc le courant dans R₃ est constant...

Ig. — Et, comme le courant collecteur d'un transistor est pratiquement égal à son courant émetteur, le courant collecteur de T₃ est constant lui aussi; votre idée est extrêmement astucieuse, félicitations.

Un schéma plus complet.

Cur. — Je regrette de ne pas l'avoir trouvée moi-même, en effet. Je vous précise que les potentiels des points (D) et (A) n'ont pas besoin d'être parfaitement fixes tous les deux, la seule chose qui compte c'est que la tension entre ces points (soit V_A — V_D) soit bien constante : on la maintient fixe en la stabilisant par une diode Zener.

Maintenant, pour ce qui est du transistor T₂, n'oubliez pas que l'on peut utiliser, dans certains cas, la variation de son potentiel collecteur, qui est l'opposé de celle du potentiel collecteur de T₁. Par

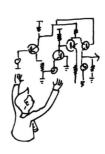

exemple, si la tension de sortie de l'amplificateur doit être appliquée à un voltmètre, nous pourrons relier les deux pôles de ce dernier aux deux collecteurs, on « récupère » ainsi une augmentation de gain de 100 % puisque la différence de potentiel entre les deux collecteurs varie deux fois plus que ne varie le potentiel de T_1 tout seul.

Une autre façon d'« utiliser » T_2 est la suivante : quand on veut coupler un étage symétrique (tel que celui de la figure 44) à un autre étage symétrique également, on peut, au lieu de commander uniquement une base du second étage symétrique par un des collecteurs du premier, commander les deux bases du second par les deux collecteurs du premier.

Puisque vous êtes à ce point en forme, je n'hésite plus à vous montrer un schéma très complet d'amplificateur avec beaucoup de choses nouvelles (mais encore plus de choses connues) pour vous : le voici (fig. 46).

Ig. — Oh, mais c'est bougrement compliqué! Je reconnais le premier étage composé de T_1 et T_2 comme sur la figure 44, muni d'un transistor à courant constant T_3 pour maintenir constant le courant total des émetteurs de T_1 et T_2, mais, après, cela devient horrible...

Cur. — Pas du tout. Regardez donc les deux transistors T_4 et T_5 : ils sont montés en bon étage symétrique. J'ai pris des P-N-P exactement dans le même but que je l'avais fait dans le montage de la figure 43; en procédant ainsi, je peux mettre des étages en cascade, avec un couplage direct, sans être obligé d'augmenter la tension d'alimentation à chaque étage.

Ig. — Avant toute autre chose, je remarque que vous n'avez pas mis, pour votre second étage symétrique, un système à courant constant comme l'était T_3 pour le premier étage : il y a juste la résistance R_4.

Cur. — Cela suffit. N'oubliez pas que nous utilisons le collecteur de T_1 pour commander la base de T_5 et le collecteur de T_2 pour commander celle de T_4. Donc, comme les variations des potentiels de ces bases sont maintenant égales en valeur absolue mais opposées, le potentiel des émetteurs des P-N-P ne change pas : je maintiens donc le courant total de T_4 et T_5 constant par la simple résistance R_4.

Nous en arrivons au système de couplage en sortie. Voyez-vous, Ignotus, ce dont j'ai besoin en sortie, c'est de la différence entre les courants collecteurs i_4 (de T_4) et i_5 (de T_5). Il faut donc que j'arrive à réaliser la soustraction $i_5 — i_4$, à faire un montage qui me donne la différence de ces deux courants.

Le « miroir à courant ».

Ig. — Oui, cela me semble logique, puisque quand l'un des courants augmente, l'autre diminue. Mais que vient faire là-dedans ce montage horrible avec le transistor T_6, avec les résistances R_5 et R_6 et la diode D?

Cur. — Il n'est pas si horrible. Si j'appelle R_0 la valeur commune de R_5 et de R_6 (mais, pour le moment, nous ne nous occupons que de R_5), dites-moi, en supposant que nous négligions le courant base de T_6, quelle est la valeur de tension u_4?

Ig. — Ce n'est pas au-delà de mes capacités : le courant qui traverse la diode D et la résistance R_5 est égal à i_4, donc la tension u

vaut R_5 i_4 + 0,6 en admettant une tension de 0,6 V aux bornes de la diode.

Cur. — Exact. Alors, que vaut la tension u_6?

Ig. — Là, pas de problème : elle vaut u_4 diminué de 0,6 V, puisqu'il y a 0,6 V de tension base-émetteur pour le transistor T_6, alors on trouve R_5 i_4 + 0,6 — 0,6... tiens, cela fait juste le produit R_5 i_4!

Cur. — En effet. Et, comme R_6 et R_5 sont égales entre elles, le courant émetteur de T_6, obtenu en divisant la tension u_6 par la valeur de la résistance R_6 (égale à R_5), nous donne... tout simplement i_4, et on retrouve le même courant (presque) dans le collecteur : j'en conclus que $i_6 = i_4$.

Ig. — Alors, je ne vois pas l'intérêt de T_6 et de votre montage compliqué : si le courant collecteur de T_6 est le même que celui de T_4, autant utiliser le courant collecteur de T_4.

Cur. — Objection, votre Honneur : le courant est le même arithmétiquement parlant, mais le courant collecteur de T_4 *sort* par le collecteur (il s'agit d'un P-N-P), alors que celui de T_6 *entre* dans ce transistor par son collecteur, ce qui n'est pas la même chose.

Alors, nous y sommes : relions simplement les collecteurs de T_5 et de T_6 : au point commun le courant i_s (courant de sortie), qui va aller vers la masse à travers la résistance R_7, sera $i_5 — i_6$, soit $i_5 — i_4$, puisque $i_6 = i_4$.

Ig. — Oh, très malin, ce système : le transistor T_6 avec sa commande par R_5 et D sa résistance R_6 se comporte comme s'il donnait le « reflet » du courant de T_4 dans une glace.

Cur. — Votre comparaison est excellente. Elle est même si bonne que les gens extrêmement ingénieux qui ont inventé ce système l'ont faite avant vous et que le système de R_5, R_6 (= R_5), D et T_6 s'appelle un « miroir à courant »; il est la clé de très nombreux amplificateurs intégrés.

Ig. — Alors, en quelque sorte, on pourrait dire que l'étage T_1-T_2 réalise le passage d'une tension d'attaque non symétrique (avec un côté à la masse) à une sortie symétrique, alors que T_4-T_5-T_6 permet le passage opposé, d'une attaque symétrique sur ses bases à une sortie dissymétrique.

Cur. — Excellent, si vous continuez comme cela, jusqu'où n'irons-nous pas? Vous avez parfaitement compris : on passe de la tension d'entrée dissymétrique au fonctionnement symétrique pour tuer la dérive. Après quoi, ayant amplifié le signal, on repasse en dissymétrique car il est plus fréquent d'utiliser une tension dissymétrique.

Les hautes fréquences.

Ig. — Bon, au fond ce n'est pas difficile de faire un amplificateur qui descende aux fréquences les plus basses. Je pense que vous allez maintenant me dire que les montages que nous avons étudiés « ne peuvent être utilisés tels quels » et qu'il faut leur ajouter des masses de perfectionnements?

Cur. — En aucune façon : réalisez le montage de la figure 46 comme je vous l'ai décrit, sans rien lui ajouter, et il fonctionnera parfaitement. Non, je ne vais pas revenir sur ce que nous avons vu :

je vais seulement commencer avec vous quelque chose de nouveau. Nous allons regarder ensemble comment on élargit la bande passante d'un amplificateur du côté des fréquences élevées. Selon vous, d'où vient la limitation des amplificateurs classiques du côté des grandes fréquences?

Ig. — Mais... de la fréquence de coupure des transistors, évidemment.

Cur. — Ah, Ignotus, je ne vais pas m'insurger, car 99 % des gens qui débutent dans l'électronique « non-radio » pensent comme vous (et ils n'ont pas toujours tort : il *peut arriver* que la fréquence de coupure des transistors intervienne pour limiter la réponse aux fréquences élevées). Mais dites-vous bien que, dans la majorité des cas, la limitation ne vient pas des transistors proprement dit, mais de la façon dont ils sont utilisés : avec des modèles bien classiques, considérés comme « utilisables en basse fréquence », on fait très bien des amplificateurs qui acceptent, sans réduction notable de gain, des fréquences de plus de dix ou vingt mégahertz.

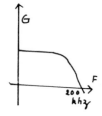

Ig. — Mais d'où vient alors le fait que les amplificateurs « classiques » à transistors soient effectivement limités si bas en fréquence? J'ai moi-même relevé une courbe de réponse et le gain baissait de moitié à environ 150 kHz.

Cur. — La raison tient entièrement dans un des trois ennemis de l'électronique (avec les mauvais contacts et les résistances internes des sources) : les capacités parasites, ou plutôt UNE capacité parasite : celle que l'on trouve, dans un transistor, entre collecteur et base.

Ig. — Cela ne fait pourtant pas une telle valeur : j'ai lu récemment que, dans un type de transistor que j'utilise souvent, il n'y avait que 8 pF de capacité parasite collecteur-base. Ce n'est tout de même pas énorme, non?

Action du gain sur la capacité d'entrée.

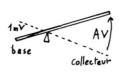

Cur. — Comme cela, non, mais n'oubliez pas que cette capacité va se trouver multipliée par le gain en tension du transistor, à peu de choses près.

Ig. — Première nouvelle! Que vient faire le gain en tension dans une histoire de capacité?

Cur. — Vous allez comprendre tout de suite. Considérez un transistor monté en amplificateur (fig. 47). Quand j'augmente le potentiel de sa base de 1 mV, par exemple, le potentiel de son collecteur, celui de son collecteur descend de A millivolts (si le gain en tension est A). Alors, la tension v aux bornes du condensateur C (qui est la capacité parasite collecteur-base du transistor) ne varie pas de 1 mV mais de (A + 1) millivolts.

Alors, tout se passe comme si l'on avait, en parallèle sur l'entrée, un condensateur de capacité (A + 1) C, qui aurait une armature à la masse (potentiel fixe) et l'autre sur la base.

Donc, avec vos 8 pF, si le gain en tension de l'étage est de 12 seulement, par exemple, cela fera l'équivalent de 13 × 8 = 104 pF de capacité équivalente à l'entrée. Ajoutez-y la capacité base-émetteur (celle-là n'est pas affectée par le gain, puisque l'émetteur est à potentiel constant, mais elle compte tout de même) et vous arriverez facilement à 120 ou 150 pF.

Or, avec 150 pF, vous avez une impédance de l'ordre de 5 kΩ à 200 kHz. Si la résistance interne de l'étage qui attaque l'entrée de ce transistor est de 5 kΩ, elle aussi, vous aurez une baisse importante de gain car l'étage précédent ne pourra pas attaquer correctement celui dont la capacité équivalente d'entrée est de 150 pF.

IG. — Donc, le seul moyen pour attaquer correctement un étage ayant une si grande capacité d'entrée est de le faire par une source qui soit capable de fournir un courant alternatif assez important à l'entrée.

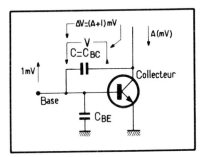

Fig. 47. — *La capacité parasite base-collecteur d'un transistor joue un rôle très important en raison de l'amplification par A de la tension d'entrée : elle ne se charge pas à la tension d'entrée, mais à A + 1 fois la tension d'entrée.*

CUR. — Vous avez parfaitement raison : il faudra faire précéder l'étage amplificateur d'un étage « abaisseur d'impédance », qui, sans introduire de gain en tension, permet de fournir un courant d'attaque suffisant.

IG. — Vous allez utiliser, je le pense, votre fameux « muscleur »?

CUR. — On pourrait le faire, mais il est possible d'utiliser tout simplement un étage collecteur commun.

IG. — Alors, l'étage amplificateur est précédé d'un étage collecteur commun mais je vois mal ce qui va se passer avec l'étage suivant.

CUR. — On recommence, tout simplement. Donc, vous avez une succession alternée d'étages émetteur commun (pour réaliser le gain en tension) et d'étages collecteur commun (pour abaisser l'impédance d'attaque de l'étage émetteur commun qui suit).

IG. — Mais son gain sera très faible.

Le point — 3 dB.

CUR. — Je sais que vous n'aimez pas les amplificateurs dont le gain en tension est inférieur à l'unité (ils peuvent cependant apporter un gain très important en puissance, si leur entrée correspond à une résistance d'entrée très grande, qui ne leur fait consommer à la tension d'entrée qu'un courant minuscule, donc une puissance très faible, alors que leur sortie, ayant une résistance interne faible, peut débiter un courant important).

Mais là n'est pas la question. J'en reviens à une source ayant une résistance interne de 5 kΩ qui débite sur un condensateur présentant, pour la fréquence considérée, une impédance de 5 kΩ. Vous m'avez dit tout à l'heure que, dans ce cas, la tension de sortie tombait de moitié, et c'était faux.

IG. — Ça, alors! Mais enfin, quand vous chargez une source qui a une résistance interne de 5 kΩ par une charge de 5 kΩ extérieure, vous réduisez bien la tension de moitié, non?

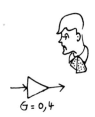

G = 0,4

Cur. — Si l'on charge la source par une *résistance* de 5 kΩ, vous avez raison, la chute de tension aux bornes de la résistance extérieure et celle qui a lieu aux bornes de la résistance interne sont deux tensions en phase et elles s'ajoutent arithmétiquement.

Mais si, comme charge, nous avons utilisé une *impédance* donnée par un *condensateur*, dont l'impédance est de 5 kΩ, tout change; la tension aux bornes du condensateur n'est plus du tout en phase avec la tension aux bornes de la résistance interne. Elles sont, comme vous vous le rappelez (du moins, je l'espère...) en « quadrature ». Alors, en ayant une tension u aux bornes d'une résistance, et une tension u (valeurs efficaces) aux bornes du condensateur, si on les ajoute, on obtient une tension qui vaut non pas 2 u (comme ce serait le cas pour deux tensions *en phase*) mais $u\sqrt{2}$.

Autrement dit, avec deux tensions valant chacune 0,707 u (soit $u/\sqrt{2}$) et en quadrature, si on les ajoute, on a une tension qui vaut $\sqrt{2}$ fois chacune des tensions, soit exactement u.

Donc, une source ayant une force électro-motrice (ou tension à vide) égale à u, avec une résistance interne de 5 kΩ, par exemple, branchée sur un condensateur dont l'impédance fait 5 kΩ, donnera en sortie, une tension $u/\sqrt{2}$, soit 0,707 u.

Ig. — Bon, je me rappelle cette sombre histoire de phase. Donc la présence du condensateur réduit la tension de sortie à 0,707 fois ce qu'elle serait sans lui (en opérant à la fréquence pour laquelle l'impédance du condensateur est égale à la résistance interne de la source). Donc, à cette fréquence, il y a une perte de 29,7 % de la tension... ah, je vois pourquoi vous m'avez parlé tout à l'heure d'une perte de 30 % de la tension : c'était cela.

Cur. — La forme surhumaine continue, Ignotus. Donc, par rapport à ce que l'on aurait à une fréquence bien plus basse, pour laquelle l'impédance du condensateur, presque infinie, ne jouerait aucun rôle, vous voyez pourquoi je dis que l'on est au « point — 3 dB ».

Les types de couplage.

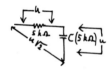

Ig. — Bon, je vous suis toujours, malgré la forme vraiment compliquée que vous employez pour dire que le gain baisse de 30 %. Mais passons. Puisque l'on doit attaquer un étage par un autre, monté en collecteur commun, je pense que le tout est alors monté comme l'indique la figure 48.

Cur. — C'est en effet une solution, et on l'utilise comme vous l'avez dessiné. En général, on utilise une « version symétrique » de ce montage, mais cela ne change rien au principe.

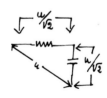

Ig. — Je ne vois d'ailleurs pas comment on pourrait réaliser un autre montage que celui-là.

Cur. — Oh, croyez-moi, Ignotus, les électroniciens ont des idées. En particulier, ils ont pensé que le montage collecteur commun (donnant sa tension de sortie sur l'émetteur) pouvait fort bien attaquer l'étage suivant non sur sa base, mais sur son émetteur. On arrive alors au schéma de la figure 49.

Ig. — Comment, mais c'est le montage symétrique de la figure 44, que vous m'avez décrit comme remède « souverain » contre la dérive.

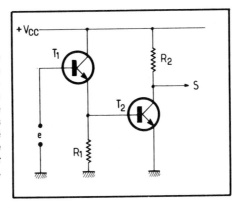

Fig. 48. — Un étage collecteur commun (T₁) est utilisé comme abaisseur d'impédance pour attaquer l'étage émetteur commun T₂, dans le but de permettre l'amplification des fréquences élevées sans que la capacité d'entrée de T₂ n'entraîne une réduction de l'attaque de cet étage aux fréquences élevées.

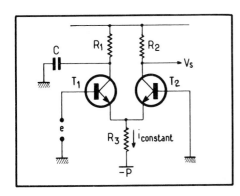

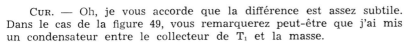

Fig. 49. — L'emploi de l'étage symétrique, avec un découplage de la tension collecteur de T₁ est un autre moyen de soustraire l'étage d'attaque à l'influence de la capacité parasite d'entrée de l'étage attaqué.

Blindage

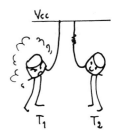

Vcc

T₁ T₂

Cur. — Oh, je vous accorde que la différence est assez subtile. Dans le cas de la figure 49, vous remarquerez peut-être que j'ai mis un condensateur entre le collecteur de T₁ et la masse.

Ig. — Oui, et cela me semble catastrophique : le signal que l'on obtient sur le collecteur T₁ va être terriblement affecté aux fréquences élevées!

Cur. — Mais je l'ai fait exprès. Comme vous le voyez, on n'utilise pas ce signal, on n'emploie que celui du collecteur de T₂. Comme le potentiel collecteur de T₁ reste pratiquement constant, pour les fréquences élevées du signal d'entrée, il n'y a pas, dans le transistor T₁, cet effet de multiplication de la capacité parasite base-collecteur par le gain en tension de l'étage. Le transistor T₂ est attaqué par l'émetteur, c'est sur son collecteur que l'on recueille le signal de sortie.

En fait, le transistor T₂ est monté ici en « base commune », ou en « base à la masse ». Comme cela, il n'y a aucune réaction du signal de sortie (prélevé sur son collecteur) sur le signal d'entrée (appliqué sur son émetteur). La base joue le rôle d'une sorte de « blindage » entre l'entrée et la sortie, un peu comme le faisait l'écran dans les bonnes vieilles penthodes à vide.

Ig. — Je vois assez bien le fonctionnement du système. Mais ce que je vois moins bien, c'est la raison de la présence de la résistance R₁ : puisque vous souhaitez maintenir le potentiel collecteur de T₁ constant, pourquoi ne pas le connecter au +Vcc?

Cur. — Cela pourrait se faire. On préfère réduire le potentiel moyen du collecteur de T$_1$ à la même valeur que celui du collecteur de T$_2$, pour que ces deux transistors chauffent autant l'un que l'autre, pour réduire la dérive.

Ig. — Mais... il ne s'agit plus de dérive, nous parlons des amplificateurs qui doivent passer les fréquences élevées, pas de ceux qui ont à passer les fréquences très basses.

Cur. — Et pourquoi serait-il anormal de demander à un amplificateur les deux qualités à la fois? Pensez, par exemple, aux étages qui commandent les plaques de déviation dans un oscilloscope : il faut transmettre la composante continue (enfin, c'est nettement préférable, dans un bon oscilloscope) et il faut aller aussi haut que possible dans le domaine des fréquences élevées.

Ig. — Et, ce qui est drôle, c'est que le même montage symétrique apporte à la fois la solution des problèmes de dérive (pour les fréquences basses) et l'augmentation de bande passante du côté des fréquences élevées.

Cur. — On ne l'emploie pas tout à fait de la même façon dans les deux cas. Avec l'étage symétrique utilisé pour les fréquences élevées, comme je vous l'ai représenté sur la figure 49, il ne faut absolument pas faire un couplage depuis les deux collecteurs des transistors du premier étage vers les deux bases du second (si le second étage est symétrique lui aussi). On aurait alors une augmentation de gain vers les fréquences basses, parce que le découpage du collecteur de T$_1$ n'est valable que pour les fréquences élevées.

Ig. — A ce détail près, on est donc arrivé à quelque chose qui a les avantages des anciennes penthodes à vide, comme vous le disiez. Je connais assez mal les tubes (enfin, je sais à peu près m'en servir, mais juste à titre « historique »), mais je me souviens de l'explication qu'avait donné un livre sur le rôle de l'écran dans les penthodes : protéger la grille de l'action de la variation du potentiel du collecteur... enfin, je veux dire de l'anode.

Cur. — C'est exactement cela. Dans le tube triode, nous avions une dizaine de picofarads entre grille et anode, alors que l'on tombait à quelques millièmes de picofarads entre grille et anode dans les penthodes. Si l'on veut arriver à quelque chose d'analogue avec les transistors, on peut employer une autre solution que le montage semi-symétrique de la figure 49 : on commande (fig. 50) l'émetteur de T$_2$ (qui fonctionne en base commune) par le collecteur de l'étage d'entrée, T$_1$.

Le « cascode ».

Ig. — Oh, mais voilà un montage bien bizarre! J'ai d'ailleurs des tas d'objections à vous faire à son sujet. Pour commencer, comment polarise-t-on le transistor T$_1$?

Cur. — Si vous vous limitez à une amplification qui ne nécessite pas de descendre à des fréquences très basses, mais seulement de monter aussi haut que possible en fréquence, vous pouvez utiliser les moyens classiques des étages à transistors en émetteur commun que vous connaissez. Autrement, il va falloir faire mieux. Je n'ai pas parlé de la polarisation de l'étage T$_1$ pour ne pas ajouter à la difficulté d'étude du montage de la figure 50 des difficultés relatives à sa polarisation.

IG. — Admettons. Mais il y a ici un vice de forme fondamental : l'étage T_1 est monté en émetteur commun, or vous m'avez longuement expliqué que ce type d'étage était mauvais pour les amplifications en large bande.

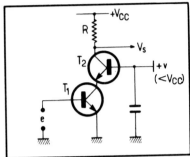

Fig. 50. — Montage dit « cascode » dans lequel le transistor T_2 est monté en base commune et assure l'élimination de l'influence des variations du potentiel de son collecteur sur la base du transistor attaqué.

CUR. — Et je ne m'en dédis pas. Si vous vous rappelez ce que nous avons dit à propos de ce montage classique à émetteur commun vous noterez que le problème venait de la variation du potentiel du collecteur du transistor, bien plus grand que celui de la base.

Or, dans le montage de la figure 50 (qui s'appelle, soit dit en passant, un « montage cascode », ce que beaucoup de gens — et de typographes croyant à une faute de frappe — transforment en « cascade »), vous voyez que le collecteur de T_1 est relié à l'émetteur de T_2. Or T_2 a sa base à potentiel constant, donc son émetteur est aussi, à très peu de choses près, à potentiel constant lui aussi (à 0,6 V au-dessous de celui de la base). Donc, l'ennui que nous avions rencontré disparaît.

Le transistor T_2 se contente, en quelque sorte, de « recopier » le courant collecteur de T_1, mais les variations de potentiel du collecteur de T_2 n'affectent pas T_1 : c'est là toute l'astuce du montage. On a réalisé, en quelque sorte, un « transistor penthode », dans lequel le transistor T_2 permet une séparation complète de la sortie (collecteur de T_2 à et de l'entrée (base de T_1).

IG. — Et, en employant ce « transistor penthode », tout est résolu dans le domaine de l'amplification à large bande du côté des fréquences élevées?

CUR. — Ce serait tout de même trop beau. Il faut encore faire attention à pas mal de choses. En particulier, il faut utiliser des résistances de charge collecteur de valeur pas trop élevées : n'oubliez pas que nous avons toujours notre ennemi (la capacité parasite) qui rôde. Un condensateur de 16 pF à une fréquence de 20 MHz, cela ne représente qu'une impédance de 500 Ω alors il faut une résistance de charge collecteur notablement plus faible.

IG. — Mais alors, on ne peut pas obtenir de tension de sortie élevée, à moins d'avoir un transistor à très fort courant collecteur?

CUR. — Hélas, oui! Ce problème se pose, en particulier, dans l'étage de sortie des amplificateurs de déviation des oscilloscopes, comme dans les étages de sortie des amplificateurs dits « vidéo » de télévision (qui doivent fournir une tension de près de 40 ou même 70 V crête à crête, avec une bande assez large tout de même).

Ig. — Mais il me vient une idée : comme on est gêné par la présence d'une capacité parasite, ne pourrait-on pas en détruire totalement l'effet en utilisant un bobinage quelque part, en raison de son caractère « anti-capacitif »?

Cur. — Remarquable suggestion. On ne va pas « détruire totalement » son effet, mais on va gagner un petit peu. Par exemple, voyez-vous, on peut, comme le montre la figure 51, mettre en série avec la résistance de charge collecteur un bobinage dont le coefficient de self-induction soit bien déterminé.

Dans mon schéma, le condensateur C_p représente tout simplement la capacité parasite, qui charge la sortie de l'étage. On peut considérer qu'il est branché entre la sortie et la masse, mais on peut aussi considérer qu'il est branché entre cette sortie et le $+V_{cc}$. La charge du collecteur du transistor est alors C_p en parallèle sur R en série avec L.

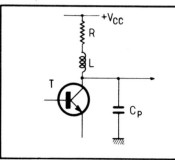

Fig. 51. — En ajoutant un bobinage L en série avec la résistance de charge R du transistor T, on peut minimiser un peu l'influence de la capacité parasite C_p, qui réduit le gain aux fréquences élevées.

Fig. 52. — Si l'on attaque un amplificateur avec un signal (a) qui monte en un temps négligeable la tension de sortie (b) monte moins vite. Le « temps de montée » qui caractérise l'amplificateur est mesuré entre les points A et B, correspondant au passage de la tension de sortie par 10 % et 90 % de la valeur finale de la tension.

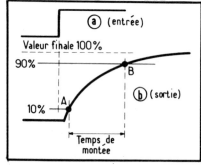

Un petit calcul pas trop méchant vous montrerait que l'on doit choisir pour le coefficient de self-induction L une valeur comprise entre 0,4 $C_p R^2$ et 0,5 $C_p R^2$.

Avec cette correction, on gagne à peu près 30 % en bande passante, ce qui n'est pas énorme, mais vaut déjà la peine de ne pas le négliger.

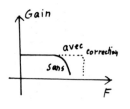

En utilisant des corrections encore plus compliquées, on pousse la bande passante (avec une même résistance de charge) jusqu'au double de ce que l'on aurait eu sans correction. Il y a des cas où l'on est bien heureux de cet accroissement.

Ig. — Et jusqu'où va-t-on comme cela?

Cur. — Je vous ai dit qu'avec des transistors assez classiques, on montait assez bien à 20 ou 30 MHz. Pour aller plus haut, il faut tout de même utiliser des modèles à fréquence de coupure plus grande. Avec de bons circuits très étudiés, on peut avoir une bonne amplification presque constante de la fréquence zéro à plus de 500 MHz (on approche même de 1 000 MHz avec des circuits très soignés).

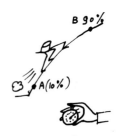

IG. — Ces fréquences limites (sensationnelles) que vous me donnez, ce sont toujours les fréquences « — 3dB » comme vous dites, celles pour lesquelles le gain baisse d'environ 30 %?

Fréquence de coupure et temps de montée.

CUR. — En effet. Mais je vous signale que l'on estime souvent la qualité d'un amplificateur, son aptitude à passer les fréquences élevées, par un autre moyen : on donne son « temps de montée ».

Voyez-vous, si j'applique (fig. 52) un signal à variation parfaitement brusque à l'entrée d'un amplificateur, la sortie ne va pas répondre parfaitement. La limitation de l'amplificateur aux fréquences élevées se traduira par la déformation du signal de sortie, qui prend l'aspect que je vous dessine en (b). On mesure alors, sur le cadran d'un oscilloscope, le temps que prend la tension de sortie pour passer de 10 % de la valeur finale (point A) à 90 % de cette même valeur (point B).

C'est ce temps que l'on appelle « temps de montée » (on précise quelquefois « temps de montée 10 % à 90 % »).

Evidemment, plus la fréquence limite — 3 dB du côté hautes fréquences de l'amplificateur est élevée, plus ce temps de montée est court et meilleur est l'amplificateur.

IG. — Il doit y avoir un rapport entre ce temps de montée et la fréquence limite à — 3 dB; quel est-il?

CUR. — En effet, il y a un rapport, d'ailleurs pas toujours parfaitement défini, car il dépend pas mal du type de corrections que l'on a pu faire par des bobinages divers dans les circuits. Mais, en gros, on peut dire que le produit du temps de montée (en secondes) par la fréquence dite « de coupure » (c'est la fréquence qui correspond à — 3 dB) exprimée en Hertz est assez proche de 1/3. Donc, si vous avez un amplificateur dont la fréquence de coupure est de 10 MHz, par exemple, soit 10^7 Hz, il aura un temps de montée T_R (c'est l'abréviation couramment utilisée, à cause de la dénomination anglaise « Time of rise ») tel que :

$$10^7 \times T_R = \frac{1}{3} \text{ soit environ } T_R \times 3,3 \ 10^{-8} \ s$$

(on dit alors que T_R est de 33 ns ou nanosecondes).

IG. — Absolument étourdissant comme performance. Avec un tel temps de montée, cet amplificateur doit équiper des oscilloscopes d'hyper-grand luxe!

CUR. — Ne croyez pas cela : on doit souvent avoir des temps de montée bien inférieurs à la nanoseconde, si l'on veut bien étudier les circuits logiques rapides (dont je vous parlerai plus tard).

Seulement, si les amplificateurs ont des temps de montée qui se comptent en nanosecondes, je crains fort que les Ignotus aient un temps de retour bien plus long, et comme nous avons eu aujourd'hui une très longue conversation, je suis un peu inquiet à la pensée de ce que va me dire Paulette si je la vois demain comme prévu... pour vous avoir retenu si tard. Donc, nous nous reverrons pour approfondir les mystères de la « transformation des signaux ».

Maintenant, Ignotus est inquiet : habitué à la technique B.F. où il est nécesssaire de conserver la forme d'un signal, il est affolé par les déformations systématiques que Curiosus fait subir à ce dernier. Il commence en effet par apprendre comment on écrête un signal, puis comment on transforme une variation lente de tension en une transition brusque (trigger de Schmitt), ensuite il s'initie aux mystères des circuits dérivateurs et intégrateurs. C'était fatal : il lui faut ingurgiter bon gré mal gré une définition (simplifiée!) des dérivées et des intégrales... malgré son horreur proverbiale des mathématiques; mais il comprend que c'est plus simple qu'on ne le croit en général.

SIGNAUX RECTANGULAIRES
ECRETAGE, DERIVATION, INTEGRATION

IGNOTUS. — Dites-moi, Curiosus, il y a une question que j'ai oublié de vous poser la dernière fois : quelle est la fidélité d'amplification de ces différents « muscleurs » dont vous m'avez parlé?

CURIOSUS. — Elle est excellente pour les systèmes du type cathode asservie ou émetteur asservi en tout cas, et, tout particulièrement, pour le « muscleur » à deux transistors complémentaires, puisqu'il s'agit de montage à taux élevé de contre-réaction. Bien entendu, vous ne profiterez de cette fidélité que si vous ne surchargez pas le montage en lui demandant trop de courant de sortie ou trop de tension.

Mais dites-vous qu'il y a bien des cas en électronique où la linéarité (disons le faible taux de distorsion) n'est pas la qualité dominante exigée d'un amplificateur. C'est même quelquefois le contraire.

Les déformations voulues.

IG. — Ah, ça! Alors, on déforme le signal, comme cela, par perversité et au hasard?

CUR. — On le déforme, oui, mais pas au hasard. En ce qui concerne la perversité, vous pouvez toujours, comme vous allez sûrement me le proposer, fonder l'A.P.P.S.C.D.V. (Association Pour la Protection des Signaux Contre les Déformations Vicieuses).

IG. — Et j'espère que vous vous inscrirez. Comment voulez-vous que des signaux déformés donnent un son correct?

CUR. — Otez-vous une bonne fois de la tête vos idées de sonorisation, musicalité et autres. La diffusion des sons est une application de l'électronique, mais elle ne constitue en aucune façon toute l'électronique, pas plus que le chauffage par radiateurs ne constitue la totalité des applications de l'électricité. La tension qui sort de votre amplificateur peut aller dans tout autre chose qu'un haut-parleur. Si vous désirez lui faire commander un relais, par exemple, pourquoi voulez-vous qu'elle soit sinusoïdale?

IG. — Je le reconnais. Quelles déformations allez-vous donc infliger au signal?

Cur. — Nous commencerons par l'écrêtage, méthode pratique pour amener les signaux de différentes amplitudes à la même valeur. Une bonne solution est l'utilisation d'une simple diode : comme vous le voyez, le montage de la figure 53 ne transmettra en sortie (en S) que la partie positive du signal d'entrée E.

Ig. — Facile à comprendre. Mais à quoi sert la résistance R?

Cur. — Son rôle n'est pas évident. Supposez que l'on branche en S « quelque chose » qui utilise la tension S, et qui ait une grande résis-

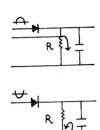

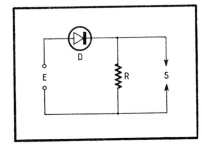

Fig. 53. — Ecrêteur : seule la partie positive de la tension E se retrouve en S.

tance en continu et une capacité non négligeable. La tension S pourra suivre E quand celle-ci monte, la capacité parasite se chargeant à travers D, mais elle ne la suivra plus si E descend rapidement (même en restant positive), car la capacité parasite ne pourra plus se décharger. En plaçant R en parallèle sur elle, je supprime cet ennui.

Ig. — Pour bien décharger les capacités parasites, vous avez donc intérêt à prendre une valeur de R très faible?

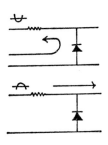

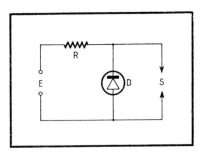

Fig. 54. —Ecrêteur avec diode montée en shunt, court-circuitant la partie négative de la tension d'entrée.

Cur. — En un sens, oui. Mais il ne faut pas oublier que la tension d'entrée E, pendant ses alternances positives, va devoir faire passer du courant dans R qui se trouve en parallèle sur la sortie S. Il faut donc que la consommation de courant par R ne perturbe pas trop la source E.

Ig. — Et si vous retourniez la diode D, qu'arriverait-il?

Cur. — J'écrêterais les parties positives du signal. Je ne transmettrais en S que les parties négatives du signal d'entrée E. Je vais maintenant vous montrer un autre montage écrêteur, inférieur au précédent, mais que l'on est quelquefois obligé d'utiliser : c'est celui de la figure 54. Vous comprenez facilement comment il fonctionne : pendant les alternances positives de la tension E, la diode D est bloquée et la tension E

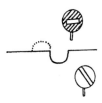

se retrouve en S (à travers la résistance R). Au contraire, pendant les alternances négatives de E, la diode D est débloquée et joue le rôle d'un court-circuit : il n'y a pas de tension en S. Au fond, R et D jouent le rôle d'un diviseur de tension dont un des éléments (D) peut avoir une résistance nulle ou infinie.

Ig. — Cette explication serait aussi valable pour le montage précédent. A part la permutation de la diode et de la résistance, ils sont identiques, et je ne vois pas pourquoi le second vous semble inférieur au premier.

Cur. — Vous allez le voir. Dans le montage de la figure 53, pendant les alternances positives de E (ce sont celles qui m'intéressent, puisque j'ai coupé les négatives), la source E est branchée *directement* sur la sortie S, à travers la diode D qui ne représente qu'une résistance faible. Par contre, dans le montage de la figure 54, pendant les alternances positives de E, il y a la résistance R entre E et S. Tout se passe comme si la résistance interne de la source E avait augmenté, et je vous ai déjà expliqué à quel point l'élévation de la résistance interne d'une source était malsaine, engendrant la déformation éventuelle des signaux.

Une déformation fidèle.

Ig. — Là, alors, je ne vous suis plus! Comment, vous venez de déformer affreusement un signal en coupant toutes ses alternances négatives, et vous semblez craindre une autre déformation?

Cur. — Si je l'ai déformé « affreusement », comme vous dites, c'est parce que je le voulais; par exemple parce que je désirais éliminer les alternances négatives. Mais je ne tiens pas forcément à déformer aussi les alternances positives : il se peut qu'elles comportent des tops posi-

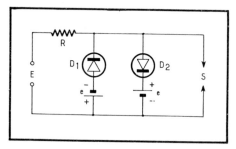

Fig. 55. — Ecrêtage à deux niveaux; la tension de sortie est égale à la tension d'entrée quand celle-ci est comprise entre + e et — e.

tifs que je tienne essentiellement à laisser passer. C'est pourquoi je déplore la présence de R en série dans le schéma de la figure 54. Je ne peux pas trop réduire R, parce qu'il faut que sa valeur soit forte par rapport à la résistance dynamique de la diode quand celle-ci conduit, histoire de bien couper les alternances négatives.

Ig. — Cela ne doit pas être bien calé : une diode qui conduit, c'est un court-circuit.

Cur. — Ce serait trop beau! Si bonne que soit une diode, vous aurez de la peine, pour une diode à cristal, à trouver une résistance dynamique inférieure à 50 ou 100 Ω; pour une diode à vide, il serait rare de trouver moins de 300 Ω. Si je vous ai montré ce montage, c'est qu'il va nous permettre de faire de l'écrêtage double. Regardez le schéma de la figure 55. Vous voyez que la tension d'entrée se retrouve en S tant qu'elle est supérieure à — e ou inférieure à + e. Les tensions e qui polarisent les diodes sont fournies, par exemple, par deux petites piles. Si la tension d'entrée E monte au dessus de + e, la diode D_2 conduit, et S reste égal à + e. Si E descend en dessous de — e, c'est D_1 qui conduit, et S reste égale à — e.

Ig. — Alors, si j'introduis dans votre montage, en E, une tension sinusoïdale, il ressortira une chose bizarre comme le montre la figure 56 b?

Fig. 56. — En appliquant une tension sinusoïdale à l'entrée E sur la figure 55, on obtient en sortie une sinusoïde écrêtée.

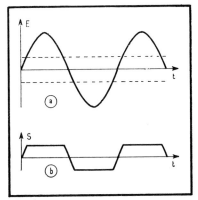

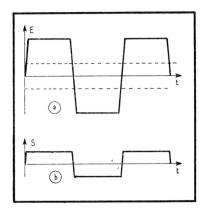

Fig. 57. — La sinusoïde écrêtée de la figure 56b, amplifiée puis écrêtée de nouveau, donne une forme d'onde plus voisine de celle des signaux rectangulaires (fronts plus raides).

Fabrication des signaux rectangulaires.

Cur. — Parfaitement exact, c'est souvent de cette façon que l'on procède pour les écrêtages. Il y a un bon amplificateur pour l'écrêtage des signaux, c'est notre bonne connaissance, l'amplificateur symétrique, que je vous demande maintenant de considérer d'un œil nouveau. Je vous le dessine sur la figure 58.

Ig. — Je le reconnais bien, vous l'avez déjà utilisé pour réduire la dérive et d'autre part comme amplificateur à large bande.

Cur. — Oui, mais maintenant, l'emploi est tout à fait différent et je vous demande de suivre mon raisonnement comme si le montage était nouveau pour vous. Je vous signale que, comme tout montage utilisant uniquement des transistors N-P-N, il peut se réaliser avec des tubes (il n'y a pas de « tubes P-N-P ») puisque vous pensez (à juste titre) qu'on doit connaître un peu ces « précurseurs de l'âge héroïque ». Suivez donc le raisonnement. Si e devient nettement positive, T_1 conduit, le potentiel des émetteurs monte, et T_2 se bloque.

Si E devient négative, T_2 conduit, le potentiel des émetteurs reste voisin de zéro, et c'est T_1 qui se bloque. J'ai fait revenir la résistance commune R_3 des émetteurs à un potentiel négatif pour qu'il y ait un courant bien déterminé dans R_3, même quand les émetteurs sont à un potentiel voisin de celui de la masse. Dans la figure 59, j'ai tracé la courbe qui donne le potentiel de collecteur de T_2 en fonction de celui de la base de T_1.

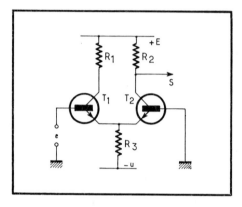

Fig. 58. — Ecrêteur utilisant un amplificateur à deux transistors couplés par les émetteurs : si e est positive, c'est T_2 qui se bloque, si e est négative, ce sera T_1.

Fig. 59. — La courbe donnant la tension collecteur de T_2 dans le montage de la figure 58 en fonction de e montre l'efficacité de l'écrêtage.

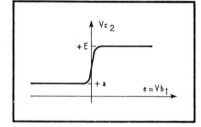

Ig. — Oui, je vois : si e est positif, T_2 est bloqué, et son collecteur est à $+$ E. Mais comment trouver la valeur $+ a$ de son potentiel quand e est négatif, autrement dit quand T_1 est bloqué?

Cur. — Elémentaire, mon cher Watson... euh... Ignotus! Puisque T_2 débite, on peut confondre le potentiel de sa base et celui de son émetteur; nous considérerons donc que le potentiel de l'émetteur de T_2 est zéro (celui de la masse). Le courant dans R_3 sera donc u/R_3, et il en sera donc de même du courant de collecteur (il faut toujours supposer les courants de collecteur et d'émetteur égaux dans un transistor qui travaille normalement). La chute de tension dans R_2 sera donc

$$R_2 \cdot \frac{u}{R_3}$$

et le potentiel collecteur de T_2 :

$$a = E - \frac{R_2}{R_3}\ u$$

Ig. — A quoi sert la résistance R_1?

Cur. — A rendre le montage plus symétrique. On la prend en général égale à R_2. On pourrait aussi utiliser la tension du collecteur de T_1

comme tension de sortie, mais ce serait moins indiqué parce que les deux paliers de la courbe qui donne le potentiel de collecteur de T_1 en fonction de celui de la base de T_1 (fig. 60) ne sont pas horizontaux. En effet, quand e est positif, le courant de T_1 varie avec e.

Voyez-vous, dans ce montage, quand e est négatif, T_1 étant bloqué; e n'agit pas du tout sur le montage, pas plus sur T_1 que sur T_2. Quand e est positif, la valeur de e agit sur T_1, mais pas sur T_2, puisqu'il est bloqué.

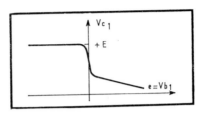

Fig. 60. — Si l'on utilise comme tension de sortie celle du collecteur de T_1, l'écrêtage est moins bon : ce transistor n'est pas bloqué pour e positif.

IG. — Au fond, vous utilisez notre montage « symétrique » d'une façon qui ne l'est pas tellement; ensuite je lui trouve un défaut : le passage de la tension de sortie $+ a$ à $+ E$ est rapide mais pas tellement, surtout si la tension d'entrée a une valeur raisonnable (ce qui serait prudent sur une base de transistor). Au fait, puisque nous rencontrons ce montage pour la troisième fois, on pourrait peut-être lui donner un nom plus spécifique que « montage symétrique ». Pouvez-vous le baptiser, votre montage?

CUR. — D'un nom bizarre : L.T.P. qui est l'abréviation de « Long Tailed Pair » (paire à longue queue), évoquant sans doute la paire de transistors qui ont une longue queue (grande résistance R_s). En ce qui concerne votre objection concernant la rapidité du passage de $+ a$ à $+ E$, vous avez raison : cela gêne quelquefois, et nous verrons bientôt comment on peut tout arranger.

Utilisons la deuxième base.

IG. — Il y a une chose qui m'ennuie dans votre montage : la base de T_2 reste bêtement à la masse, alors qu'elle pourrait agir bien plus intelligemment si elle voyait son potentiel varier en sens inverse de celui des émetteurs.

CUR. — Votre remarque me conduit à vous donner tout de suite les détails que je pensais garder pour plus tard. Il y a précisément dans le montage une électrode dont le potentiel varie en sens inverse de celui des émetteurs : regardez la figure 60.

IG. — Nom d'une diode tunnel! Je n'y avais pas pensé. Mais alors c'est gagné : il suffit de réunir le collecteur de T_1 à la base de T_2 et ce sera formidable!

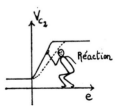

CUR. — Doucement! L'idée est bonne, mais vous ne pouvez pas le faire directement : le collecteur de T_1 doit rester à un potentiel positif par rapport aux émetteurs, encore un peu plus par rapport aux bases. Mais vous pouvez le faire comme pour les couplages continus dont nous avons parlé plus haut : au moyen d'un diviseur de tension retournant à un potentiel négatif, et vous parvenez au montage de la figure 61. Quand celui de la figure 58 fonctionnait avec du courant dans les deux transistors, c'est-à-dire avec e très voisin de zéro, il se comportait en amplificateur. En lui ajoutant le couplage du collecteur de T_1 à la base

de T_2 par R_4-R_6, nous lui avons appliqué une réaction positive. Si elle est limitée, il en résulte simplement un accroissement du gain, donc un raidissement de la partie montante de la courbe de la figure 59. Si cette réaction positive devient trop forte...

IG. — Je sais : le tout se met à osciller.

CUR. — Dans le cas de la détectrice à réaction, oui. Mais ici nous n'avons pas de circuit oscillant ni de couplages alternatifs par condensateurs. Il n'y a pas oscillation, mais basculement. Le montage ne peut rester dans l'état où les deux transistors débitent : il faut que l'un des deux soit bloqué.

IG. — Et lequel des deux sera la victime?

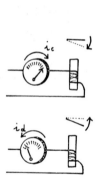

CUR. — Cela dépendra de la valeur de e. Supposons tout d'abord que e soit négatif : bien entendu, T_1 est bloqué et T_2 pas. Augmentons e; pour une certaine valeur A de e, T_1 se débloque et T_2 se bloque. Ce qu'il y a de très sympathique, cette fois, c'est que le blocage de T_2 est très rapide et pas du tout influencé par la vitesse avec laquelle e franchit la valeur A (appelée seuil).

IG. — Formidable! Alors je peux faire monter e de un volt par jour, j'aurai quand même un basculement brusque quand e passera par la valeur A?

CUR. — Mais oui; vous avez d'ailleurs là quelque chose d'analogue

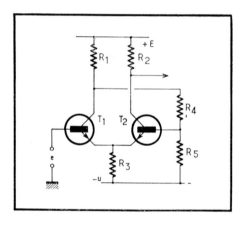

Fig. 61. — En couplant le collecteur de T_1 à la base de T_2 par le diviseur de tension R_4-R_5 (dans le montage de la figure 58) on obtient le Trigger de Schmitt.

à un relais : augmentez lentement le courant dans la bobine, et le relais collera brusquement quand l'intensité dans la bobine aura atteint la valeur voulue. Là aussi, il y a réaction positive : dès que le relais a commencé à bouger, l'entrefer diminue, ce qui renforce l'attraction magnétique.

IG. — Et, si je fais redescendre e, tout aussi lentement, le montage rebasculera tout aussi brutalement quand e passera par la valeur A?

Le second seuil.

CUR. — Il rebasculera brutalement, cependant pas pour la valeur A, mais pour une valeur plus faible, B. En effet, lors du premier basculement, le potentiel collecteur de T_1 était élevé, celui de la base de T_2 l'était donc aussi (relativement), et il en était donc de même de celui des émetteurs. Il fallait donc que e monte assez haut pour débloquer T_1.

Par contre, lors du second basculement, correspondant à la diminution du potentiel de la base de T₁, ce transistor T₁ débite. Le potentiel de son collecteur est bas, celui de la base de T₂ aussi, et celui des émetteurs également. Dans ces conditions, T₁ ne se rebloquera que pour une valeur moins élevée, B, de *e*. C'est exactement comme pour le relais : une fois qu'il est collé, vous pouvez faire redescendre le courant dans la bobine bien en dessous de la valeur qui avait provoqué le collage. Il y a un courant de décollage, très inférieur au courant de collage.

Ig. — Mais alors, dans votre montage bizarre, que se passera-t-il si *e* a le mauvais goût d'être compris entre A et B?

Cur. — Mon « montage bizarre » s'appelle une bascule de Schmitt (on dit aussi « Trigger de Schmitt »). Et si vous maintenez *e* entre A et B, je ne peux pas vous dire dans quel état est la bascule. On peut tout aussi bien avoir T₁ bloqué si *e* est arrivé à sa valeur en montant depuis une valeur inférieure à B, que T₁ débloqué si *e* est arrivé à sa valeur en descendant depuis une valeur supérieure à A. C'est exactement comme pour un relais : si le courant dans la bobine est compris entre le courant de collage I_c et le courant de décollage I_d, je ne peux pas vous dire si le relais est collé ou pas. D'ailleurs, s'il est décollé, vous n'avez qu'à pousser sur son armature : il collera et restera collé. Tirez sur l'armature : il décollera et restera décollé.

Ig. — Il ne sait pas ce qu'il veut, votre montage...

Cur. — Si, très bien : il ne veut pas être dans un état intermédiaire. Il a deux états stables possibles, c'est d'ailleurs pour cela qu'on l'appelle un « bistable ».

Ig. — Mais alors, il doit être impossible de tracer la courbe de la figure 59.

Fig. 62. — La courbe donnant la tension du collecteur de T₂ du trigger de Schmitt en fonction de *e* montre l'existence d'un phénomène analogue à l'hystérésis; il ne s'agit plus d'une simple courbe mais d'un « cycle ».

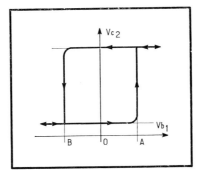

Les cyclogrammes.

Cur. — Non, c'est tout simplement un peu plus compliqué. Je vous l'ai tracée en 62 Il s'agit non plus d'une courbe ordinaire, mais d'un « cycle ». Si *e* est inférieur à B, pas de problème : la tension de sortie vaut *a*. Faisons croître *e* (suivez les flèches) : au passage par la valeur A, le tout bascule, et la tension de sortie saute à la valeur + E (et ici la partie montante est rigoureusement verticale). Si *e* monte encore, pas de problème, la tension de sortie reste + E. Faisons redescendre *e*; quand il passera par la valeur A, il ne se passera rien, nous continuerons à descendre (suivez toujours les flèches). Lorsque E passera par la valeur B, le montage rebascule.

Ig. — Votre courbe me rappelle quelque chose... oui c'est cela : elle est identique au cycle d'hystérésis des ferrites rémanents que l'on utilise pour les mémoires dans les calculatrices arithmétiques.

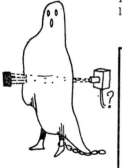

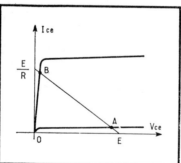

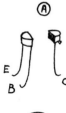

Cur. — Oooooohhh!!!

Ig. — Non, ne vous évanouissez pas. Pour être franc, je dois dire que je viens d'essayer de lire un article de vulgarisation sur le sujet et que j'ai une très vague idée de ce que cela signifie.

Cur. — Ça va un peu mieux. Je vous expliquerai cela plus tard, mais votre remarque était si exacte que j'en ai eu le souffle coupé.

Ig. — J'aimerais maintenant que, avant d'aller plus loin, vous m'expliquiez à quoi va servir votre bascule de Schmitt et dans quelles circonstances on utilise cet écrêtage.

Application du trigger de Schmitt.

Cur. — Je vais vous en donner un exemple tout de suite. Vous avez déjà certainement vu, dans une exposition, un système à cellule photo-électrique qui compte les visiteurs?

Ig. — Oui : il y a un projecteur qui envoie un rayon lumineux dans une petite boîte où doit se trouver la cellule. Quand un visiteur entre, il coupe le rayon.

Cur. — C'est cela. Dans une telle installation, la lumière que reçoit la cellule quand il ne passe aucun visiteur n'est pas parfaitement connue : l'intensité lumineuse de la lampe d'éclairage peut varier (un peu avec le temps, beaucoup avec la tension du secteur). Et, quand le faisceau est obstrué par un visiteur, la lumière résiduelle que reçoit la cellule n'est pas parfaitement définie non plus (il y a toujours un peu de lumière ambiante qui arrive dans la cellule par le côté)...

Ig. — Surtout si le visiteur est légèrement transparent!

Fig. 63. —Un transistor, alimenté à travers une résistance R depuis une tension E, est dit « en régime saturé » (point B) si on lui envoie un courant base suffisant. On peut aussi le bloquer ou presque (point A).

Cur. — L'engin n'est pas prévu pour compter les semi-fantômes. De toute façon, vous voyez que le signal de la cellule est mal défini. On a donc tout intérêt à l'appliquer en sortie à une bascule de Schmitt; nous disposerons ainsi d'un signal de sortie « tout ou rien » parfaitement connu. De plus, ce signal aura des flancs raides, ce qui sera très utile si nous voulons en faire des impulsions comme je vous le montrerai tout à l'heure. Si nous avions seulement voulu l'écrêter, nous aurions pu nous contenter du L.T.P. de la figure 58 ou même d'un simple amplificateur à transistor très largement surexcité. Comme vous le voyez sur la figure 63, la droite de charge rencontre la caractéristique relative à $I_{be} = 0$ au point A et la caractéristique relative à $I_{be} = 100$ µA (par exemple) au point B. En A, le transistor est presque bloqué (au courant de fuite près), et en B il est dans un état que l'on appelle la « saturation »; il peut laisser passer un courant de collecteur important sous une différence de potentiel collecteur-émetteur de 0,1 V ou même moins. Si nous nous arrangeons pour que le dernier transistor de l'amplificateur soit excité par un courant de base qui descend à zéro (et même qui s'inverse éventuellement) et qui dépasse largement 100 µA, la tension de sortie sera parfaitement écrêtée, et son amplitude crête à crête sera pratiquement égale à la tension *e* d'alimentation du dernier étage.

Ig. — Ça alors, c'est formidable : laisser passer un courant important sous 0,1 V! Pas question d'en faire autant avec des tubes!

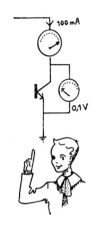

Pentode contre transistor?

Cur. — Avec une pentode, vous pourrez vous en rapprocher : elle laisse passer un courant anodique important même si le potentiel de son anode descend assez bas, bien en dessous de celui de l'écran. Vous n'irez pas jusqu'à 0,1 V, mais il ne faut pas oublier que tout est relatif : la pentode fonctionne sous une tension plus élevée. Si, avec 300 V d'alimentation, vous arrivez à faire descendre la tension anodique à 5 V, c'est aussi bien en rapport que votre 0,1 V pour un transistor alimenté sous 6 V. Evidemment, avec les triodes, pas question d'un tel écrêtage.

Ig. — Mais pourtant, sur le réseau des triodes, il y a une caractéristique relevée pour une polarisation nulle, ce qui correspond au maximum possible du courant anodique. Bien sûr, cela ne nous donnera pas une tension anodique allant à zéro, mais il y aura écrêtage.

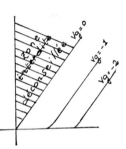

Cur. — Non, Ignotus. Le courant qui correspond à une polarisation nulle n'est pas du tout le maximum. On peut rendre la grille positive, et le courant augmente encore. Bien sûr, ce n'est pas tellement recommandé, mais on le fait (en particulier dans les push-pulls classe AB 2). Certains ont parlé d'un écrêtage de la tension grille, intervenant par suite du courant grille, qui empêche la grille de devenir positive, si on met une résistance en série dans la grille, comme dans l'écrêteur de la figure 54 dans lequel on aurait retourné la diode. Mais c'est un mauvais moyen.

Bien entendu, tous ces écrêtages ne vous donneront pas les flancs parfaitement raides que vous aurez avec une bascule de Schmitt.

De l'utilisation des flancs raides.

Ig. — Mais pourquoi attachez-vous donc tant d'importance à ces flancs raides. Est-ce pour une raison d'esthétique?

Cur. — Pas du tout. Ces flancs raides sont indispensables si nous voulons obtenir des impulsions en déformant à nouveau notre signal rectangulaire, cette fois par différentiation.

Ig. — Oh, la la! Dans « différentiation » il y a « différentielle », et je commence à être fort inquiet.

Cur. — Il n'y a pas de quoi. Vous connaissez le filtre de la figure 64?

Ig. — Non... ah, si! C'est celui que l'on met entre l'anode d'un tube et la grille du suivant pour arrêter la composante continue et laisser passer la composante alternative.

Cur. — Exactement. Que se passera-t-il si j'applique à l'entrée de ce filtre une tension variant comme l'indique la figure 65 : longtemps

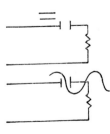

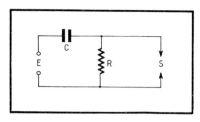

Heure	S	
10ʰ 59	0,00	
11 00	0,00	
11 01	0̶,̶0̶0̶	non!
11 02	0̶,̶0̶0̶	non!
	0,00	

constante (et nulle) puis passant d'un seul coup à la valeur A et y restant ensuite indéfiniment?

Ig. — C'est bougrement compliqué. Je peux seulement vous dire que, avant l'instant où E varie, S doit rester nulle puisque E est constante. Mais, ensuite, alors là...

Cur. — Vous pouvez encore me dire autre chose : ce que sera S longtemps après la transition (le moment où E a varié brusquement).

Ig. — Si on attend assez longtemps, la tension de sortie doit devenir nulle puisque la tension d'entrée est de nouveau constante. Mais alors... S est toujours nulle!!!

Cur. — Doucement! Jusqu'à la transition, S reste nulle, longtemps après la transition, elle est redevenue nulle; mais au moment de la tran-

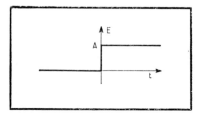

Fig. 64. — Ce filtre passe-haut est appelé « circuit dérivateur », il transmet intégralement les fronts raides de la tension E mais déforme les paliers de cette tension.

Fig. 65. — Variation brusque de tension appliquée au circuit de la figure 64.

sition ce sera tout différent. Nous allons supposer que la transition s'opère en un temps nul. De combien un condensateur peut-il se charger pendant un temps nul?

Ig. — Attendez. Pour se charger, un condensateur doit recevoir une certaine quantité d'électricité. S'il la reçoit en un temps nul, cela représente une intensité infinie. Mais alors, il ne pourra guère se charger?

Cur. — Dites : « pas du tout », et vous serez dans le vrai. N'oubliez jamais cela, Ignotus : « La tension aux bornes d'un condensateur ne peut varier d'une quantité finie en un temps nul. »

Ig. — Bon, je vais graver votre principe dans le marbre de ma cheminée. Mais qu'est-ce que cela a à voir avec votre problème?

Cur. — Cela vous donne la solution, tout simplement. A quelle tension était chargé C avant la transition?

Ig. — Euh... eh bien... zéro, puisque E était nulle et S aussi.

Cur. — Parfaitement exact. Le condensateur était chargé à une tension nulle tout de suite avant la transition. A quelle tension sera-t-il chargé tout de suite après la transition?

Ig. — Vous avez tellement insisté sur ce « tout de suite avant » et sur ce « tout de suite après » que je pense qu'il faut considérer que, entre les deux, il s'est écoulé un temps nul. Si j'applique votre fameux principe, j'en conclus que le condensateur est chargé à la même valeur, c'est-à-dire zéro.

un condensateur

Cur. — Bien; vingt sur vingt. Or, tout de suite après la transition l'armature de gauche de C est montée au potentiel A. Dès lors, à quel potentiel est donc montée l'armature de droite?

Ig. — A la valeur A, évidemment, puisque C est toujours déchargé. Mais alors... il y a un courant qui va passer dans R, et c'est impossible puisqu'un condensateur ne peut laisser passer un courant!

Cur. — Ne vous emballez pas. Oui, il y aura, tout de suite après la transition, un courant dans R. Et sa valeur au début sera A/R. Mais un condensateur a parfaitement le droit de se laisser traverser par un courant, si ce courant le charge; c'est bien ce qui va se passer : le courant dans R va charger le condensateur C, et son intensité diminuera au fur et à mesure que C se chargera.

Ig. — Et, bien entendu, si on attend assez longtemps, C se chargera à la tension A pour que, très longtemps après, il n'y ait plus de courant dans R, la tension S étant devenue nulle.

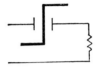

La constante de temps.

Cur. — Oh, mais ça va très fort aujourd'hui, Ignotus! Vous comprenez donc que la tension de sortie S va varier comme je vous l'indique

Fig. 66. — Aspects de la tension de sortie d'un circuit dérivateur attaqué par la tension à variation brusque figurée en 65 : en pointillé dans le cas où RC est petit, en trait continu pour RC moyen et en mixte pour RC grand.

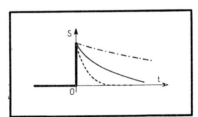

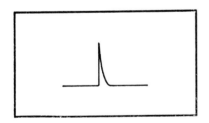

Fig. 67. — Signal en « top », obtenu en attaquant un circuit dérivateur dans lequel RC est petit par une tension à variation brusque.

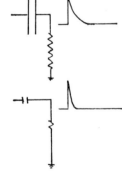

dans la figure 66. Ce qui détermine la vitesse de redescente, c'est le produit de R par C, que l'on appelle la « constante de temps » du circuit et que l'on exprime en secondes (avec C en farads et R en ohms). En effet, plus C est grand, plus la charge est lente; et plus R est grand, plus elle est lente aussi. On peut montrer facilement qu'après un temps égal à une fois la constante de temps RC, la tension de sortie est retombée à peu près à 37 % de A. Au bout de deux fois ce temps, il n'y a plus en S que 13,5 % de A; et au bout de trois fois le temps RC, on peut dire que c'est terminé, puisqu'il ne reste que 5 % de A. Si RC est petit, la tension de sortie variera comme l'indique la courbe en pointillé de la figure 66; s'il est grand, ce sera la courbe en traits mixtes. Avec RC très petit, la tension de sortie se présente comme un « top » (fig. 67).

Ig. — Bien, j'ai compris. Mais, dites-moi, la tension que vous obtenez à la sortie d'une bascule de Schmitt ou d'un écrêteur n'a pas l'aspect représenté sur la figure 65; elle comporte des fronts montants et des fronts descendants alternés. Qu'est-ce que cela donnera, appliqué au circuit de la figure 64?

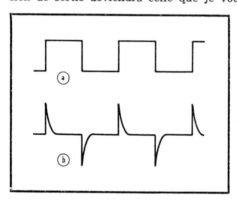

Cur. — Un front descendant, c'est exactement la même chose qu'un front montant, au sens de variation près : il nous donnera en sortie une lancée négative (fig. 68 b).

Ig. — Au fond, c'est très simple. Je comprends maintenant pourquoi vous teniez tant à des flancs raides : pendant une transition lente, C aurait le temps de se charger, et il ne transmettrait plus la variation de la tension d'entrée. Oh! on pourrait d'ailleurs avoir un bon résultat tout de même : il suffirait d'augmenter R ou C (ou les deux) pour que la décharge de C soit faible pendant la transition.

Cur. — Ignotus, vous êtes particulièrement en forme. Mais attention : si vous augmentez le produit RC, il se peut que C n'ait plus le temps de se charger complètement entre deux transitions; alors la tension de sortie deviendra celle que je vous dessine dans la figure 69. Il

Fig. 68. — Un signal rectangulaire (a) est une succession de variations brusques montantes et descendantes. Appliqué à un circuit dérivateur ayant une constante RC petite, il donne des impulsions, alternativement positives et négatives (b).

Fig. 69. — Si la constante RC du circuit n'est plus négligeable par rapport à la période du signal, la tension de sortie change d'aspect, C n'ayant pas le temps de se décharger complètement entre chaque transition.

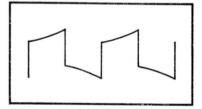

faut donc choisir le produit RC grand par rapport à la durée de la transition et court par rapport à la période du signal. Plus le rapport de la durée de la transition à la période est petit, plus ce choix est facile.

Ig. — Décidément, le pauvre signal n'a plus figure humaine! Parti d'une sinusoïde (on peut le supposer), on l'a transformé en signal rectangulaire à la bascule de Schmitt, puis en tops au moyen de votre circuit de la figure 64... qui s'appelle comment, au fait?

Le circuit intégrateur.

Cur. — Il s'appelle « circuit différentiateur » ou « circuit dérivateur ». Vous voyez que le nom vous avait effrayé pour rien. Mais nous n'allons pas nous en tenir là : il y a encore d'autres déformations que l'on peut réaliser. Que pensez-vous du circuit de la figure 70 dont je vous dirai le nom plus tard?

Iɢ. — C'est le même que celui de la figure **64**, vous avez seulement permuté R et C.

Cᴜʀ. — C'est « un détail qui change tout »! Appliquez donc en E des signaux rectangulaires, qu'aurez-vous à la sortie?

Iɢ. — Puisqu'il y a aussi une résistance et un condensateur en série, nous aurons peut-être la même chose qu'avant, ce que vous avez dessiné en 68 *b*.

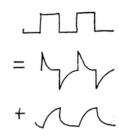

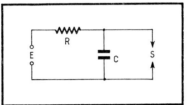

Fig. 70. — **Filtre passe-bas, que l'on utilisera comme circuit intégrateur.**

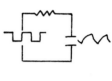

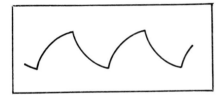

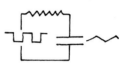

Fig. 71. — **En attaquant le circuit intégrateur par un signal rectangulaire de période grande par rapport à RC, on retrouve à la sortie un signal à flancs arrondis, ressemblant un peu au signal d'entrée.**

Cᴜʀ. — Quelle horreur! Je viens pourtant de vous expliquer que : « La tension aux bornes d'un condensateur ne peut pas varier d'une façon finie en un temps nul. » Mais voyons, Ignotus, si l'on applique en E, dans le montage de la figure **64**, des signaux rectangulaires (fig. 68 *a*) et que l'on ait à sa sortie, c'est-à-dire aux bornes de R, le signal de la figure 68 *b*, il faudra qu'il y ait aux bornes du condensateur ce qui manque au signal 68 *b* pour faire le signal 68 *a*.

Iɢ. — Vous voulez dire la différence des deux? Bon, je peux la trouver graphiquement. Attendez... là, je vous le dessine sur la figure 71.

Cᴜʀ. — Très bien. Vous voyez que ce signal, apparaissant aux bornes de C, est celui que nous allons trouver en sortie du circuit de la figure 70. On pouvait s'y attendre : lors des transitions du signal d'entrée, S ne varie pas tout de suite, car il faut un certain temps pour que C se charge à la nouvelle valeur de tension.

Iɢ. — Votre signal est donc rectangulaire, à flancs un peu inclinés et arrondis. Que peut-on faire de cela?

Cᴜʀ. — Tel que vous l'avez dessiné, il n'est pas très intéressant, en effet. Mais supposez que j'augmente le produit RC. Comment le signal va-t-il se modifier?

Iɢ. — Je suppose que, puisque C dispose de moins de courant pour se charger (alors qu'il en demande plus, étant devenu plus grand), la charge de C ne sera pas finie au moment de la transition suivante; on aura peut-être quelque chose comme la figure 72.

Cᴜʀ. — Vous avez raison. Si on augmente encore RC, la tension de sortie va varier peu, elle aura l'aspect de la figure 73.

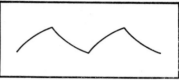

Fig. 72. — Si RC est plus grand, C n'a pas le temps de se charger complètement entre deux transitions.

Fig. 73. — En augmentant encore RC, on diminue l'amplitude crête à crête du signal de sortie.

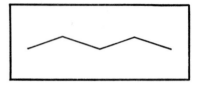

Les dents de scie à bois.

Ig. — Tiens, vous avez tracé des parties presque droites!

Cur. — C'est bien parce qu'elles le sont. Comme S reste faible par rapport à E, on peut dire que la tension aux bornes de R est presque constante pendant l'intervalle de temps qui sépare deux transitions. Le courant de charge (ou de décharge) de C reste donc presque constant, et C se charge (ou se décharge) d'une façon presque linéaire. Pour que vous puissiez mieux voir la forme de la tension en S, je vous la dessine maintenant (fig. 74) assez agrandie dans le sens vertical.

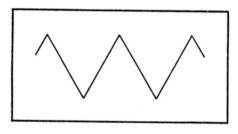

Fig. 74. — Le signal de sortie de la figure 73, examiné à une autre échelle, est formé de petites parties presque droites, en « dents de scie à bois ».

Ig. — Curieuse forme : on dirait les dents d'une scie faite pour couper du bois.

Cur. — C'est bien pour cela que ce signal s'appelle « dents de scie à bois » ou « dents de scie symétriques ». On l'utilise quand on veut produire une variation linéaire de tension, montante puis descendante. C'est là une application du circuit de la figure 70 qui s'appelle « circuit intégrateur ».

Ig. — Ah, c'est pour ça que vous ne vouliez pas me dire son nom. Je voudrais d'ailleurs bien savoir pourquoi on donne à ces circuits des noms si barbares.

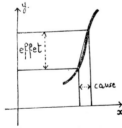

Définitions mathématiques.

Cur. — Ignotus, vous l'aurez voulu! Je ne peux répondre à votre question qu'en vous expliquant sommairement ce qu'est une dérivée et une intégrale. Cela ne vous déchargera, d'ailleurs, pas trop le cerveau.

Soit une fonction, c'est-à-dire une grandeur y qui dépend d'une autre grandeur x appelée « variable » : à toute valeur de x (la cause), correspond une valeur de y (l'effet). Autour d'une valeur donnée, a, de la variable x, nous allons voir si y « répond » peu ou beaucoup à une variation donnée de x; autrement dit, nous comparerons la variation de l'effet à la variation de la cause qui lui a donné naissance (en faisant le quotient de ces variations). La dérivée de la fonction au point a c'est à peu près cela. Bien entendu, nous n'envisagerons qu'une variation aussi petite que possible de x autour de la valeur a, pour savoir avec autant de précision que possible comment la fonction se comporte près de a.

Voyez-vous, nous « chatouillons » un peu la variable (la cause) et nous regardons ce que cela va donner sur la fonction (l'effet). Si l'effet de ce « chatouillement » sur la fonction est grand, nous dirons que la dérivée est grande.

Si la variable est le temps, cette dérivée exprime la vitesse de variation de la fonction. Par exemple, si nous connaissons la position d'une auto sur une route à chaque instant, nous pourrons en déduire sa vitesse. Si, à l'instant que je désigne par T_0, l'automobile est en un certain endroit et que, à l'instant $T_0 + 2\,s$ (soit deux secondes plus tard), elle se trouve 30 m plus loin, je trouverai sa vitesse en divisant l'accroissement de chemin parcouru depuis le début (30 m) par l'accroissement de la variable temps (2 s) : cela donnera :

$$30/2 = 15 \text{ m/s (soit 54 km/h)}$$

Je peux donc dire que la vitesse est la dérivée du chemin parcouru par rapport au temps. Cette dérivée est grande quand le chemin parcouru augmente vite en fonction du temps.

Dérivation par un circuit.

IG. — Je vois vaguement. C'est donc un peu cela aussi pour le circuit de la figure 64 : si la tension à l'entrée croît rapidement il y aura un important courant de charge de C, ce qui donnera une forte tension de sortie.

CUR. — Vous avez parfaitement compris. Bien sûr, dans l'exemple de l'automobile, on ne peut pas trouver de variation brusque du chemin parcouru : la vitesse correspondante serait infinie...

IG. — De quoi laisser rêveurs tous les coureurs!

Intégrale.

CUR. — Non, parce que c'est impossible. Cette vitesse « infinie » devant être acquise en un temps négligeable, cela représente aussi une accélération infinie; c'est donc doublement impossible. Mais parlons maintenant de la définition mathématique de l'intégration. Vous en aurez une idée parfaite en considérant toujours la même voiture, mais en supposant cette fois que vous connaissez à chaque instant non sa position, mais sa vitesse (par exemple par un enregistreur de vitesse).

Il s'agit de trouver le chemin parcouru par l'automobile à chaque instant.

IG. — Cela ne posera aucun problème : il suffira de multiplier le temps pendant lequel elle a roulé par sa vitesse moyenne.

CUR. — Votre raisonnement est parfaitement valable, mais uniquement dans le cas où cette vitesse est restée rigoureusement constante. Il y a de fortes chances pour que cela ne soit pas le cas : notre auto-

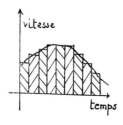

2 s à 15 m/s = 30 m
3 s à 12 m/s = 36 m
1 s à 11 m/s = 11 m
3 s à 9 m/s = 27 m

en tout   104 m

mobiliste aura traversé un village qui l'aura fait ralentir, il aura pu trouver devant lui de belles routes droites où il aura « appuyé sur le champignon », de telle sorte que sa vitesse ne sera nullement restée constante.

Ig. — Alors, dans ce cas, je ne sais absolument plus que faire...

Cur. — Nous allons tout simplement appliquer votre méthode, mais nous allons fractionner le temps en petits intervalles partiels, suffisamment courts chacun pour que nous puissions considérer que la vitesse ne varie pas pendant un de ces intervalles...

Ig. — Mais alors, cela change tout! Le calcul que vous ferez n'aura aucun rapport avec la réalité.

Cur. — C'est là justement que je vous attends. Plus nous prendrons des intervalles nombreux, plus nous nous rapprocherons de l'estimation réelle. N'oubliez pas, d'ailleurs, que la vitesse d'une voiture ne varie en général que lentement en fonction du temps...

Ig. — Ça n'est pas du tout mon avis. Vous vous souvenez de mon cousin dont je vous ai parlé et qui a une voiture de sport; il lui suffit de quelques secondes pour se trouver à 180...

Cur. — Oui, mais moi je parlais seulement des gens normaux. Donc, si nous considérons un intervalle de temps très court, par exemple de une seconde, et que, pendant cet intervalle, la vitesse enregistrée soit voisine de 36 km à l'heure (soit 10 m par seconde), nous pourrons dire que, pendant cette seconde, le chemin parcouru est très voisin de 10 m.

En additionnant ainsi les chemins parcourus pendant des intervalles de temps très courts, nous ferons une espèce de gigantesque addition, comportant des quantités de termes, et qui nous donnera un total assez exact.

C'est avec une notion de cette sorte que les mathématiciens procèdent. Ils poussent simplement les choses à l'extrême en supposant que le nombre d'intervalles s'accroît indéfiniment. Ils disent dans ce cas qu'ils ont calculé l'intégrale de la fonction.

Ig. — Ce terme me déplaît souverainement. Quoi qu'il en soit, votre fameuse « intégrale » m'a l'air d'être exactement le contraire de ce que vous avez appelé tout à l'heure la dérivée : puisque l'on obtenait la vitesse à partir de la position et que c'était une dérivée, si mes souvenirs sont exacts, l'opération contraire permet d'obtenir la position à partir de la vitesse.

Cur. — Vous avez parfaitement compris. En mathématiques, on ne dit pas le contraire, on dit qu'il s'agit de l'opération **réciproque. Je** pense que maintenant vous voyez une analogie parfaite avec le circuit intégrateur de la figure 70...

Ig. — Pas du tout, mais alors là je trouve qu'il n'y a rigoureusement aucun rapport.

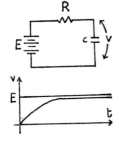

Intégration par circuit.

Cur. — Vous allez le voir tout de suite. Supposez que j'applique à l'entrée E, dans ce circuit, une tension constante. Quelle tension S trouverons-nous à la sortie?

Ig. — Bien, ce sera sans doute la courbe de charge classique d'un condensateur, d'une montée qui s'arrondit et qui tend vers un maximum égal à la tension constante appliquée à l'entrée.

Cur. — Parfait, Ignotus. Si nous regardons cette courbe de plus près, nous voyons qu'elle comporte une petite partie qui monte d'une façon régulière, tant que la tension de sortie reste faible par rapport à la tension d'entrée. C'est, d'ailleurs, parfaitement logique : puisque c'est la différence entre la tension d'entrée E et la tension de sortie S qui est appliquée à la résistance R; si E est constant, S restant petit, le courant de charge qui passera à travers R sera pratiquement constant. Dans ces conditions, le condensateur se chargera régulièrement (pour plus de rigueur nous dirons « linéairement »).

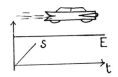

Ig. — Bon, jusque-là je vous ai suivi, mais je ne vois absolument pas le rapport avec votre sombre histoire d'automobile et d'intégration.

Cur. — Eh bien, tout simplement, appliquez donc à l'entrée du circuit de la figure 70 une tension E qui soit proportionnelle à chaque instant à la vitesse de l'automobile; tant que vous supposerez que la tension de sortie S reste très faible, que se passera-t-il?

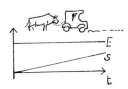

Ig. — Puisque nous avons supposé S négligeable, le courant qui traverse R sera à chaque instant proportionnel à E. Il y aura donc une charge de C, plus ou moins rapide suivant que E (c'est-à-dire la vitesse, si je ne me trompe) est plus ou moins élevée.

Cur. — Il est inutile de me suivre plus loin, puisque c'est terminé : à chaque instant, la tension aux bornes du condensateur qui se charge augmentera exactement comme le chemin parcouru par notre automobile : si la vitesse est grande (E grande), le condensateur se charge vite, la tension S à ses bornes augmente rapidement, exactement comme le chemin parcouru par l'automobile quand elle roule vite. Si, à un moment donné, notre automobile s'arrête, la tension E devient nulle, le condensateur cesse de se charger...

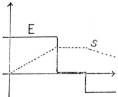

Ig. — Ah, non alors! Je ne suis plus du tout d'accord : puisque E est nul, le condensateur se *décharge*.

Cur. — En toute rigueur, vous avez raison. Mais nous avons supposé E très grand, R aussi et C également. La tension aux bornes du condensateur est toujours très faible par rapport aux valeurs normales de E. Donc, si le condensateur se décharge effectivement un petit peu quand E s'annule, cette décharge est très peu importante.

Ig. — Alors, je commence à comprendre. Mais il me vient même une idée.

Cur. — En général, je m'en méfie, mais dites tout de même.

Ig. — Eh bien, si, par hasard, la voiture se mettait à reculer, on peut dire en quelque sorte, par un tour de passe-passe, que sa vitesse est devenue négative...

Cur. — Il ne s'agit pas du tout d'un tour de passe-passe, mais d'une expression algébrique parfaitement valable.

Ig. — Bien. Dans ces conditions, nous aurions à l'entrée du circuit de la figure 70 une tension E négative. Cette fois, on peut dire que le condensateur C se déchargerait, la tension négative à l'entrée étant de grande valeur. C'est un peu la même chose que ce qui se passera sur le compteur kilométrique de votre automobile : nous verrons l'indication qu'il porte diminuer.

Cur. — Toutes mes félicitations, Ignotus, vous avez parfaitement compris... En effet, la grandeur appliquée à l'entrée peut très bien être négative. En ce qui concerne la réalisation pratique de l'expérience, je préfère ne pas être avec vous dans la voiture quand vous essaierez ainsi de rouler en marche arrière très rapidement en restant sur le côté droit de la route. Mais en dehors de cet aspect qui ne relève que du code, votre idée est parfaitement raisonnable.

Seul, le néant est parfait.

Ig. — Oui, mais... Excusez-moi, il y a une chose qui me choque dans tout cela. Vous m'avez dit que, pour que ce circuit de la figure 70 se comporte correctement, c'est-à-dire pour qu'il soit comme vous dites, intégrateur, il faut que la tension de sortie S reste très faible. A force de rouler, la voiture va quand même entasser des kilomètres, autrement dit, le condensateur C va entasser des volts. Alors, que faudra-t-il faire? Vous ne pourrez plus dire que la tension de sortie est négligeable par rapport à E?

Cur. — Vous avez parfaitement raison. Ce système ne sera valable que pendant un temps limité, temps d'autant plus long que vous aurez pris une résistance R très élevée et un condensateur C très grand pour que, grâce à ce choix, la tension aux bornes de C reste extrêmement faible.

Ig. — Mais alors, en poussant les choses à l'extrême, on pourrait dire que votre circuit est vraiment parfait quand il ne donne plus rien du tout comme tension à la sortie.

Cur. — Ignotus, vous venez là de mettre le doigt sur un des principes philosophiques qui gouvernent le monde : la perfection ne nous appartient pas, et elle ne saurait revenir qu'à quelque chose qui tend vers zéro. Nous nous accommoderons de quelque chose qui ne sera pas parfait, mais qui ne sera pas nul non plus, et nous estimerons que c'est très bien comme cela.

Ig. — Je crois que je vous ai assez bien suivi, mais j'ai l'impression qu'à force d'intégrer des connaissances, mon cerveau a atteint une tension qui fait que la fidélité dont vous parlez s'éloigne énormément de la perfection, et il serait peut-être temps d'arrêter là cet entretien.

Maintenant, ça y est : Ignotus est contaminé par la « déformationite » (envie de déformer des signaux). Il commence par chercher à multiplier une fréquence, puis à la diviser, ce qui amène Curiosus à lui parler du multivibrateur. Les considérations sur les divisions par des nombres pairs font pressentir à Ignotus l'existence du montage bistable d'Eccles-Jordan, lequel, par « hybridation » avec le multivibrateur, fournira le monostable. Ignotus serait bien tenté de remplacer l'utilisation de ce montage, en retardateur d'impulsion, par celui d'un « avanceur d'impulsion » (système Ignotus, bien sûr!), mais craint de ne pas arriver à inventer ce dernier.

MULTIPLICATION ET DIVISION DE FREQUENCE

IGNOTUS. — Dites-moi, Curiosus, il me semble que votre sadisme habituel, s'appliquant à déformer au maximum les signaux, a fait cette fois preuve de timidité.

CURIOSUS. — Je vous ai déjà précisé qu'il ne s'agissait pas de sadisme, mais d'électronique. Moyennant cette justification, dites-moi où j'ai péché par timidité.

IG. — Dans toutes vos transformations, vous avez altéré la forme des signaux de telle façon que le générateur qui les a produits ne reconnaîtrait plus ses enfants; mais vous avez quand même, malgré vous, conservé leur fréquence.

CUR. — Oh, s'il n'y a que cela pour vous faire plaisir, nous allons parler des multiplications ou des divisions de fréquences...

IG. — Ce n'est pas spécialement pour me faire plaisir, parce que je soupçonne à l'avance que cela doit être bougrement compliqué.

CUR. — Compliqué, n'est pas le mot, complexe à la rigueur et encore... Avez-vous déjà entendu parler des systèmes multiplicateurs de fréquence?

IG. — Non, jamais, et je ne vois pas ce que l'on ferait avec cela.

Multiplication de fréquence.

CUR. — Eh bien, vous allez le voir. Vous avez certainement déjà utilisé des oscillateurs à quartz?

IG. — Oui, j'en ai même réalisé, et cela fonctionne assez correctement; on obtient une fréquence parfaitement stable, ce qui est tout de même consolant dans le monde où nous vivons.

CUR. — Et jusqu'à quelle fréquence êtes-vous monté avec des quartz?

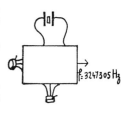

IG. — Oh, je n'ai jamais eu besoin d'aller au delà de 3 ou 4 MHz.

CUR. — Vous auriez pu trouver des quartz allant jusqu'à une vingtaine de mégahertz, mais très difficilement au delà, et en tout cas pas de quartz fonctionnant à 185,25 MHz.

IG. — Ça, alors, voilà une fréquence dont je ne saisis pas l'intérêt!

CUR. — De là je conclus que vous n'avez jamais regardé la télévision. Il est quand même utile de piloter l'émission de l'image avec un quartz.

IG. — Nom d'un transistor! Je n'y avais pas pensé. Mais ne croyez-vous pas qu'en commandant spécialement un quartz à 185,25 MHz, on pourrait l'utiliser tel quel?

CUR. — Certainement pas. Plus la fréquence à laquelle un quartz doit osciller est élevée, plus il faut le faire mince; et à cette fréquence il serait très mince...

IG. — Comme le délirium, je suppose...

CUR. — Ignotus, au lieu de faire des astuces dignes du pire almanach, vous feriez mieux de réfléchir et de penser qu'on ne peut réaliser un quartz ayant quelques microns d'épaisseur. Nous nous contenterons donc d'un quartz donnant des fréquences d'oscillations bien inférieures à 185,25 MHz.

IG. — Dans ce cas, cher ami, j'ai le regret de vous dire que, si votre quartz ne donne pas la fréquence requise par l'émetteur, je n'en ai strictement rien à faire.

CUR. — Laissez-moi vous rétorquer, mon cher, pour parler comme vous, que je peux me contenter d'un quartz oscillant à une fréquence beaucoup plus basse, si je suis capable de multiplier cette fréquence par un nombre entier.

IG. — Là, vous l'avez amené de loin. Donc, je suppose que vous allez maintenant m'expliquer comment on multiplie une fréquence. J'avoue que cela m'intrigue passablement.

CUR. — C'est beaucoup plus simple que vous ne croyez. Vous avez déjà entendu parler des circuits oscillants. Vous savez que l'association d'un condensateur et d'un bobinage, excitée par une impulsion électrique, tend à entrer en oscillation sur une fréquence qui est donnée par la formule de Thomson :

$$F = \frac{1}{2 \pi \sqrt{LC}}.$$

Supposons que nous ayons réalisé un circuit oscillant ayant pour fréquence d'accord 10 MHz. Excitons-le par des impulsions électriques brèves à la fréquence de récurrence de 1 MHz. A chaque impulsion, le circuit se mettra à osciller en délivrant une fréquence de 10 MHz. Il aura tendance à s'amortir, c'est-à-dire à donner une amplitude qui va en décroissant. Au moment où il commence la dixième oscillation, voilà qu'arrive une nouvelle impulsion : cette impulsion relance l'oscillation du circuit (fig. 75), et ainsi de suite.

IG. — Mais il n'y a pas là une véritable multiplication de fréquence.

CUR. — Eh bien, alors, qu'est-ce qu'il vous faut? J'injecte dans ce circuit des impulsions à 1 MHz. J'en ressors une oscillation à 10 MHz.

IG. — Oui, jusque-là je vous ai suivi. Mais cette oscillation à 10 MHz est donnée par le circuit. Elle n'a aucun rapport entier avec la fréquence des impulsions que je lui applique.

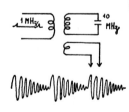

Pilotage par un circuit.

CUR. — Elle n'en *aurait* aucun, si je n'avais pas justement fait attention à régler le circuit oscillant de telle sorte que sa fréquence propre soit exactement 10 fois celle des impulsions appliquées. Comme

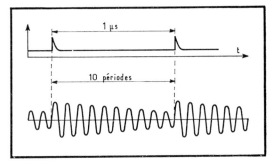

Fig. 75. — Les impulsions à la fréquence 1 MHz relancent toutes les dix périodes l'oscillation d'un circuit oscillant à 10 MHz dont la tension de sortie a donc une fréquence dix fois plus élevée que celle des impulsions d'excitation.

c'est précisément ce que j'ai fait, la nouvelle impulsion qui relance l'oscillation, la fait repartir exactement au moment où la dixième période commençait elle-même. Nous aurons donc une oscillation à fréquence 10 MHz qui se trouvera en quelque sorte « pilotée » par les impulsions à 1 MHz. Supposez maintenant que la fréquence de celles-ci s'accroisse de 0,5 % ; les oscillations à 10 MHz du circuit oscillant seront relancées un petit peu plus tôt à chaque impulsion fournie à l'entrée; il y aura donc une légère augmentation, elle aussi de 0,5 %, de la fréquence de sortie. Bien entendu, un tel système n'acceptera que des variations très faibles de la fréquence d'entrée. Etant donné qu'il s'agit de multiplier par un nombre constant la fréquence d'oscillation d'un quartz, nous pouvons être sûrs que les variations de cette fréquence seront toujours très faibles.

IG. — Bon, je veux bien, c'est effectivement là une multiplication de fréquence. Seulement il y a une chose qui me choque dans votre système : si je pars d'un oscillateur à quartz, je ferai tout ce que je pourrai pour lui faire produire une tension sinusoïdale. Il ne donnera pas de ces fameuses impulsions aptes à exciter le circuit oscillant.

CUR. — Alors, Ignotus, vous avez donc oublié tout ce que nous avons dit la dernière fois? Pensez-vous que les trigger de Schmitt, circuit dérivateur et autres, aient été inventés uniquement pour ennuyer les Ignotus? Cela peut également être utilisé.

IG. — J'avoue que je n'y pensais plus. Mais ces engins sont tout de même relativement compliqués.

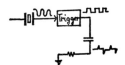

CUR. — Vous trouvez vraiment compliqué un instrument qui se fait avec deux transistors archi-courants, quatre résistances et peut-être une ou deux minutes de mise au point, si tant est que j'ose parler de mise au point pour quelque chose d'aussi courant. Non, Ignotus, si vous vous arrêtez à cela, j'aime mieux aller tout de suite me coucher.

Multiplication apériodique.

IG. — Bon, mettons que je n'aie rien dit. Mais... Excusez-moi, j'ai sans doute une terrible tendance à formuler des objections... Je trouve tout de même triste que ce système de multiplication de fréquence nécessite une telle stabilité à l'entrée. J'aurais aimé que vous me présentiez un système de multiplication qui accepte des variations considérables de la fréquence d'entrée.

CUR. — Eh bien, trouvez-m'en un Ignotus, et, cette fois, je vous

garantis que vous pourrez prendre votre fameux brevet. En l'exploitant vous gagnerez même sans doute beaucoup d'argent (ou plus exactement, vous en ferez gagner beaucoup à celui qui l'exploitera commercialement). Toutefois, pour vous consoler un peu, je peux vous indiquer des méthodes qui permettent de multiplier des fréquences de façon plus simple. Les résultats ne sont pas aussi spectaculaires, mais on peut tolérer une forte variation de la fréquence d'entrée. Je suis même sûr que vous avez déjà fait de la multiplication de fréquence.

IG. — Ciel! Certainement pas, je le saurais.

CUR. — Eh bien, précisément, vous le savez. Vous avez certainement monté un redresseur utilisant le secteur pour vous donner une tension continue au moyen de deux valves?

IG. — Oui, bien sûr, mais je suis très loin de faire du doublage de fréquence : je pars du courant à 50 Hz pour faire du courant à 0 Hz... Si vous appelez cela doubler, je reste rêveur.

CUR. — Aussi n'est-ce pas à ce que vous obtenez après le filtre que je pensais, mais à ce que l'on peut observer *avant*. Puisque les deux valves travaillent à tour de rôle pendant chaque période, vous trouverez, en tête de filtre, une tension de ronflement à fréquence double de celle du secteur (fig. 76) ; autrement dit, vous trouverez du 100 Hz.

IG. — Mais il y en aura très peu : le condensateur de filtrage est justement là pour éliminer cette composante.

CUR. — Oui, mais si vous ne mettez aucun filtre, vous aurez une tension redressée en deux alternances, qui est essentiellement une tension alternative à 100 Hz superposée à une composante continue.

IG. — Je veux bien que sa fréquence soit à peu près 100 périodes par seconde, mais c'est extrêmement loin d'une sinusoïde.

CUR. — Mais je n'ai jamais dit que c'en était une. En effet, si vous analysiez soigneusement cette tension, en plus de la composante continue et de la composante à 100 Hz, vous y trouveriez aussi des harmoniques qui lui donnent cette forme bizarre. Il est d'ailleurs facile, au moyen d'un filtre, d'éliminer les harmoniques et de ne garder que la composante à 100 Hz.

IG. — Oui, je veux bien, mais puisqu'il y a un filtre, cela ne sera plus valable pour toutes les fréquences.

CUR. — Je suis entièrement d'accord et je n'ai jamais eu la prétention de vous présenter un doubleur de fréquence absolument universel.

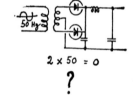

2 × 50 = 0

?

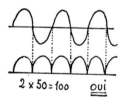

2 × 50 = 100   oui

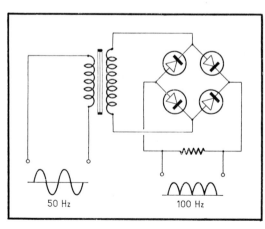

Fig. 76. — En redressant les deux alternances d'une tension à 50 Hz, on double la fréquence, puisque le fondamental de la tension redressée est à 100 Hz.

Multiplications en cascade.

IG. — Mais alors, on pourrait utiliser votre tension 100 Hz filtrée pour attaquer un système analogue; on obtiendrait alors du 200 Hz que l'on pourrait filtrer à son tour et qui...

CUR. — Bravo, Ignotus, vous avez parfaitement compris qu'il est souvent plus intéressant de procéder à des multiplications de fréquence successives. Dans l'exemple de l'oscillation à 185,25 MHz dont je vous ai

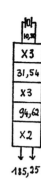

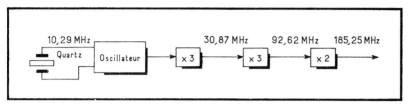

Fig. 77. — Un oscillateur à quartz, fonctionnant à la fréquence de 10,92 MHz, donne, après deux étages tripleurs et un étage doubleur de fréquence, la H.F. à 185,25 MHz, avec la même stabilité que celle du quartz de départ et à une fréquence pour laquelle il n'existe pas de quartz.

parlé plus haut, le mieux serait de partir d'un quartz à 10,29 MHz. En triplant sa fréquence, par la méthode du circuit oscillant que je vous ai indiquée plus haut, nous obtiendrions donc du 30,87 MHz. Cette tension à 30,87 MHz, attaquant un amplificateur trop excité, qui tend à produire, sinon des impulsions, du moins des harmoniques, excitera un circuit oscillant réglé sur son harmonique 3, dans lequel nous recueillerons par conséquent du 92,62 MHz. Cette dernière fréquence, doublée, nous fournira le 185,25 MHz recherché (fig. 77).

Division de fréquence.

IG. — Mais, dites-moi Curiosus, puisque l'on peut ainsi multiplier la fréquence d'un signal, il doit être possible aussi de la diviser. Est-ce vrai?

CUR. — Bien que votre conclusion procède d'une logique discutable, elle est exacte. Je dirais même qu'il est plus facile de diviser une fréquence que de la multiplier. Il y a beaucoup de méthodes. Nous examinerons successivement les principales d'entre elles.

S'il s'agit d'une fréquence variant relativement peu, nous pourrons utiliser un oscillateur fonctionnant en impulsions que nous synchroniserons par la fréquence que nous voulons diviser.

Le multivibrateur.

IG. — Qu'entendez-vous par oscillateur fonctionnant en impulsions?

CUR. — Eh bien, par exemple, le multivibrateur. L'engin est d'un fonctionnement plus simple que vous ne pourriez le croire : je vous en ai tracé le schéma sur la figure 78.

IG. — Ça n'a pas l'air très compliqué quand on le regarde comme cela. Mais je suis devenu méfiant avec vous. On dirait qu'il s'agit d'un amplificateur à deux étages dont on a fermé la sortie sur l'entrée.

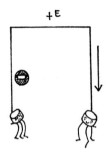

Cur. — C'est parfaitement exact. C'est, d'ailleurs, pourquoi l'ensemble va se mettre à osciller. Avec ce que je vous ai dit des circuits dérivateurs, vous devez en comprendre le fonctionnement assez facilement. Nous supposerons qu'au début le transistor T_1 conduise, et soit même saturé; il constitue une sorte de court-circuit dans le montage entre son collecteur, son émetteur et sa base. A ce moment, nous supposerons que T_2 se trouve bloqué parce que, momentanément, sa base se trouve portée à une tension négative. Dans ces conditions, un courant passant à travers R_4 tend à rendre cette base de moins en moins négative (et même positive) en déchargeant C_2. A un certain moment, la base de T_2 devient positive...

Ig. — Alors, il se met aussi à conduire, arrive également à la saturation et tout s'en tient là.

Cur. — Doucement, Ignotus. Si T_2 se met à conduire, le potentiel de son collecteur, qui était $+ E$, tombe brusquement à zéro. Cette variation brusque sera intégralement transmise à la base de T_1 par le condensateur C_1; cette base deviendra brusquement négative, et T_1 sera bloqué. Par la même occasion, la remontée du potentiel collecteur de T_1, tendant à recharger C_2, va aider encore T_2 à aller à la saturation.

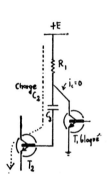

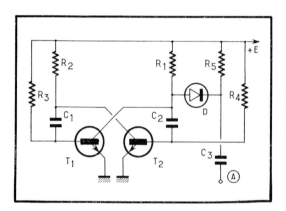

Fig. 78. — Multivibrateur à deux transistors, alternativement bloqués pendant que l'autre est à la saturation.

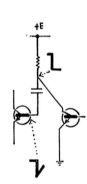

La base de T_1 étant négative, un courant passant à travers R_3 fait remonter son potentiel, en déchargeant C_1, jusqu'à ce que la base de T_1 devienne très légèrement positive. A ce moment-là, c'est T_1 qui va conduire et qui bloquera T_2, exactement comme tout à l'heure, et ainsi de suite. Je vous ai dessiné, dans la figure 79, les variations des tensions des deux collecteurs et des deux bases des transistors.

Ig. — Je vois à peu près comment les choses se passent, quoique tout cela soit bougrement compliqué. On trouve, au fond, sur les bases, des tensions qui ont un peu la forme de celles de la figure 69, ce qui est assez normal puisque ce sont celles que l'on obtient après des circuits de liaison à condensateurs et résistances. Ce qui me surprend davantage, c'est la forme des tensions que l'on obtient sur les collecteurs : pourquoi cette montée lente et cette descente brusque?

Cur. — La montée lente s'explique très bien. Quand, par exemple, le transistor T_1 vient d'être bloqué par sa base, le potentiel de son collecteur ne peut pas remonter rapidement, puisqu'il faut que le condensateur C_2 soit rechargé à travers C_1. C'est ce qui produit l'arrondi dont vous me parliez.

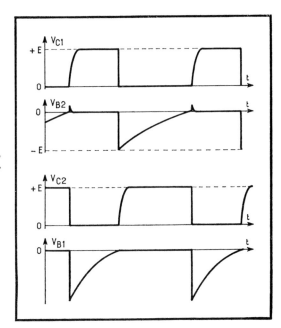

Fig. 79. — Formes d'ondes du multivibrateur précédent.

Par contre, quand un transistor est brusquement débloqué, il constitue une sorte de court-circuit à travers lequel les condensateurs peuvent se décharger rapidement. Ces derniers n'en ont d'ailleurs pas besoin.

En effet, quand T_1 vient d'être bloqué, C_2 doit se charger, parce que son armature inférieure est maintenue au potentiel de la masse par la jonction base-émetteur de T_2 qui conduit. Quand T_1 est brusquement débloqué, le condensateur C_2 transmet la diminution brusque de potentiel de collecteur de T_1 à la base de T_2 : il n'a donc pas à être déchargé. C'est ce qui explique la raideur du flanc descendant que l'on observe dans la variation du potentiel collecteur de T_1. Il ne faut d'ailleurs pas oublier que les bases des deux transistors ne peuvent pas devenir positives. Dès qu'elles le sont légèrement, les jonctions base-émetteur deviennent conductrices, constituant de véritables court-circuits vers la masse. C'est ce qui explique les parties horizontales sur les courbes donnant les variations des tensions des deux bases en fonction du temps.

Il y aurait beaucoup d'autres choses à dire sur le multivibrateur, mais vous en savez maintenant assez pour que nous puissions l'utiliser comme diviseur de fréquence.

Conditions de saturation.

Ig. — Avant d'en arriver là, je voudrais vous poser une question. Vous m'avez dit que les transistors T_1 et T_2 étaient saturés lorsqu'ils fonctionnaient. Je veux bien vous croire, mais j'aimerais savoir pourquoi.

Cur. — Vous avez parfaitement raison de poser la question. Supposons que, par exemple, ce soit T_1 qui conduise. Le courant qui arrive à sa base viendra par la résistance R_3. Le potentiel de sa base est pres-

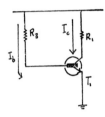

que égal à celui de son émetteur, comme c'est le cas dans tout transistor non bloqué. Il y a donc une tension pratiquement égale à E aux bornes de la résistance R_3. Le courant qui passe dans cette résistance, c'est-à-dire le courant base de T_1, est donc égal à E/R_3.

D'autre part, si ce transistor est saturé, le potentiel de son collecteur étant pratiquement nul, son courant collecteur sera égal à E/R_1.

Il suffit donc que le transistor ait un gain en courant (que nous désignerons par β) tel que le produit du courant de base E/R_3 par β soit supérieur au courant le plus élevé qui puisse passer par le collecteur, c'est-à-dire E/R_1. Prenons un exemple numérique. Soit un transistor dont le gain en courant est β = 30. Il suffira que la résistance R_3 soit inférieure au produit par 30 de la résistance R_1 pour que le produit par β (30) de E/R_3 soit supérieur à E/R_1.

IG. — Jusque-là je vous ai assez bien suivi. Mais il y a encore autre chose. Vous négligez les courants qui peuvent arriver ou partir des bases des collecteurs en raison des charges ou décharges des condensateurs.

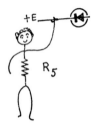

CUR. — Ils ne font qu'arranger les choses. Lorsque le condensateur C_1 se charge à travers R_2, par exemple, son courant de charge s'*ajoute* à celui qui arrive à la base de T_1 à travers R_3. Il ne fait donc qu'améliorer la situation.

Synchronisation.

CUR. — Je vais maintenant utiliser la diode D, dont je ne m'étais pas servi jusqu'à présent, pour appliquer au collecteur de T_1 une impulsion négative, envoyée depuis le point A à travers le condensateur C_3.

IG. — Mais à quoi sert la résistance R_6?

CUR. — Cette résistance est tout simplement destinée à fixer le potentiel moyen de la cathode de D à la valeur + E. De cette façon, la diode D ne peut être conductrice que lorsque le transistor T_1 est bloqué (puisque cela porte le collecteur de ce dernier, ainsi que l'anode de la diode, au potentiel + E) et que la cathode de cette diode est rendue négative par une impulsion arrivant à travers C_3.

IG. — Mais, c'est épouvantable! Si vous envoyez ainsi une impulsion sur le collecteur de T_1, vous allez complètement perturber le fonctionnement du montage!

CUR. — Je vous avouerai que c'était exactement mon intention. Supposons, par exemple, que le multivibrateur ait tendance à fonctionner avec une fréquence de répétition de 100 Hz. Envoyons-lui des impulsions négatives au point A à la fréquence de 330 Hz. Nous supposerons, tout d'abord, que le premier fonctionnement du multivibrateur, coïncidant avec un abaissement brusque du potentiel collecteur de T_1, se soit produit exactement au moment où parvenait une impulsion en A.

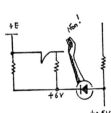

Quand arrivera l'impulsion suivante en A, il y a bien des chances pour que le transistor T_1 soit toujours saturé. L'impulsion appliquée à la cathode de la diode ne sera donc pas transmise. L'impulsion suivante pourra trouver encore T_1 saturé; elle sera également sans effet. La troisième se produira à un moment où le multivibrateur est sur le point de basculer spontanément; T_1 est alors bloqué, et la base de T_1 n'est pas très loin de se redébloquer. Cette troisième impulsion fera alors basculer le multivibrateur un petit peu plus tôt qu'il ne l'aurait fait lui-même. Trois périodes d'un signal à 330 Hz, cela fait un petit peu moins d'un centième de seconde. Les choses vont recommencer identiquement après trois nouvelles impulsions; le basculement du multivibrateur va être déclenché, un peu plus tôt qu'il n'aurait eu lieu par lui-même, en raison de l'impulsion reçue en A. Notre multivibrateur va donc fonctionner un petit peu plus vite que si on l'avait laissé osciller tout seul. Il nous donnera des signaux à 110 Hz, c'est-à-dire exactement le tiers de la fréquence appliquée (fig. 80).

IG. — Là, je ne suis pas d'accord. La première fois où l'on a forcé ce multivibrateur, avec une sauvagerie caractérisée, à déclencher trop tôt, il a dû en résulter une espèce de déformation du multivibrateur. La

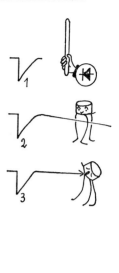

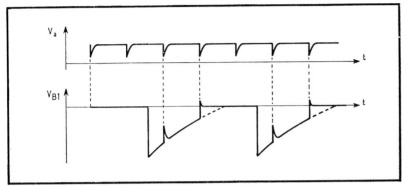

Fig. 80. — **Les tops appliqués en A provoquent le rebasculement du multivibrateur plus tôt que si l'on avait laissé ce rebasculement s'effectuer spontanément. Le multivibrateur oscille à une fréquence égale au tiers de celle des tops appliqués en A.**

fois d'après la déformation suivante a dû s'ajouter à la précédente. Et au bout de deux ou trois périodes du multivibrateur cela n'allait plus du tout.

CUR. — Précisément non, Ignotus. Un multivibrateur n'a pas de mémoire. Une fois qu'il a basculé, que ce soit spontanément ou sous l'influence d'une impulsion extérieure, il se trouve dans un état parfaitement défini qui ne dépend pas du fait qu'il a été déclenché ou non.

IG. — Si je comprends bien, il n'a pas de rancune votre multivibrateur.

CUR. — L'électronique ne possède pas de moyens psychanalytiques suffisants pour connaître l'état d'esprit des multivibrateurs. Disons plus simplement, en termes techniques, qu'il n'a pas de mémoire. C'est d'ailleurs là une propriété bien précieuse pour nous.

Stabilité de la division.

IG. — Cela ne me semble pas, en effet, très compliqué. Mais que se passera-t-il si je change la fréquence des impulsions appliquées en A. Par exemple, si je la porte à 400 Hz.

CUR. — Il se peut que cela fonctionne encore et que le multivibrateur consente à accélérer son fonctionnement jusqu'à 400 : 3 = 133 Hz. Mais il se peut également que, quand il a basculé en synchronisme avec une impulsion, au bout de trois impulsions, il soit encore trop tôt pour qu'il soit bien sensible aux impulsions de déclenchement. Dans ces conditions, il ignorera la troisième et rebasculera tout simplement sur la

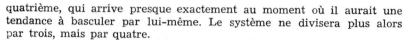

$819 = 9 \times 7 \times 13$

quatrième, qui arrive presque exactement au moment où il aurait une tendance à basculer par lui-même. Le système ne divisera plus alors par trois, mais par quatre.

IG. — Ce n'est donc pas très stable?

CUR. — C'est stable dans la mesure où vous ne faites pas trop varier la fréquence à diviser. Un tel système ne se prête pas à diviser par un nombre constant n'importe quelle fréquence. Si la fréquence appliquée à l'entrée ne varie que dans de faibles limites, vous réalisez ainsi un diviseur pratiquement excellent.

IG. — Eh bien, voilà quelque chose qui va me servir; j'avais envie de réaliser un diviseur par 819 pour obtenir des impulsions à la fréquence des images de la télévision au moyen des impulsions à fréquence lignes. Je ferai donc un multivibrateur fonctionnant à peu près à 25 Hz, un peu plus lentement puisque vous m'avez expliqué que la synchronisation ne peut que l'accélérer, et je lui appliquerai des impulsions à la fréquence de lignes.

CUR. — Et, si vous réussissez, je vous paye un poulet truffé sensationnel. Ignotus! Comment voulez-vous que votre multivibrateur soit assez malin pour ne pas déclencher sur la 818ᵉ impulsion de synchronisation et déclencher parfaitement sur la 819ᵉ. Entre l'une et l'autre, son état a vraiment peu changé. Il faudrait un réglage absolument acrobatique, d'une instabilité totale.

Cependant, vous pouvez réaliser un diviseur par 819. Il ne sera pas fait en une seule fois : vous avez peut-être remarqué que 819 est le produit de 9 par 7 et par 13. Vous diviserez donc votre fréquence de lignes par 9 dans un premier étage. Les impulsions de ce premier multivibrateur seront appliquées à un second qui les divisera par 7; ce second étage arrivera à un troisième multivibrateur qui divisera la fréquence correspondante par 13. Il y a d'ailleurs des chances pour que ce soit ce dernier étage qui vous donne le plus de difficultés.

IG. — Si je comprends bien, Curiosus, vous êtes superstitieux : vous craignez le 13...

CUR. — Je vous garantis que la superstition n'a rien à voir là-dedans. Je serais encore plus inquiet si c'était 15 ou 17. Plus le rapport de division est élevé, plus la division est difficile à réaliser; le multivibrateur ne doit pas déclencher sur la douzième impulsion, mais il doit déclencher à coup sûr sur la treizième. Et cela n'est pas facile à faire. On y arrive cependant. On préfère toutefois, pour ce type de division, utiliser des montages plus complexes sur lesquels je préfère ne pas insister maintenant, car cela nous entraînerait trop loin.

Division par un nombre pair.

IG. — Bon, je vous en remercie, mais je voudrais vous poser une question. Quand je vous ai parlé du chiffre 13, vous m'avez dit que vous seriez encore plus inquiet de diviser par 15 ou par 17. Pourquoi ces nombres impairs seulement?

CUR. — Vous avez fort bien fait de remarquer cela. Quand il s'agit de diviser par des nombres pairs, il y a un système très ingénieux qui permet de le faire avec une meilleure stabilité. Regardez le schéma que je vous ai tracé sur la figure 81. Je n'ai pas dessiné le reste du multivibrateur; je vous signale seulement que celui-ci est réalisé avec le plus grand soin, pour être aussi symétrique que possible, c'est-à-dire pour que, en l'absence d'impulsions de synchronisation, il ait tendance à donner des signaux très symétriques, chaque transistor restant bloqué exactement autant de temps que l'autre pendant chaque période. On y parvient en rendant aussi égales que possible les résistances R_3 et R_4 de la figure 78, ainsi que les condensateurs C_1 et C_2. Les valeurs de R_1 et R_2 ont moins d'importance.

IG. — Je suppose que vous allez aussi choisir deux transistors aussi semblables que possible.

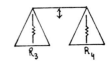

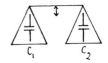

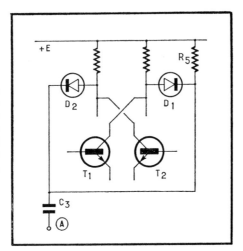

Fig. 81. — Montage des deux diodes qui permettent d'attaquer symétriquement le multivibrateur pour le synchroniser sur chaque basculement et réaliser une division de fréquence par un nombre pair.

CUR. — Cela ne peut faire de mal, bien sûr, mais c'est presque inutile : nos transistors, passant du blocage à la saturation, fonctionnent comme des interrupteurs.

Supposez donc que notre multivibrateur ait tendance à fonctionner à environ 90 Hz. Nous allons lui appliquer, au point A, des impulsions négatives à 400 Hz. Elles seront appliquées simultanément aux cathodes des diodes D_1 et D_2. Seule, celle de ces deux diodes dont l'anode est reliée à un transistor bloqué pourra transmettre l'impulsion. Supposons que l'une de ces impulsions ait déclenché un basculement du multivibrateur, bloquant T_1 et amenant T_2 à la saturation. L'impulsion suivante peut arriver au collecteur de T_1, puisque celui-ci est au potentiel $+ E$. Mais cette impulsion arrivant 1/400 de seconde après un basculement, le multivibrateur est donc assez loin du moment où il aurait rebasculé spontanément, et, si l'impulsion envoyée a une amplitude correcte, elle ne suffira pas à provoquer ce basculement. En revanche, la suivante arrivera 1/200 de seconde après un basculement, c'est-à-dire peu avant le moment où le multivibrateur aurait basculé par lui-même (je vous rappelle qu'il est très symétrique; chaque basculement spontané serait alors éloigné du précédent d'un temps de 1/180 de seconde). Cette deuxième impulsion fera donc basculer le multivibrateur; ce sera T_1 qui arrivera à la saturation et T_2 qui se bloquera. Maintenant c'est D_2 qui pourra transmettre les impulsions. Comme tout à l'heure, la suivante ne passera pas, ou plus exactement elle sera sans effet; seule, celle d'après provoquera un autre basculement.

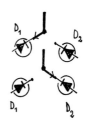

IG. — Mais alors, cela ne va plus du tout : votre multivibrateur est déclenché toutes les deux impulsions; il fonctionne donc à 200 Hz.

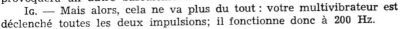

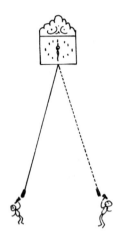

Cur. — Mais vous semblez oublier, mon cher Ignotus, qu'une période complète du multivibrateur correspond à deux basculements : il y a, en quelque sorte, un basculement « aller » et un basculement « retour ». Autrement dit, il est parfaitement normal que le multivibrateur bascule 200 fois par seconde. Sa véritable fréquence sera de 100 Hz.

Ig. — Ça, alors, je n'y pensais plus! En effet, vous avez raison. Mais alors, c'est extrêmement sympathique. Bien qu'on divise par 4, le multivibrateur est déclenché toutes les deux impulsions d'entrée. Il est donc beaucoup plus stable dans son fonctionnement.

Cur. — Bien entendu, et c'est pour cela que je vous ai dit tout à l'heure qu'il était difficile de diviser par 13, encore plus par 15, encore plus par 17... Par contre, il serait beaucoup plus facile de diviser par 14 que par 13.

Division par 2.

Ig. — Mais alors je pense à quelque chose : s'il fallait diviser par 2, on aurait un fonctionnement presque parfait, puisque le multivibrateur déclencherait à chaque impulsion d'entrée.

Cur. — Vous avez tout à fait raison, Ignotus, et je vais même vous apprendre un moyen de rendre cette division par 2 absolument parfaite et rigoureusement indépendante de la fréquence. Je vais, pour cela, vous faire faire connaissance d'un montage nouveau : le basculeur bistable ou basculeur d'Eccles-Jordan. Je vous en dessine le schéma ici (fig. 82).

Ig. — Oh là là! Ce que ça a l'air compliqué!

Cur. — C'est peut-être complexe, mais ce n'est pas vraiment compliqué. Vous voyez ici une certaine analogie avec le multivibrateur de la figure 78 : quand un des deux transistors débite, il agit, par sa tension

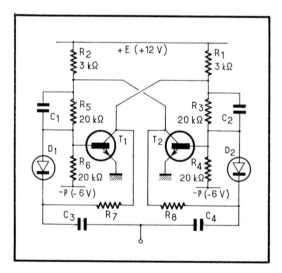

Fig. 82. — **Montage bistable, dit « Eccles-Jordan », avec des diodes qui servent à aiguiller l'impulsion de déclenchement vers celui des transistors qui est saturé.**

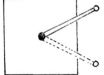

collecteur, sur la base de l'autre. Contrairement au cas du multivibrateur de la figure 78, nous avons ici des liaisons continues entre chaque collecteur et la base du transistor opposé. C'est ainsi que, par exemple, si le transistor T_1 débite (à la saturation si possible), le potentiel de son collecteur est très bas. Par le diviseur de tension R_3-R_4, il porte le potentiel de la base de T_2 à une valeur légèrement négative, ce qui bloque parfaitement T_2. Par contre, si T_1 se trouve bloqué, le potentiel de son collecteur est voisin de $+ E$: le pont de résistance R_3-R_4 tendra donc à porter la base du transistor T_2 à une tension positive. En fait, cette base sera à peine positive, et le courant de base provoquera une sorte d'écrêtage de la tension que lui amènent les résistances R_3 et R_4.

Ig. — Euh, je vous suis approximativement, mais un exemple numérique me ferait plaisir.

Régimes de fonctionnement d'un Eccles-Jordan.

Cur. — Eh bien, je crois que vous serez satisfait si vous regardez la figure 82 : j'ai indiqué entre parenthèses les valeurs des tensions d'alimentation $+ E$, c'est-à-dire 12 V, de polarisation $- p$ (qui vaut ici $- 6$ V), ainsi que les valeurs des résistances. Supposons que ce soit T_1 qui débite et qu'il soit pratiquement à la saturation : le potentiel de son collecteur est donc tombé presque à zéro, son courant collecteur est, par conséquent, voisin de 4 mA, puisque ce collecteur est alimenté depuis une tension de 12 V à travers la résistance R_1 de 3 kΩ. Les deux résistances R_3 et R_4, égales entre elles, porteront donc la base de T_2 à un potentiel voisin de $- 3$ V. Ce transistor sera donc parfaitement bloqué.

Supposons maintenant que T_1 soit bloqué. Le potentiel de son collecteur est alors voisin de $+ 12$ V, le pont de résistance R_3-R_4 tendrait alors à porter la base de T_2 à un potentiel de $+ 3$ V. Bien entendu, cette base arrivera à peine à $+ 0,3$ V (valeur usuelle de tension base-émetteur dans un transistor au germanium qui conduit normalement). Dans ces conditions, il est facile de calculer qu'il arrive à cette base, à travers les résistances R_1 et R_3 qui totalisent 23 kΩ, un courant mesurant $12/23\,000 = 0,00052$ A ou 0,52 mA. Par ailleurs, il part à travers la résistance R_4 un courant valant : $6/20\,000 = 0,0003$ A ou 0,3 mA. La base reçoit donc la différence de ces deux courants soit : $0,52 - 0,3 = 0,22$ mA. Si le gain en courant du transistor est simplement supérieur à 20, nous serons certains que nous l'avons amené à saturation : n'oubliez pas que son courant collecteur est égal, au maximum, à 4 mA.

Ig. — Bon, je vois en effet que, dans votre montage, quand un des transistors débite, il bloque l'autre; en revanche, quand un des transistors est bloqué, il amène l'autre à la saturation. Mais ce que je voudrais savoir, c'est lequel des deux sera bloqué et lequel sera saturé?

Cur. — Eh bien, précisément, je suis incapable de vous répondre, Ignotus. En effet, il se peut très bien que ce soit T_1 qui soit bloqué pendant que T_2 est saturé; il est également possible que ce soit T_1 qui soit saturé pendant que T_2 est bloqué.

Ig. — Mais alors, il ne sait pas ce qu'il veut, votre montage!

Cur. — Sans se placer sur le terrain psychologique, je vous dirai simplement que le montage en question est un « bistable ». Vous aviez déjà rencontré cela avec le trigger de Schmitt de la figure 61, quand la tension de base du transistor T_1 était comprise entre les deux seuils.

Ig. — Alors, ce montage pourra rester un certain temps avec T_1 bloqué et T_2 saturé, ou le contraire.

Cur. — Je suis d'accord avec vous, à cette restriction près que je ne dirai pas « un certain temps ». En effet, quand le montage de la figure 82 est dans un état donné, il peut y rester indéfiniment, tant que l'on ne l'a pas fait changer d'état.

Déclenchement de l'Eccles-Jordan.

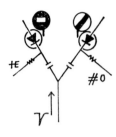

Ig. — Mais alors, comment le ferez-vous « changer d'état » pour employer votre expression?

Cur. — C'est ici que vont intervenir les diodes D_1 et D_2. Supposons que le montage soit dans l'état où T_1 est bloqué et T_2 saturé. Nous voyons que, dans ces conditions, les cathodes des diodes ont été portées, à travers les résistances R_7 et R_8, aux potentiels suivants : la cathode de D_1 est presque à $+ 12$ V, la cathode de D_2 est presque au potentiel zéro. Envoyons une impulsion négative au point A; les condensateurs C_3 et C_4 transmettront simultanément cette impulsion aux cathodes des deux diodes. Mais, comme la cathode de la diode D_1 est à $+ 12$ V, son anode étant à un potentiel négatif (T_1 bloqué), il faudrait une impulsion de plus de 12 V pour rendre conductrice la diode D_1. En revanche, la cathode de D_2 se trouve au potentiel zéro (ou presque) et son anode se trouve à un potentiel également voisin de zéro, ou très légèrement positif (nous avions parlé de 0,2 ou 0,3 V). Ce sera donc la diode D_2 qui conduira seule. Une impulsion négative va être appliquée à la base de T_2 qui va se bloquer. L'augmentation correspondante de tension de son collecteur, transmise à la base de T_1 par le pont R_5-R_6, et surtout par le condensateur C_1 qui transmet bien les fronts raides, provoquera le déblocage de T_1. Le système a donc changé d'état.

Ig. — Bon, jusque-là je vous ai suivi. Mais l'impulsion suivante fera le même effet. Or, il faudrait qu'elle fasse un effet contraire pour ramener le montage dans l'effet primitif.

Cur. — Vous semblez oublier, mon cher Ignotus, que le transistor T_1 s'est mis à conduire pendant que T_2 se bloquait. Donc, après le basculement, la résistance R_7 va amener progressivement l'anode de la diode D_1 à un potentiel voisin de zéro; pendant ce temps, la résistance R_8 amènera progressivement le potentiel de la cathode de D_2 à une valeur voisine de $+ 12$ V. Si vous attendez suffisamment avant d'envoyer l'impulsion suivante, vous voyez que la situation des polarisations des cathodes des diodes se trouve inversée par rapport à ce qu'elle était avant la première impulsion. Il y aura donc une action inverse quand arrivera la deuxième impulsion : elle ramènera le montage à son état primitif.

Ig. — C'est bougrement ingénieux, ce système. Au fond, les diodes D_1 et D_2 jouent le rôle d'un aiguillage qui envoie l'impulsion vers le transistor qui en a justement besoin pour se faire bloquer.

Cur. — Vous avez parfaitement raison, il s'agit d'un aiguillage. Mais j'attire tout particulièrement votre attention sur le rôle essentiel que jouent, dans le fonctionnement de cet aiguillage, les résistances R_7 et R_8 ainsi que les condensateurs C_3 et C_4. Une fois que le montage a basculé, la modification des potentiels des cathodes des diodes D_1 et D_2 se fait *progressivement*. En effet, il faut compter avec le temps nécessaire pour que C_3 soit chargé à travers R_7 et que C_4 soit chargé à travers R_8. Autrement dit, il y a bien effectivement un aiguillage qui a été commandé par la position précédente du basculeur. Le rôle retardateur des circuits R_7-C_3 et R_8-C_4 est fondamental : il empêche que l'aiguillage soit manœuvré au moment même du passage du train, pour reprendre vos comparaisons ferroviaires.

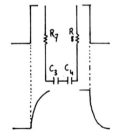

Ig. — Mais il n'y a pourtant rien de tel dans le montage de la figure 81, dans lequel des diodes D_1 et D_2 jouent le rôle d'un aiguillage analogue...

Des diodes qui ne sont pas un aiguillage.

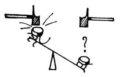

Cur. — Absolument pas, Ignotus; vous commettez là une erreur extrêmement courante, mais j'aimerais mieux que vous ne fassiez pas comme tout le monde... Dans le montage de la figure 81, les diodes D_1 et D_2 ne sont pas destinées à jouer le rôle d'un aiguillage. Elles ont uniquement pour but de laisser arriver à un des collecteurs l'impulsion négative qui doit provoquer un basculement, ce collecteur se trouvant ensuite comme déconnecté de la source d'impulsions. J'aurais pu, à la rigueur, dans le montage de la figure 81, envoyer les impulsions depuis

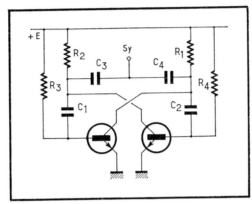

Fig. 83. — Pour diviser une fréquence par un facteur pair, on synchronise le multivibrateur par deux diodes sur ses deux collecteurs et on rend le multivibrateur aussi symétrique que possible.

le point A aux deux collecteurs par deux petits condensateurs C_3 et C_4 (fig. 83), tout simplement...

Ig. — Ah, non, alors! Dans ce cas, vous ne les auriez pas envoyées seulement au collecteur du transistor bloqué, mais aussi à l'autre.

Cur. — Et alors, Ignotus, qu'est-ce que vous voulez que cela lui fasse, au transistor saturé, de recevoir une impulsion négative sur son collecteur? Cela sera à peu près aussi efficace qu'un cautère sur une jambe de bois. Le collecteur du transistor ainsi attaqué transmettra cette impulsion négative à la base d'un transistor bloqué, ce qui ne pourra évidemment pas le bloquer davantage. C'est le transistor bloqué qui, seul, sera sensible à l'impulsion négative sur son collecteur : il la transmettra, par le condensateur de liaison, à la base d'un transistor saturé, et c'est ainsi que le basculement sera amorcé.

Ig. — Mais alors, pourquoi avez-vous utilisé un condensateur C_3, une résistance R_5 et deux diodes D_1 et D_2 fort coûteuses? Puisque deux condensateurs auraient suffi.

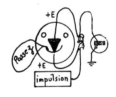

Cur. — D'abord, en ce qui concerne les prix, je vous dirai qu'une bonne diode n'est pas plus chère qu'un condensateur. Ensuite, si j'ai employé ces diodes, c'est pour permettre au multivibrateur de fonctionner mieux. La présence de deux condensateurs allant à chacun des collecteurs, ces condensateurs étant par ailleurs reliés au point A par où arrivent des impulsions négatives, aurait risqué de perturber le fonctionnement du multivibrateur. En revanche, en utilisant des diodes comme D_1 et D_2 sur la figure 81, celle de ces diodes qui conduit la première transmet une impulsion au collecteur du transistor adéquat, après quoi, le basculement ayant eu lieu, cette diode se trouve bloquée.

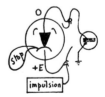

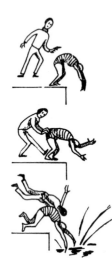

Tout se passe comme si l'on avait, à cet instant, déconnecté la source d'impulsions du multivibrateur.

IG. — Mais alors, ces diodes jouent un simple rôle d'interrupteur On pourrait les remplacer par deux petits commutateurs que l'on commanderait après l'envoi de l'impulsion.

CUR. — En principe oui. Mais si vous arrivez à manœuvrer vos commutateurs au quart de microseconde près et en recommençant l'opération 20 000 fois par seconde quand c'est nécessaire, je vous engage fortement à abandonner votre métier et à vous exhiber dans un cirque

IG. — Bien sûr! Mais il y a encore une chose qui me dérange un peu : dans votre montage de la figure 82, est-ce que vos diodes d'aiguillage D_1 et D_2 ne jouent pas aussi ce rôle de séparation entre la source d'impulsions et le basculeur?

CUR. — Vous avez tout à fait raison : ces diodes sont à la fois des diodes d'aiguillage et des diodes de séparation **entre la source et le basculeur.** Dans le cas des montages des figures 78 et 81, les diodes jouaient *uniquement* le rôle de séparation entre la source et le montage déclenché Pour que vous voyiez bien cela, je vais vous en donner une analogie mécanique. Supposez une succession de plongeurs qui se suivent sur un tremplin, tandis que le maître nageur les « synchronise » en appuyant sur le dos du plongeur qui se trouve prêt à sauter, cela pour le faire sauter un petit peu plus tôt qu'il n'était prévu...

IG. — Dans ce cas-là, le résultat doit être catastrophique pour le malheureux qui se voit précipité à l'eau avant l'instant où il s'y attendait!

CUR. — Rassurez-vous! Il s'agit d'une très légère avance. Le plongeur est déjà prêt à sauter. Examinons maintenant comment agit le maître nageur. Il pousse le plongeur en avant jusqu'à ce que ce dernier bascule. Il faut donc que la « liaison » mécanique entre le maître nageur et le plongeur soit unilatérale. Autrement dit, le maître nageur doit pouvoir pousser le plongeur, mais ne doit pas être tiré par lui. Si, au lieu d'appuyer sa main sur le dos du plongeur, le maître nageur tenait celui-ci solidement par l'épaule, il y aurait deux possibilités : ou bien le maître nageur est suffisamment bien calé pour empêcher le plongeur de basculer vers l'eau, ou bien il est entraîné par ce dernier et plonge avec lui...

IG. — Bien fait!

CUR. — Cela c'est une autre histoire. Voyez-vous, Ignotus, dans ce cas, comme dans celui du déclenchement d'un multivibrateur ou autre il faut une liaison qui ne puisse opérer que dans un sens et qui se coupe dès que le basculement a commencé. C'est ce rôle que jouent toujours les diodes; elles peuvent également jouer, dans certains cas, un rôle d'aiguillage, comme cela se présente dans le montage de la figure 82 Nous allons d'ailleurs revenir, après cette longue digression sur le rôle des diodes, à ce montage.

contact

contact coupé

Basculements de l'Eccles-Jordan.

IG. — Je crois que maintenant nous en avons tout dit : chaque fois qu'une impulsion arrivera en A, le montage va changer d'état. Donc il faudra deux impulsions en A pour que le montage revienne à l'état initial.

CUR. — Parfait. Vous avez exactement compris le fonctionnement de l'ensemble. Vous voyez donc qu'un tel système pourra servir à divise:

une fréquence par deux, quelle que soit cette fréquence. C'est ce que l'on appelle un diviseur *apériodique*. Si nous utilisons les signaux produits sur les collecteurs de ce montage, que nous les transformions en impulsions par un circuit dérivateur dans le genre de celui de la figure 64, nous pourrons déclencher un nouveau basculeur bistable, et nous aurons ainsi réalisé une division de fréquence par 4. Vous voyez que nous pouvons ainsi obtenir facilement des divisions de fréquence par 4, 8, 16, 32...

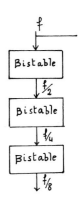

I<small>G</small>. — Pour ce qui est du premier de ces diviseurs, je suppose que c'est lui qui limitera la vitesse maximale à laquelle le montage peut fonctionner. Quelles sont les performances habituelles?

C<small>UR</small>. — On peut arriver très facilement à faire fonctionner un basculeur comme celui de la figure 82 à des fréquences atteignant 5 ou 6 MHz. En choisissant bien les transistors, avec des valeurs de résistances plus faibles que celles que je vous ai indiquées, on arrive assez bien à diviser des fréquences montant jusqu'à 30 MHz.

Vous remarquerez à quel point ce système répond à la conception du diviseur parfait : le même basculeur qui, recevant des impulsions à raison de 30 millions par seconde, donne un signal de sortie d'une fréquence de 15 millions de périodes par seconde, fonctionnera exactement de la même façon en recevant quatre impulsions par seconde : il donnera un signal de sortie d'une fréquence de 2 Hz.

I<small>G</small>. — Ce circuit est extrêmement sympathique. Quel dommage qu'il ne divise que par 2 (ou 4, 8, 16...).

C<small>UR</small>. — Il existe des systèmes à plusieurs états stables qui permettent de réaliser des divisions aussi parfaites par des nombres autres que 2, ces nombres pouvant être 3, 4, 5 ou même d'autres valeurs. Ces ensembles reposent sur des principes analogues à celui du montage de la figure 82. Ils sont un peu plus complexes et nous les verrons plus en détail quand nous parlerons du comptage.

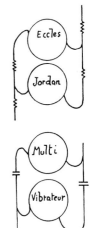

I<small>G</small>. — Pauvre de moi! Votre basculeur d'Eccles-Jordan était déjà bien compliqué! Si vous allez me montrer quelque chose d'encore plus compliqué, je sens que mon cerveau n'y résistera pas!

C<small>UR</small>. — Ne vous inquiétez pas, Ignotus; nous ferons cela très progressivement et vous verrez qu'au fond c'est infiniment moins compliqué qu'on ne pourrait le croire en regardant le schéma.

I<small>G</small>. — Bon, j'espère que ce sera le cas. En effet, c'est un petit peu plus facile de comprendre un montage quand on peut le comparer à un autre que l'on connaît déjà. Je vois d'ailleurs une certaine analogie entre votre Eccles-Jordan de la figure 82 et votre multivibrateur de la figure 78. La différence fondamentale entre les deux est que, dans le multivibrateur, les liaisons d'un collecteur à la base du transistor opposé se font par des condensateurs. Dans le montage d'Eccles-Jordan, ce sont des liaisons continues par ponts de résistances.

Le basculeur monostable.

C<small>UR</small>. — Vous avez parfaitement raison, Ignotus, et, puisque je vois que vous êtes particulièrement en forme, je vais vous parler d'un nouveau type de montage qui serait en quelque sorte le fils de celui de la figure 82 et de celui de la figure 78 : c'est le montage que je vous schématise sur la figure 84.

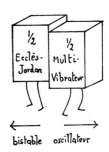

I<small>G</small>. — Ça alors, c'est un curieux mélange : le transistor T₁ est couplé à T₂ par un diviseur R₃-R₄ comme dans l'Eccles-Jordan, tandis que

Stationnement illimité

Stationnement limité

le collecteur de T₂ est couplé à la base de T₁ par un condensateur C comme dans le multivibrateur de la figure 78. Mais alors, dans ce cas ce montage va-t-il être oscillant ou bistable?

CUR. — Il ne sera ni l'un ni l'autre. En effet, le multivibrateur de la figure 78 appartient à la catégorie des montages dits « astables », c'est-à-dire des montages qui ne peuvent rester dans un état quelconque : ils quittent cet état par une transition brusque qui a lieu spontanément, ou qui a été un peu accélérée par une impulsion de déclenchement. Le montage de la figure 84 a un état dans lequel il peut rester indéfiniment : c'est l'état dans lequel le transistor T₁ débite à la saturation, bloquant le transistor T₂ exactement comme cela se passait dans l'Eccles-Jordan.

IG. — Mais alors, c'est aussi un montage bistable comme avant.

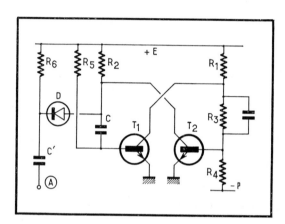

Fig. 84. — Montage monostable, mélange du multivibrateur et du bistable, que l'on peut faire basculer par une impulsion en A et qui revient spontanément à son premier état.

CUR. — Non, Ignotus, il n'est pas bistable, il est *monostable*. En effet, si une impulsion négative est appliquée au point A, elle sera transmise par le condensateur C' à la cathode de la diode D; à travers cette diode et le condensateur C, elle tendra à bloquer le transistor T₁. Dès que le courant de ce transistor commence à diminuer, il y a une augmentation du potentiel de son collecteur (la chute de tension dans R₁ diminue). Cette augmentation est transmise à la base du transistor T₂ qui commence à débiter. Le potentiel du collecteur de T₂ diminue, cette diminution, transmise par le condensateur C à la base de T₁, vient renforcer l'action de l'impulsion initiale jusqu'à ce que l'on arrive au blocage complet de T₁ et au fonctionnement en saturation de T₂.

IG. — C'est bien ce que je vous disais : voilà le deuxième état stable!

CUR. — Non, cet état ne peut pas se maintenir indéfiniment : n'oubliez pas que, maintenant, le potentiel de la base de T₁ est négatif. Un courant va passer à travers la résistance R₆, il tendra à faire remonter le potentiel de la base de T₁ en même temps que C sera déchargé par ce courant. Dès que la base de T₁ sera devenue légèrement positive, T₁ va se remettre à débiter un petit peu, le potentiel de son collecteur s'abaissera, ce qui tendra à faire diminuer le débit dans T₂, et qui fera remonter le potentiel collecteur de T₂. Cette remontée, transmise par C à T₁, accélérera l'évolution de l'ensemble jusqu'à ce que T₁ se trouve de nouveau saturé et T₂ bloqué.

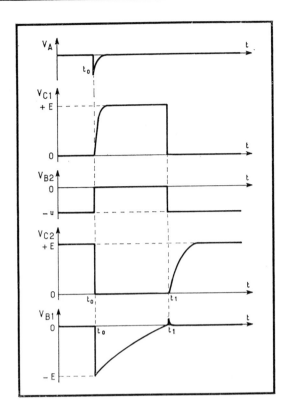

Fig. 85. — Formes d'ondes du monostable de la figure 84.

Ig. — C'est bougrement compliqué, tous ces phénomènes qui se passent en même temps, qui réagissent sur eux-mêmes, et j'ai de la peine à suivre le tout.

Signaux du basculeur monostable.

Cur. — Pour vous aider, j'ai tracé, sur la figure 85, les courbes qui représentent les variations au cours du temps des différents potentiels des électrodes du montage. Nous voyons que, en A, on a appliqué à l'instant t_0 une impulsion négative. A ce moment, le potentiel collecteur de T_1 tend à remonter vers $+ E$. Cette remontée est transmise par le pont R_3-R_4 à la base du transistor T_2, initialement bloqué à la tension $— u$, dont le potentiel remonte un peu au-dessus de zéro. Comme vous le voyez, cela entraîne le déblocage de T_2, amenant le potentiel de son collecteur presque à zéro.

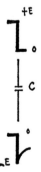

Cette diminution de potentiel collecteur de T_2, transmise par C à la base de T_1 (celle-ci était initialement à un potentiel presque nul), porte le potentiel de cette base à une valeur voisine de $— E$.

Ig. — Je voudrais savoir pourquoi cette valeur est $— E$?

Cur. — Mais, Ignotus, avez-vous oublié ce fameux principe : la tension aux bornes d'un condensateur ne peut varier d'une valeur finie en un temps quasi-nul. Si vous y réfléchissez, vous verrez que, juste avant l'arrivée de l'impulsion en A, le potentiel du collecteur de T_2

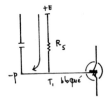

était + E (T₂ bloqué). Le potentiel de la base de T₁ était presque zéro. Le condensateur C était donc chargé à une tension très voisine de E. Tout de suite après le basculement, il est donc encore chargé à la tension E. Puisque son armature supérieure est arrivée à un potentiel voisin de zéro (T₂ saturé), son armature inférieure est donc arrivée à un potentiel voisin de — E, tout simplement.

Iɢ. — J'avoue que je ne pensais plus à votre fameux principe. J'ai oublié de le graver en lettres d'or sur ma cheminée. Mais croyez-moi cela ne tardera plus. Je vois sur vos courbes que le potentiel base de T₁ se met à remonter tout de suite après le basculement. Je suppose que c'est à cause du courant qui passe à travers R₅.

Cur. — Et vous ne vous trompez pas. Quand T₁ se trouvait saturé, le courant passant à travers R₅ s'en allait dans la base de ce transistor. Maintenant que T₁ est bloqué, la seule chose que puisse faire ce courant sera de décharger le condensateur C et même, si rien n'intervenait avant, de le charger en sens inverse. Mais, avant que l'on en arrive à cela, le potentiel de la base de T₁ sera arrivé presque à zéro : c'est ce qui se passe à l'instant t₂. A ce moment vous voyez le transistor T₁ se remettre à conduire. Le potentiel de son collecteur retombe à zéro, bloquant par là même le transistor T₂ dont le potentiel collecteur va remonter vers + E.

Iɢ. — Mais vous m'avez dessiné là, Curiosus, une remontée relativement lente de ce potentiel collecteur de T₂. Pourquoi?

Cur. — N'oubliez pas que, pour que le potentiel collecteur de T₂ s'élève, il faut que le courant qui traverse R₂ charge d'abord le condensateur C. L'armature inférieure de ce dernier est maintenue à un potentiel presque nul par la jonction base-émetteur de T₁ qui débite. Ce condensateur ne se rechargera donc que progressivement, ne laissant monter que lentement le potentiel collecteur de T₁.

Iɢ. — Je commence à comprendre le fonctionnement de votre curieux montage. Mais il est tout de même bizarre : si l'on y réfléchit, le transistor T₂ aura à peine commencé à débiter qu'il va se retrouver très rapidement bloqué. Cela doit déterminer chez lui un terrible sentiment de frustration.

Cur. — Vous pourrez toujours vous établir plus tard psychanalyste pour transistors, afin de compenser les effets fâcheux de ce complexe. En attendant, contentez-vous d'utiliser le montage qui est fort intéressant pour plusieurs applications.

Utilisation des monostables.

Iɢ. — Mais, nous n'avons pas affaire ici à un multivibrateur, puisque, en quelque sorte, il ne fonctionne comme multivibrateur qu'une seule fois.

Cur. — C'est bien parce qu'il ne fonctionne qu'une seule fois, avec deux basculements, le premier déclenché et le second spontané, qu'on peut appeler ce montage un univibrateur. On le trouve aussi quelquefois nommé « multivibrateur monostable ». J'ai horreur de cette dénomination qui renferme en elle-même une contradiction : autant parler de xylophone en métal ou de clarté obscure. L'intérêt de ce montage est le suivant : quelle que soit l'impulsion que vous ayez envoyée en A, pourvu qu'elle soit suffisante pour déclencher le fonctionnement, vous voyez que l'on recueille sur le collecteur de T₁ un signal unique de durée et d'amplitude invariables. Cet instrument sera donc idéal pour uniformiser des impulsions. Vous vous souvenez, par exemple, que les impulsions fournies par un compteur de Geiger-Müller sont tout à fait irrégulières. En les appliquant à un monostable comme celui de la figure 84, nous pourrons les rendre toutes identiques, ce qui en facilitera, entre autre, le comptage.

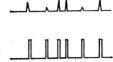

Ig. — Il serait plus simple de les écrêter.

Cur. — Nous n'aurions pas un résultat aussi parfait. En effet, quand une impulsion donnée par un tel compteur est très haute, elle est en même temps un peu plus longue : le tube compteur prend plus longtemps pour se désioniser. Un simple écrêtage nous aurait donné des impulsions ayant toutes la même hauteur mais pas toutes la même lar-

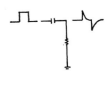

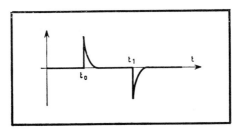

Fig. 86. — Par dérivation du signal apparaissant sur le collecteur de T₁ du monostable, on peut obtenir une impulsion négative au temps t₁, retardée par rapport à l'impulsion de déclenchement.

geur. Il y a d'ailleurs une autre application intéressante de ce montage monostable. Supposez que l'on utilise la tension collecteur du transistor T₁ et qu'on l'applique à un circuit dérivateur, comme celui que nous avons étudié sur la figure 64. Qu'en résultera-t-il, si j'ai choisi un condensateur C et une résistance R de dérivation assez petits l'un et l'autre?

Ig. — Je crois pouvoir vous le dire : si mes souvenirs sont exacts, nous obtiendrons à la sortie de ce circuit une impulsion positive à l'instant t_0 (fig. 86) au moment où le potentiel collecteur de T₁ monte brusquement, puis une impulsion négative au temps t_1 au moment où, le transistor T₁ se redébloquant, le potentiel de son collecteur tombe brusquement.

Cur. — Décidément, Ignotus, vous méritez de moins en moins votre nom! C'est tout à fait exact. Dans ces conditions, supposez que je supprime l'impulsion positive au moyen d'une diode : il ne restera que l'impulsion négative produite au temps t_1. Une telle impulsion va donc arriver après l'impulsion de déclenchement, avec un retard qui ne dépend que des résistances et condensateurs du montage de la figure 84. Nous avons donc réalisé ainsi **un montage retardateur d'impulsions** : si on lui applique une impulsion en A, il en ressortira une avec un retard que l'on connaît exactement et que l'on peut faire varier, suivant les valeurs des éléments du montage, de quelques fractions de microseconde à plusieurs secondes.

Ig. — Eh bien alors, je ne vous fais pas mes compliments pour cette découverte! On ne cesse de répéter que l'électronique est la technique rapide par excellence. Voici que vous avez découvert le moyen d'y introduire des retards : vous allez donc en sens inverse du progrès.

Applications des retardateurs.

Cur. — Doucement, ne jouez pas sur les mots. Il est indispensable, dans des opérations échelonnées, de pouvoir retarder un signal d'un temps réglable. C'est en particulier ce que l'on fera si l'on veut, au

moyen de ce signal, déclencher un phénomène ainsi que l'oscilloscope chargé de l'observation de ce phénomène : on déclenchera le phénomène avec un retard et l'oscilloscope sans ce retard. Ainsi nous pourrons observer parfaitement le phénomène avec l'oscilloscope, puisque le balayage de ce dernier aura démarré avant que le phénomène ne commence.

IG. — Mais, dites-moi, Curiosus, ne serait-il pas plus intelligent de déclencher l'oscilloscope avec un peu d'avance plutôt que le phénomène avec du retard?

CUR. — Eh bien, Ignotus, découvrez-moi le « circuit à avance » qui puisse donner une impulsion de sortie un temps déterminé *avant* que l'on n'applique une impulsion à son entrée, et je vous promets d'abord une célébrité mondiale et ensuite un grand succès dans les milieux académiques!

IG. — C'est exact, je n'y avais pas pensé; de telle sorte que, au lieu d'avoir un oscilloscope en avance on préfère avoir un phénomène en retard... comme quoi tout est relatif dans ce bas monde.

CUR. — Nous redescendrons donc des hautes sphères philosophiques jusqu'aux considérations plus terre à terre pour vous faire remarquer qu'il est déjà assez tard. Je ne voudrais tout de même pas être responsable d'une explication aigre-douce entre vous et Paulette...

IG. — Vous avez parfaitement raison et nous continuerons la prochaine fois.

IGNOTUS
Inventeur de la ligne à avance

Notre jeune ami voudrait tout de même mettre de l'ordre dans les signaux (ainsi que dans ses idées...). Il va donc chercher comment on peut les « discriminer », c'est-à-dire les séparer suivant leur fréquence, leur amplitude, leur durée; et il verra comment les considérations sur les chattes qui ont eu des petits chats clarifient le problème des « sélecteurs d'amplitude ».

DISCRIMINATION DES SIGNAUX

IGNOTUS. — Dites-moi, Curiosus, étant donné l'extraordinaire variété de formes que peuvent avoir les signaux que vous torturez à plaisir, il doit être difficile de s'y reconnaître là-dedans.

CURIOSUS. — Pas tellement, vous ne confondrez pas des impulsions avec des signaux rectangulaires, ni avec des sinusoïdes, et il suffit d'un oscilloscope pour voir à quoi l'on a affaire.

IG. — Oui, mais cela suppose toujours quelqu'un qui observe l'oscilloscope. Est-ce que l'on ne peut pas faire un tri « automatique » de ces différents signaux?

CUR. — On le peut très bien. Cela m'amène d'ailleurs à vous parler des problèmes de discrimination.

IG. — Qu'est-ce que c'est que cette histoire-là?

CUR. — Il s'agit tout simplement de réaliser des circuits qui soient capables de déceler les variations d'une caractéristique d'un signal. On réalisera par exemple un discriminateur en fréquence qui, attaqué à l'entrée par des signaux, nous donnera une tension de sortie positive ou négative suivant que la fréquence de ces signaux est supérieure ou inférieure à une valeur choisie.

Le discriminateur.

IG. — Ah oui, c'est vrai! J'aurais dû m'en souvenir. On appelle en effet discriminateur le système qui, dans les récepteurs à modulation de fréquence, remplace la détection classique des récepteurs à modulation d'amplitude. Je connais donc déjà le dispositif.

CUR. — En effet, celui dont vous parlez est très utilisé pour ce genre d'application. Dans son emploi industriel, il s'agit en général de déceler les variations d'une fréquence à une fin différente de celle que vous visiez avec la radiodiffusion à modulation de fréquence. C'est ainsi que, par exemple, on aura fait agir un palpeur, utilisé dans un comparateur d'épaisseur, sur l'armature mobile d'un condensateur inséré dans un circuit oscillant. Vous vous souvenez que nous avons évoqué l'utilisation d'un tel capteur. Le circuit oscillant en question, faisant partie d'un oscillateur, va nous permettre d'obtenir une fréquence qui variera quand on déplacera l'armature mobile du condensateur. La tension alternative à fréquence variable, appliquée à un discriminateur, nous donnera donc une tension de sortie qui variera comme la position de l'armature variable.

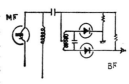

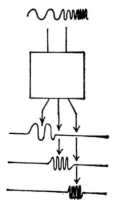

IG. — Il s'agit donc toujours d'un système qui procure une tension plus ou moins grande suivant la fréquence d'entrée?

CUR. — On pourrait réaliser autre chose. Vous pourriez, par exemple, avoir besoin d'un système qui, recevant sur une entrée unique des signaux à fréquence variable, délivre ces signaux sur une voie, sur une autre, sur une troisième... suivant les limites dans lesquelles la fréquence de ces signaux est comprise.

IG. — Ça doit être bougrement compliqué à réaliser!

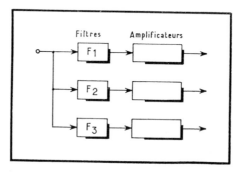

Fig. 87. — Suivant la fréquence du signal d'entrée, les filtres orientent celui-ci vers les différents amplificateurs : on réalise ainsi une discrimination en fréquence.

CUR. — Oh non, c'est même très simple. Il suffira de réaliser un certain nombre d'amplificateurs sélectifs (fig. 87), munis chacun d'un filtre passe-bande approprié, et attaqués simultanément par le signal Les différentes bandes passantes des filtres ne se recouvrent pas, elles sont adjacentes, de telle sorte qu'un signal d'entrée sortira sur une voie ou sur une autre suivant sa fréquence : nous aurons réalisé un tri des signaux en fonction de leur fréquence.

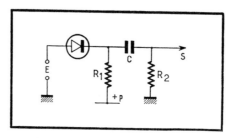

Fig. 88. — On ne retrouvera une impulsion en S que si l'on a appliqué en E une impulsion dont la tension crête soit supérieure à +p.

La sélection d'amplitude.

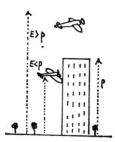

IG. — Et peut-on également réaliser un tri des signaux en fonction de leur amplitude?

CUR. — On le peut parfaitement. Avec un système d'écrêtage comme celui que je vous ai déjà indiqué sur les figures 53, 54 et 55, en le modifiant un petit peu. C'est ainsi que, par exemple, le circuit de la figure 88 ne vous donnera de tension de sortie S que si la tension d'entrée E dépasse la valeur $+p$: tant que E est inférieur à $+p$, la diode est bloquée.

IG. — Mais à quoi servent le condensateur C et la résistance R_2?

CUR. — Tout simplement à éliminer la composante continue due à la polarisation $+p$ que l'on trouve sur la cathode de la diode.

IG. — Alors, il va être très facile d'envoyer des signaux dans différentes directions en fonction de leurs amplitudes : on réalisera plusieurs fois votre montage de la figure 88, avec des valeurs de p échelonnées, et l'on n'aura de sortie sur chaque voie que pour des tensions bien déterminées.

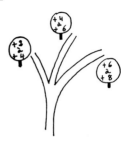

CUR. — C'est en effet ainsi que l'on réalisera la discrimination suivant l'amplitude, mais le problème est un petit peu plus compliqué que vous ne le croyez. Supposez en effet que nous ayons réalisé cinq fois le circuit de la figure 88, avec des polarisations p valant respectivement $+ 2$, $+ 4$, $+ 6$, $+ 8$ et $+ 10$ V. Nous attaquerons simultanément toutes les anodes des diodes, reliées entre elles. Bien entendu, la cathode de la diode polarisée à $+ 10$ V ne fera passer le signal que lorsque la tension d'entrée dépassera 10 V. De même, la cathode de la diode polarisée à $+ 6$ V ne transmettra de signaux que lorsque le signal est d'une amplitude supérieure à 6 V. Mais il se peut que nous désirions, sur un canal, n'avoir de signal que lorsque la tension d'entrée a une amplitude comprise par exemple, entre $+ 6$ et $+ 8$ V.

IG. — Mais, cela ne pose aucun problème : c'est ce que nous trouverons sur la cathode de la diode polarisée à $+ 6$ V.

CUR. — Eh bien, Ignotus, vous me faites penser à un de mes amis. Il avait une chatte qu'il aimait beaucoup et pour laquelle il avait ménagé dans le bas de sa porte une chattière, c'est-à-dire une ouverture assez grande pour laisser passer l'animal sans difficulté. Mais il se trouva par la suite que cette chatte eut des petits chats. Mon ami, voulant laisser passer également les petits chats eut l'idée de réaliser des chattières plus petites à côté de la chattière principale...

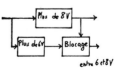

IG. — Je ne vois pas bien le rapport, mais en tout cas c'est complètement inutile : les petits chats pouvaient très bien passer derrière leur mère dans la grande chattière...

CUR. — Vous l'avez dit, Ignotus. La cathode de la diode qui est polarisée à $+ 6$ V délivrera bien un signal quand la tension d'entrée dépassera 6 V. Elle ne cessera pas de le délivrer, bien au contraire, si cette tension d'entrée dépasse 8 V.

IG. — Ah! Quel idiot j'étais, je n'y avais pas pensé! Mais alors, il n'y a rien à faire.

Le sélecteur multicanal.

CUR. — Mais si, rassurez-vous. La situation dans laquelle nous obtenons des signaux uniquement sur la cathode de la diode polarisée à $+ 6$ V et pas sur celle de la diode polarisée à $+ 8$ V correspond à ce que nous cherchons : des signaux d'entrée dont l'amplitude est comprise entre 6 et 8 V. Nous réaliserons donc, au moyen de circuits dits « anticoïncidence » des dispositifs actionnés par la sortie de cathode polarisée à $+ 6$ V et bloqués par la sortie de cathode polarisée à $+ 8$ V et nous aurons résolu le problème.

IG. — Je veux bien, mais vous l'avez uniquement résolu avec un tour de magie! Qu'est-ce que c'est que ces circuits d'anticoïncidence dont je n'avais jamais entendu parler?

CUR. — On peut les imaginer de beaucoup de façons différentes. Nous pourrons, par exemple, utiliser un système de mise en forme à la sortie de la diode polarisée à $+ 8$ V : ce sera par exemple, un univibrateur (système monostable) qui sera déclenché quand le signal dépassera 8 V. Le signal de cet univibrateur nous servira à bloquer un amplifica-

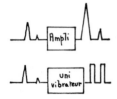

teur, attaqué sur son entrée normale par le signal issu de la cathode polarisée à + 6 V. Cet amplificateur sera donc apte à fonctionner uniquement quand le signal d'entrée aura dépassé 6 V (pour qu'il y ait un signal à son entrée) et quand ce signal n'aura pas atteint 8 V (pour qu'il n'y ait pas déclenchement du monostable et blocage de l'amplificateur).

Ig. — Je commence à comprendre. Je voudrais toutefois savoir deux choses. D'abord pourquoi avez-vous utilisé ce monostable à la sortie de la diode polarisée à 8 V; ensuite comment réalise-t-on un amplificateur blocable?

Cur. — Si j'ai employé cet univibrateur, c'est uniquement pour disposer d'une tension qui passe de « rien » à « tout » dès que la diode polarisée à 8 V conduit. Si j'avais utilisé le signal de la cathode de cette diode directement pour bloquer mon amplificateur, j'aurais eu un blocage plus ou moins énergique suivant que le signal aurait dépassé plus ou moins 8 V. L'univibrateur n'est employé ici que comme système de mise en forme, de normalisation des impulsions, qui me donne un signal parfaitement défini dès que la tension d'entrée a légèrement dépassé 8 V.

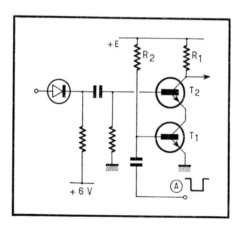

Fig. 89. — Le transistor T_1 sera débloqué si l'on applique à l'anode de la diode une impulsion de plus de 6 V, à moins qu'une impulsion ne soit venue donner en A un signal qui bloque T_2.

En ce qui concerne l'amplificateur blocable, vous pouvez utiliser le montage que je vous ai schématisé en figure 89. Vous voyez que le transistor T_1 est normalement toujours saturé. En effet, sa base est reliée au + E à travers la résistance R_2, il se comporte donc comme un court-circuit et tout se passe comme si le transistor T_2 avait son émetteur à la masse. Ce dernier transistor est, au contraire, bloqué, sa base étant polarisée à zéro. Il sera débloqué par la tension issue de la cathode de la diode polarisée à 6 V. Si aucun signal n'est appliqué en A, un signal arrivant sur la base de T_2 nous donnera un signal négatif sur son collecteur. Par contre, si un signal négatif, issu du monostable actionné par la diode polarisée à 8 V, est appliqué en A, le transistor T_1 se trouvera bloqué pendant la durée de ce signal et nous n'aurons rien en sortie (sur le collecteur de T_2) même si T_2 se trouve débloqué.

Ig. — Mais, dites-moi, votre montage n'est efficace que pour les signaux qui peuvent arriver à la base de T_2 pendant la durée du signal fourni par le monostable. Si les signaux arrivant sur la cathode de T_1 sont plus longs, le tout ne fonctionne plus.

Cur. — Vous avez raison, ce montage est, en principe, conçu pour ne recevoir que des impulsions relativement brèves. Si vous vouliez le rendre apte à fonctionner pour des signaux quelconques, il faudrait remplacer l'univibrateur par une sorte de trigger de Schmitt et réaliser une liaison continue depuis la sortie de ce trigger jusqu'à la base de T₁.

IG. — Ce sera donc un ensemble relativement complexe que votre sélecteur d'amplitude. Heureusement qu'il n'aura que cinq voies.

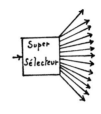

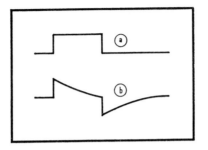

Fig. 90. — Un signal rectangulaire long (a), appliqué à un circuit dérivateur, en ressort fortement déformé (b) avec un dépassement négatif important.

CUR. — Ne vous rassurez pas si facilement, Ignotus, il y a des sélecteurs d'amplitude qui ont jusqu'à 100 ou 200 voies. Il s'agit simplement de répéter le montage indiqué un nombre suffisant de fois. De tels sélecteurs sont surtout utilisés pour classer des impulsions d'entrée, issues d'un compteur de Geiger-Müller, ou d'un photo-multiplicateur muni d'un scintillateur. On peut donc ainsi compter séparément les impulsions d'amplitude inférieures à 1 V, de 1 à 2 V, de 2 à 3 V, etc. Ce comptage des impulsions de niveau déterminé permet de se rendre compte de l'énergie des particules que l'on a décelées avec ce système.

Sélection suivant la durée.

IG. — Et comment s'y prendrait-on si l'on voulait séparer des impulsions reçues en fonction de leur durée, et pas de leur amplitude?

CUR. — Il y a beaucoup de solutions possibles; nous commencerons bien entendu par amener ces impulsions à avoir toutes la même amplitude, ne serait-ce que par un écrêtage. Une fois cela réalisé, nous pourrons, par exemple, utiliser un simple circuit dérivateur comme celui de la figure 64.

IG. — Alors là je ne vois plus du tout : un tel circuit va transformer chaque signal rectangulaire en deux impulsions, une positive au début et une négative à la fin.

CUR. — Ce serait le cas avec des impulsions de largeur très grande. Souvenez-vous que nous avons envisagé la possibilité de circuits ayant un condensateur et une résistance d'assez forte valeur par rapport à la durée qui sépare le début de la fin de l'impulsion. Si nous envoyons à un tel circuit une impulsion longue, comme je le représente sur la figure 90a, la tension de sortie sera, effectivement, comme celle qui est représentée en 90b : une impulsion positive au début, une négative à la fin, vous voyez que, dans ce cas, la durée du signal d'entrée est assez grande pour que le condensateur puisse se décharger entièrement pendant ce signal. Par contre, si j'envoie un signal plus court, comme sur la figure 91a, nous voyons que le condensateur n'a pas le temps de se décharger (ou plus exactement qu'il se décharge très peu) pendant le signal. Nous aurons donc en sortie, un signal voisin de celui qui est

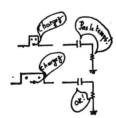

représenté sur la figure 91b et qui ne comporte pratiquement pas d'impulsion négative. Au moyen d'un système coupant les impulsions positives et ne décelant les impulsions négatives qu'au-delà d'un certain seuil, nous aurons donc un circuit capable de discriminer les impulsions courtes (qui ne donneront pas de signal à la sortie) et les impulsions longues (qui donneront un signal à la sortie à la fin de l'impulsion longue).

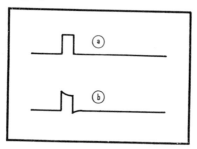

Fig. 91. — Si c'est un signal court (a) que l'on applique au dérivateur, la sortie (b) est peu déformée et le dépassement négatif est très faible.

Iɢ. — C'est cela qui est malheureux. Pourquoi ne pas avoir un système qui donnerait un signal dès le début de l'impulsion longue?

Cuʀ. — Mais, dites-moi, Ignotus, ne croyez-vous pas qu'un tel système devrait être sorcier : une impulsion courte et une impulsion longue commencent exactement de la même façon. Ce n'est que lorsqu'on est arrivé au bout que l'on peut dire s'il s'agissait d'une courte ou d'une longue.

Iɢ. — Si vous voulez... J'avoue que je n'y avais pas pensé.

Discriminateur de forme d'onde.

Cuʀ. — Ce qui prouve qu'il est toujours bon de réfléchir un petit peu avant de parler. Maintenant, nous pouvons avoir à discriminer des signaux en fonction de leur forme. Nous pourrons, par exemple, faire un système qui ne décèle que les impulsions et ne décèle pas les variations lentes. Il suffira, pour cela, d'utiliser un simple circuit dérivateur, notre sempiternel circuit de la figure 64. Si nous lui appliquons une tension d'entrée qui varie lentement, il ne donnera presque rien à la sortie, car le condensateur aura le temps de se charger ou de se décharger pendant la variation lente, et cela avec un courant de charge ou de décharge minime, qui ne donnera que très peu de tension en traversant la résistance. Par contre, une variation brusque de la tension appliquée à l'entrée, sera intégralement retransmise par le condensateur, et nous la retrouverons donc à la sortie.

Iɢ. — Cela me semble en effet très clair, mais je ne vois pas en quoi on pourrait avoir à séparer des signaux à variation brusque de signaux à variation lente.

Cuʀ. — Eh bien, vous avez la mémoire courte. Rappelez-vous donc ce fameux système antivol avec lequel vous avez eu quelques ennuis...

Iɢ. — Oh, ne me parlez plus de cette horreur, c'est un très mauvais souvenir!

Cuʀ. — Vous vous souvenez cependant que je vous avais suggéré d'utiliser une cellule photo-électrique. Dans ce cas, il serait bon de faire suivre cette cellule d'un circuit qui ne soit sensible qu'aux variations brusques de l'éclairement, telles que celles que peut causer le passage d'un individu entre la lampe et la cellule. On éliminera ainsi les signaux qui peuvent résulter d'une variation lente de l'éclairement de la cellule, par exemple au lever du jour et à la tombée de la nuit.

Ig. — Et si l'on désirait exactement le contraire, c'est-à-dire ne pas être sensible aux variations brusques d'éclairement et repérer seulement ces variations lentes?

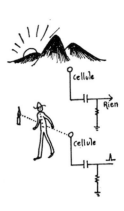

Cur. — Nous utiliserions tout simplement un circuit dit « intégrateur », c'est-à-dire celui de la figure 70. Alors que le circuit dérivateur de la figure 64 était un filtre passe-haut, celui de la figure 70 est un filtre passe-bas. Il élimine les composantes à fréquences élevées ou les transitions rapides. Il ne garde que la composante continue.

C'est un système analogue que j'ai employé sur ma voiture. J'ai placé à l'avant du capot une petite cellule photo-électrique qui actionne un trigger de Schmitt pour m'allumer une lampe sur le tableau de bord quand l'éclairage ambiant est devenu trop faible et que je n'ai pas encore allumé mes lanternes. Comme je ne voulais pas que cette lampe clignote chaque fois que je passais sous un arbre un peu opaque, j'ai mis un filtre tel que celui de la figure 70, muni d'une constante de temps d'une bonne dizaine de secondes. Tout se passe comme si ma cellule photo-électrique répondait très lentement et n'était donc sensible qu'à la luminosité moyenne du ciel vers lequel elle est braquée.

Constante de temps.

Ig. — Ça, c'est astucieux comme idée. Je voudrais savoir toutefois ce que vous entendez exactement par constante de temps.

Cur. — Il s'agit d'une grandeur très classique que l'on utilise pour tous les circuits à résistance et condensateur. Voyez-vous, Ignotus, quand on multiplie la capacité du condensateur C d'un circuit intégrateur par exemple, par la résistance R, on obtient un nombre que l'on peut exprimer en secondes (à condition que C ait été chiffré en farads et R en ohms). Ce temps correspond à celui qui est nécessaire pour que le condensateur soit chargé ou déchargé à travers la résistance jusqu'à 63 % de sa valeur finale. Ne me demandez pas de justifier ce chiffre, cela nécessiterait que nous nous lancions dans des équations différentielles.

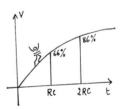

Ig. — Tout mais pas cela!

Cur. — Rassurez-vous, nous n'en aurons pas besoin. Au bout d'un temps égal à une fois cette constante de temps RC, le condensateur se trouvera donc chargé ou déchargé à 63 % de sa valeur finale. Au bout de deux fois cette constante de temps, il sera chargé ou déchargé à 86 %. Enfin, au bout de trois fois la constante de temps, la charge (ou la décharge) sera réalisée à 95 %. Autrement dit, pour un circuit dérivateur ou intégrateur donné, ce ne sont pas les valeurs individuelles de R ou C qui comptent mais leur produit RC que l'on exprime en secondes (ou en microsecondes) et que l'on nomme la constante de temps.

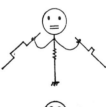

Ig. — Alors, si je comprends bien, quand il s'agissait de séparer des signaux en fonction de leur durée, vous avez choisi une constante de temps courte par rapport à celle du signal de la figure 90a et longue par rapport à la durée du signal représenté en 91a?

Cur. — Vous avez parfaitement raison, c'est en effet ainsi que l'on choisit cette constante de temps. C'est d'ailleurs pourquoi la discrimination est d'autant plus efficace que le rapport des durées entre l'impulsion longue et l'impulsion courte est élevé.

Nos deux techniciens, suivant à la trace le signal dans toutes ses vicissitudes, sont arrivés au moment où ils souhaitent « utiliser » le signal. Ignotus apprend alors que : « Les relais, mais ce n'est pas si simple! » Pour faire tourner des pièces, il faut un moteur; Curiosus lui dévoile les secrets de ces instruments et des circuits qui peuvent les commander.

RELAIS ET MOTEURS

CURIOSUS. — Nous allons examiner maintenant les différents types de « restituteurs ».

IGNOTUS. — Qu'est-ce que c'est que ces instruments dont vous ne m'avez jamais parlé?

CUR. — Mais si, je vous en ai parlé : avez-vous donc oublié que tout instrument électronique est formé d'un capteur qui transforme l'action extérieure en un signal électrique, d'un transformateur qui effectue sur ce signal toutes sortes de modifications et enfin d'un restituteur qui, à partir du signal transformé, donne l'indication ou fait l'action désirée.

IG. — Oh oh, nous voici donc au dernier maillon de la chaîne. Cela commence à devenir sérieux.

CUR. — Mais cela a toujours été sérieux, Ignotus. D'ailleurs, si nous envisageons maintenant le dernier maillon de la chaîne, nous aurons encore pas mal de choses à dire sur des applications particulières. Quoi qu'il en soit, nous allons commencer par les relais.

Résistance d'une bobine de relais.

IG. — Ça, c'est inutile, je connais parfaitement la question à fond.

CUR. — Eh bien, puisque, selon votre expression faite entièrement de modestie « vous connaissez toute la question à fond », pourriez-vous me dire comment varie la résistance d'un relais déterminé en fonction de la tension sous laquelle il doit fonctionner?

IG. — Euh... ça c'est plutôt une question de matheux!

CUR. — Oh, je ne vous demande pas de longues expressions compliquées. Je vous demande seulement de réfléchir un petit peu.

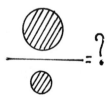

Dans un relais donné, une caractéristique importante est le nombre d'ampères-tours nécessaires pour le faire coller, autrement dit le produit du nombre de tours du bobinage par le courant nécessaire pour amener la palette à se coller sur le noyau, actionnant ainsi les contacts du relais.

Considérons un relais donné (fig. 92) : on a ménagé un emplacement déterminé pour la bobine. Elle comporte un certain nombre de tours d'un fil d'une certaine section et elle a une certaine résistance. Supposons que nous utilisions un fil d'un diamètre trois fois plus petit. Comment a été réduite sa section?

IG. — Tout simplement dans le rapport 3.

Cur. — Ignotus, je vous donne un zéro. Comment osez-vous affirmer que, quand on diminue dans le rapport 3 le diamètre d'un cercle, on réduise dans la même proportion sa surface? Vous savez pourtant depuis longtemps que la surface d'un cercle est proportionnelle au *carré* de son rayon! Donc, avec un rayon (ou un diamètre) trois fois plus petit, nous aurons une section neuf fois plus petite. Nous pourrons donc loger neuf fois plus de tours de fil. Pouvez-vous me dire maintenant quelle sera la nouvelle résistance?

Ig. — Cette fois, c'est très simple : le fil est neuf fois plus long, la résistance est donc neuf fois plus grande.

Cur — Cette fois, Ignotus, vous dépassez les bornes! Avez-vous oublié que, si le fil est neuf fois plus long, il a aussi une section neuf fois plus faible. La résistance initiale est donc multipliée par 81.

Ig. — Ça, alors! Je n'aurais jamais pensé qu'avec un fil simplement trois fois plus petit, on voit la résistance augmenter à ce point. Mais alors, quand on va y faire passer du courant, il va y avoir une énorme puissance dissipée.

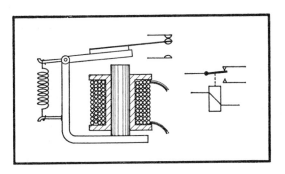

Fig. 92. — Un relais (représenté symboliquement à droite) comporte un bobinage qui provoque l'apparition d'un champ magnétique, attirant la palette et provoquant l'ouverture ou la fermeture d'un contact dit « de travail ».

Cur. — Précisément non. En effet, puisque le bobinage comporte neuf fois plus de tours que dans sa première réalisation, nous n'aurons à y faire passer qu'une intensité neuf fois plus faible. Etant donné que la puissance dissipée est proportionnelle à la résistance et au carré de l'intensité, nous retrouvons donc exactement la même puissance dans l'enroulement. Ce que nous avons obtenu ici est très général : quand le volume de cuivre du bobinage est déterminé, c'est uniquement la puissance dissipée dans ce bobinage qui détermine l'action magnétique sur le relais. C'est pourquoi, pour un relais déterminé, on dit qu'il a une puissance d'excitation de 1 W ou de 1/2 W. Suivant qu'il est bobiné en fil gros ou fin, il sera fait pour être commandé par une forte intensité sous une faible tension ou par une intensité plus faible sous tension plus élevée.

Les relais classiques nécessitent souvent une puissance de commande de l'ordre de 1 W. Il faut arriver à des modèles beaucoup plus sensibles pour que le relais colle avec des puissances de commande de 0,2 ou même 0,1 W. Des relais ultra-sensibles peuvent coller avec des puissances d'excitation de l'ordre du milliwatt; ils ne peuvent, en général, couper que des courants très petits et ne peuvent guère être utilisés tels quels; on les emploie pour commander un relais intermédiaire de puissance plus élevée.

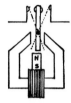

Commande de relais par un transistor.

IG. — Il me vient une idée formidable : si, au lieu de commander directement le courant de la bobine du relais, on attaquait la base d'un transistor, dont le courant collecteur traverse le relais, on pourrait alors commander celui-ci avec une puissance très faible; on la réduirait même encore, si cela semble nécessaire, par un autre étage amplificateur, également à transistor

CUR. — Vous avez parfaitement raison, Ignotus, je dois seulement vous dire que l'idée a déjà été proposée et même réalisée. Il existe en effet des relais comportant, juste à côté du bobinage, un amplificateur à transistor, pour permettre de les commander avec une puissance minime (fig. 93). On a même réalisé des relais dans lesquels cet amplificateur est précédé d'un trigger de Schmitt qui définit avec une grande précision les niveaux des collage et décollage.

IG. — Ça y est, encore quelqu'un qui m'a devancé... Je commence à croire que je n'arriverai jamais à trouver quelque chose de nouveau avant les autres!

CUR. — Ne vous inquiétez pas, Ignotus, cela viendra bien un jour. Mais il faut d'abord apprendre bien la technique, c'est nécessaire pour trouver des nouveautés avant les autres. Pour en revenir aux relais, je vous signale des catégories que vous ne connaissez sans doute pas : les relais polarisés. Ce sont des relais dans lesquels un aimant permanent ajoute son action à celle du bobinage. Autrement dit, suivant le sens du courant, la palette peut être attirée ou repoussée. Nous avons donc des relais qui ne collent que pour un sens déterminé de passage du courant.

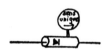

IG — On aurait pu faire cela beaucoup plus facilement, en mettant en série avec la bobine une simple diode.

CUR. — Oui, s'il s'agissait seulement de faire en sorte que le relais ne colle que pour un sens de courant déterminé. Mais on peut faire plus, avec un relais polarisé. On peut obtenir que la palette mobile se déplace vers la droite, fermant un certain contact, pour les intensités positives.

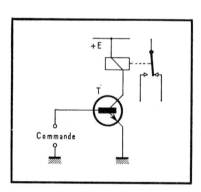

Fig. 93. — **On peut effica-cement commander un relais par un transistor.**

En l'absence de courant, cette palette reste dans une position médiane; si l'on inverse le sens du courant, elle s'en va vers la gauche et établit un autre contact. Nous avons là quelque chose de plus que ce que nous donnerait un relais ordinaire avec une diode en série dans son bobinage. Vous savez d'ailleurs, Ignotus, que, dans les relais classiques, il y a des contacts dits « contacts repos » qui sont établis quand le relais n'est pas excité; ces contacts sont coupés quand le relais colle. En général, ce sont les mêmes lames qui coupent le contact repos et établissent le contact travail lorsque le relais colle. On a donc affaire à ce que l'on appelle un contact inverseur, ou repos-travail, que l'on désigne le plus souvent par contact RT. Il peut même y en avoir plusieurs (fig. 94).

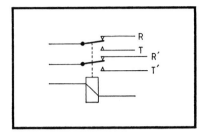

Fig. 94. — Un même bobinage peut commander deux inverseurs, ouvrant deux contacts repos indépendants et fermant deux contacts travail, également indépendants.

Précautions à prendre pour la commande des relais par transistor.

Ig. — Je crois maintenant que je sais tout sur les relais.

Cur. — Je sais surtout que la modestie n'a jamais été votre qualité dominante, Ignotus; il y aurait des ouvrages entiers à écrire sur les relais. Je me contenterai de vous donner encore quelques détails. D'abord savez-vous qu'il y a des précautions particulières à prendre quand on commande le courant du bobinage d'un relais au moyen d'un transistor ou d'un tube?

Ig. — Je suppose qu'il doit falloir choisir le transistor ou le tube pour qu'il fournisse sans difficulté le courant nécessaire.

Cur. — C'est en effet une première condition, mais elle ne suffit pas. Imaginez un petit peu ce qui se passe quand, le courant ayant été bien établi dans le relais, on vient bloquer brusquement le transistor par une tension adéquate sur sa base?

Ig. — Dans ces conditions, le courant dans le bobinage est coupé et le relais décolle.

Cur. — Votre ignorance vous permet de côtoyer les pires précipices, Ignotus. Vous semblez oublier que le bobinage du relais a un important coefficient de self-induction et que, à ce titre, il s'oppose assez vigoureusement aux variations rapides d'intensité. Il y a un second principe que je souhaiterais vous voir graver également sur votre cheminée, en supposant qu'il y reste assez de place, et qui est le suivant :

« Il ne peut y avoir de variation finie de l'intensité qui traverse un bobinage en un temps infiniment petit. »

Si donc, en ayant bloqué le transistor, nous voulons couper brutalement l'intensité qui traverse le bobinage, il se produira aux bornes de ce dernier une surtension qui peut être considérable. Cette surtension peut être tellement grande qu'elle détruira le transistor, ou le bobinage du relais, ou même les deux à la fois si nous avons un peu de chance.

Ig. — Vous appelez cela de la chance, moi je dirais plutôt que c'est une application normale du théorème bien connu de la tartine de confiture!

Cur. — De quoi s'agit-il?

Ig. — C'est un théorème qui est aussi connu sous le nom de « théorème de l'empoisonnement maximum ». Il est matérialisé par le fait sui-

vant : quand vous laissez tomber une tartine de confiture, elle tombera toujours avec la confiture en dessous, déjouant complètement le calcul des probabilités.

Cur. — A mon avis, Ignotus, il y a là tout de même quelque chose d'un petit peu inexact : la présence de la confiture a légèrement dérangé la position du centre de gravité de la tartine, et il me semble que votre fameux théorème peut s'expliquer d'une façon plus physique que métaphysique. Mais abandonnons ces hautes considérations pour en revenir à nos relais. Puisqu'il peut y avoir d'importantes surtensions, il faut chercher un moyen pour en protéger le relais et le transistor qui le commande. Il y a une méthode assez simple qui consiste à utiliser des semiconducteurs dont la résistance varie avec la tension qu'on leur applique; autrement dit, il s'agit d'éléments qui ne suivent pas la loi d'Ohm. On les nomme des V.D.R. (Voltage Dependent Resistance) ou Varistances. Il en existe par exemple qui, sous une tension de 12 V, se laissent traverser par un courant de 5 mA, alors que, sous une tension de 24 V, ils se laissent traverser par un courant quinze fois plus grand, c'est-à-dire 75 mA. Si nous mettons en parallèle un de ces éléments avec la bobine d'un relais prévu pour fonctionner sous 12 V, lorsque nous couperons brusquement le courant dans la bobine, si ce courant était de 75 mA, il commencera d'abord par passer dans l'élément V.D.R. et ne créera dans celui-ci qu'une tension de 24 V qui ira en décroissant rapidement. En fonctionnement normal, comme il n'y a que 12 volts aux bornes de l'élément, celui-ci ne consomme que 5 mA, ce qui est pratiquement négligeable à côté de l'intensité consommée par le relais.

IG — Mais, n'aurait-on pas pu mettre une simple résistance au lieu de cet élément V.D.R. bizarre?

Cur. — Si, on aurait pu le faire. Mais supposez que l'on ait voulu limiter la surtension à 24 V : il aurait fallu choisir une résistance qui, sous 24 V, se laisse traverser par une intensité de 75 mA : c'est une résistance d'environ 330 Ω. Une telle résistance, en parallèle avec la bobine du relais, aurait consommé pour le fonctionnement normal une intensité d'environ 37 mA qui est loin d'être négligeable par rapport à celle qui passe dans le relais. Il aurait fallu que le transistor laisse passer une intensité totale de $37 + 75 = 112$ mA, dont 75 seulement auraient été utilisés par le relais.

IG. — Oui, je vois très bien l'intérêt de ces éléments V.D.R. Au fond, ils jouent un peu le même rôle que les diodes de déclenchement du multivibrateur dont nous avons parlé plus haut. Ils sont en effet presque déconnectés du relais en fonctionnement normal, et ne sont branchés à ses bornes que lorsque la tension augmente.

Protection par diodes.

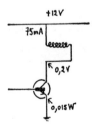

Cur. — Il y a, en effet, une certaine analogie. D'ailleurs vous pourriez utiliser une diode pour protéger le relais Il suffirait de la monter comme je vous l'indique sur la figure 94 bis. Vous voyez que le potentiel collecteur du transistor ne pourra pas monter plus haut que 24 V, si brutalement que soit coupé le courant collecteur du transistor.

IG. — Je préfère la solution utilisant l'élément V.D.R. Il ne nécessite pas de source de tension auxiliaire de 24 V. Mais il y a un point qui m'inquiète un peu, principalement dans votre exemple numérique. Vous parlez d'un relais qui fonctionne sous 12 V avec un courant de 75 mA. Cela représente, dans la bobine, une puissance de 0,9 W.

Cur. — C'est là une valeur parfaitement normale, Ignotus, je vous l'ai signalé tout à l'heure.

Ig. — Pour le relais, oui, mais cela suppose que le transistor est un modèle assez puissant puisqu'il doit pouvoir dissiper 1 W.

Cur. — Tant s'en faut, mon cher Ignotus. Réfléchissez au fait que, en fonctionnement normal, le transistor est saturé : il est bien parcouru

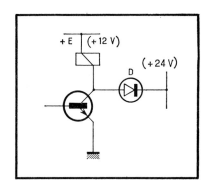

Fig. 94 bis. — Quand le transistor va être bloqué brusquement, l'énergie contenue dans la bobine du relais va élever le potentiel collecteur au point de rendre D conductrice. La diode protégera le transistor.

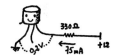

par un courant collecteur de 75 mA, mais sa tension collecteur est presque nulle, la quasi-totalité des 12 V se trouvant aux bornes du bobinage du relais. Dans ces conditions, la puissance dissipée sur le collecteur du transistor est extrêmement faible.

Ig. — Alors, je peux me contenter d'un tout petit transistor, à condition qu'il supporte 75 mA au collecteur et une surtension de 24 V lorsqu'il est bloqué?

Cur. — Vous pourrez le faire si vous êtes certain que le transistor travaillera toujours à la saturation ou au blocage. Mais, si la base est commandée d'une façon telle que le transistor puisse travailler dans un état intermédiaire entre le blocage et la saturation, il pourra y avoir une certaine dissipation sur son collecteur. Il est facile de démontrer, comme chaque fois qu'un transistor est alimenté depuis une tension + E à travers une résistance R, que la dissipation la plus élevée que l'on puisse avoir sur le collecteur du transistor sera : $E^2/4R$, soit le quart de la dissipation maximale que l'on aura dans la résistance quand il sera à la saturation. Cette dissipation maximale $E^2/4R$ dans le collecteur du transistor correspond au régime pour lequel il y aura autant de tension aux bornes du transistor qu'aux bornes de la charge (ces tensions valant l'une et l'autre E/2). Dans le cas qui nous occupe, s'il y a 6 V aux bornes du relais (et donc 6 V aux bornes du transistor) la dissipation collecteur dans le transistor sera la plus élevée possible; elle vaudra, comme je vous l'ai dit, le quart de la dissipation maximale dans le relais, c'est-à-dire un peu plus de 0,22 W. De nombreux transistors de très petite taille supportent cela allégrement.

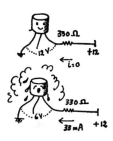

Choix du transistor.

Ig. — Donc, si je vous ai bien compris, pour résumer, on peut dire qu'il y a deux possibilités : ou bien le transistor travaille toujours au blocage ou à la saturation, il a toujours une dissipation collecteur faible, ou bien il peut passer progressivement du blocage à la saturation, il doit

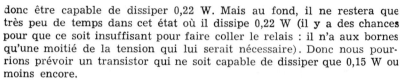

donc être capable de dissiper 0,22 W. Mais au fond, il ne restera que très peu de temps dans cet état où il dissipe 0,22 W (il y a des chances pour que ce soit insuffisant pour faire coller le relais : il n'a aux bornes qu'une moitié de la tension qui lui serait nécessaire). Donc nous pourrions prévoir un transistor qui ne soit capable de dissiper que 0,15 W ou moins encore.

Cur. — Non, Ignotus, ne raisonnez pas avec les transistors comme avec les tubes. Il ne faut pas, même pour un temps très court, dépasser la limite théorique de dissipation Une jonction de transistor n'a qu'une très faible inertie thermique, autrement dit, sa température suit très rapidement les variations de puissance dissipée. Dans un tube, vous avez un gros coefficient de sécurité : un tube qui ne doit dissiper, en principe, que 1 W sur son anode, peut très bien supporter d'en dissiper 4 ou 5 pendant quelques secondes, à condition de ne pas faire cela trop souvent. Pour un transistor, la limite est définie de façon beaucoup plus critique. D'autre part, l'anode d'un tube met assez longtemps à s'échauffer, tandis que, pour un transistor, il ne faut que quelques millisecondes pour que la jonction s'échauffe. D'autre part, il n'est pas du tout prouvé que l'ensemble ne restera pas éventuellement longtemps dans l'état où le transistor dissipe 0,22 W (état le plus défavorable je vous l'accorde).

Ig. — Mais, il est donc impossible d'utiliser un transistor de puissance plus basse?

Cur. — C'est parfaitement possible; il faudra alors commander ce transistor, par exemple, par un trigger de Schmitt pour qu'il soit toujours bloqué ou saturé et qu'il ne puisse jamais se trouver dans une situation intermédiaire. Par contre, vous retrouverez à ce moment les inconvénients que je vous avais signalés, à propos de la variation trop rapide du courant collecteur. Vous risquez des surtensions importantes contre lesquelles il faudra vous prémunir par diode ou par résistance V.D.R.

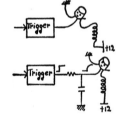

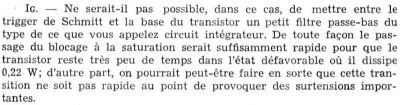

Ig. — Ne serait-il pas possible, dans ce cas, de mettre entre le trigger de Schmitt et la base du transistor un petit filtre passe-bas du type de ce que vous appelez circuit intégrateur. De toute façon le passage du blocage à la saturation serait suffisamment rapide pour que le transistor reste très peu de temps dans l'état défavorable où il dissipe 0,22 W; d'autre part, on pourrait peut-être faire en sorte que cette transition ne soit pas rapide au point de provoquer des surtensions importantes.

Cur. — C'est remarquablement raisonné, Ignotus, mais il se peut que vous soyez précisément gêné pour trouver un compromis acceptable De toute façon, il est en effet assez indiqué de ne pas transmettre des fronts trop raides sans les atténuer par un circuit intégrateur à la base d'un transistor dont le circuit collecteur comporte un bobinage. Si vous le voulez bien, nous allons maintenant envisager une autre catégorie de restituteurs : il s'agit des moteurs.

Ig. — Ces engins sont passablement compliqués et je n'ai là-dessus que des idées assez vagues.

Le moteur à courant continu.

Cur. — Je m'en doutais un peu. C'est pourquoi nous allons dire un petit mot d'électrotechnique. Nous commencerons par les moteurs à courant continu. Regardez ce que je vous ai dessiné sur la figure 95. Un

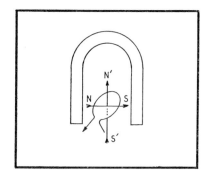

Fig. 95. — Ebauche de moteur : une spire placée dans un champ magnétique NS (produit par exemple par un aimant) et parcourue par un courant produit un champ S'N' qui, réagissant sur le champ de l'aimant, va faire tourner la spire.

grand aimant en fer à cheval vous donne un champ magnétique horizontal où j'ai placé une spire de fil, également horizontale, dans laquelle je fais circuler un courant. Si vous ne tenez pas compte, pour le moment, de l'aimant, que se passera-t-il dans cette spire sous l'influence du courant?

Ig. — Ça je sais : la spire deviendra quelque chose d'analogue à un aimant tout plat, qui aurait son pôle nord au-dessus et son pôle sud en dessous.

Cur. — C'est rigoureusement exact. Dans ce cas, Ignotus, quel sera, à votre avis, l'action de l'aimant qui se trouve fixe et dont le champ magnétique est horizontal, contrairement à celui de notre spire dont le champ est vertical?

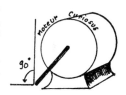

Ig. — Eh bien, je pense que, les deux champs agissant l'un sur l'autre, cela fera tourner l'aimant ou la spire.

Cur — Comme l'aimant est bien fixé, ce sera la spire qui tournera, tendant à amener son pôle nord vers le pôle sud de l'aimant. Si cette spire est fixée sur un axe, celui-ci tournera donc.

Ig. — Je ne voudrais pas vous vexer, Curiosus, mais, si je comprends, le « moteur Curiosus » ne peut tourner que d'un quart de tour. Autrement dit, il ne m'intéresse que médiocrement.

Cur. — Attendez donc avant de critiquer ainsi. Je suis tout à fait d'accord avec vous. Si je n'avais qu'une seule spire de cette espèce, mon moteur ne pourrait faire qu'un quart de tour. Seulement, moi j'ai plus d'un tour... non pas de fil, mais dans mon sac! En conséquence, je vais mettre sur l'axe plusieurs spires décalées les unes par rapport aux autres et qui agiront à tour de rôle.

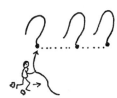

Ig. — Alors là, il faudra que le monsieur qui envoie le courant dans les différentes spires fasse très vite pour ne l'envoyer que dans celle qui est bien utile.

Le collecteur et les balais.

Cur. — Dites-vous bien que ce « monsieur », comme vous dites, n'aura pas de travail du tout, les spires vont défiler devant lui au fur et à mesure que l'arbre tournera Regardez donc la figure 96 sur laquelle j'ai tracé deux de ces spires numérotées 1 et 2. Vous voyez qu'elles se terminent, de mon côté, par de petites lames un peu élargies, sur lesquelles les balais B et B' amènent le courant. Quand la spire 1 est horizontale (ou légèrement inclinée) c'est à elle que les balais B et B' amèneront le courant. Quand elle se mettra à faire tourner l'axe, en raison de l'influence de l'aimant sur le champ magnétique que cette spire produit, le courant sera coupé dans la spire 1, mais il sera établi dans la spire 2 qui viendra prendre sa place et qui recevra, à son tour, le courant des balais B et B'.

Ig. — Ça, c'est formidablement astucieux comme système! Alors, vous allez ainsi avoir deux spires perpendiculaires qui agiront à **tour de rôle**.

Cur. — J'en mettrai même beaucoup plus que deux, je mettrai donc plus de lames pour faire arriver le courant à ces spires. En **réalité**, le système de réalisation des spires est un peu plus complexe, mais celui que je vous ai décrit serait parfaitement utilisable. Nous avons donc réalisé ainsi un moteur à courant continu. L'ensemble des lames sur lesquelles frottent les balais et qui mettent successivement ceux-ci en communication avec les différentes spires s'appelle un *collecteur*. Quelquefois, on utilise comme sur la figure 95 un aimant permanent pour produire le champ magnétique qui agira sur les spires. Souvent, on rem

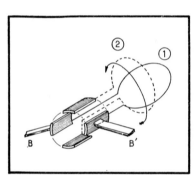

Fig. 96. — Pour avoir une rotation de plus de 1/4 de tour dans le moteur précédent, on substitue à la spire (1) une spire (2) quand l'ensemble a commencé à tourner.

place cet aimant par un électro-aimant. C'est ce bobinage que l'on appelle l'inducteur, le bobinage qui tourne s'appelant l'induit.

Ig. — Au fond, un moteur électrique ce n'est pas si compliqué que je le croyais.

Cur. — Non. C'est au fond très simple. Voyez-vous, Ignotus, toute l'astuce de réalisation du moteur électrique consiste à utiliser la force transversale qu'un champ magnétique exerce sur un courant. Au début de l'électricité, on pensait utiliser la force d'attraction qu'un électroaimant exerce sur du fer : elle était beaucoup trop variable avec la distance séparant l'électro-aimant du morceau de fer, elle obligeait à réaliser des commutations compliquées dans des bobines. C'est cela qui avait fait dire à des auteurs très sérieux que le moteur électrique était condamné sans appel et ne serait jamais un instrument utilisable autrement que comme jouet. Heureusement on a pensé depuis à l'utilisation des forces latérales. Je vous signale d'ailleurs que, pour renforcer l'action du magnétisme, l'induit est réalisé en un empilement de tôles de fer, plutôt qu'en un bloc homogène pour éviter les courants tourbillonnaires comme dans les transformateurs, dans lequel sont creusées des encoches où se trouvent bobinées les spires dont je vous ai parlé. Les pièces polaires (ainsi nommées parce qu'elles sont reliées aux pôles de l'aimant ou de l'électro-aimant) sont des espèces de croissants qui s'approchent très près de l'induit pour laisser facilement le champ ma gnétique se refermer à travers celui-ci. Et maintenant, Ignotus, je vais vous poser une colle. Qu'arrivera-t-il si je prends un tel moteur, en supposant, par exemple, que son inducteur soit un aimant permanent, et si je fais tourner l'induit?

La dynamo.

IG. — Oh, là vous m'embarrassez beaucoup. Je suppose que, puisque des spires vont se déplacer dans un champ magnétique, il y aura des tensions induites dans ces spires.

CUR. — Vous avez parfaitement raison. Et, justement, grâce au système des balais et du collecteur, nous relierons toujours, par les balais, la spire dans laquelle le flux magnétique varie le plus vite au circuit extérieur : notre instrument va donc se transformer en une source de courant.

IG. — Bon, je vous suis à peu près, mais je voudrais bien savoir quelle sera la fréquence de ce courant.

CUR. — Vous aurez de la peine à la trouver, Ignotus, car elle est nulle... En réalité, notre engin ne donnera pas un courant rigoureusement continu : lors du passage d'une spire à une autre, quand les balais quittent une paire de lames du collecteur pour arriver sur une autre, il y aura de légères fluctuations. Mais, comme la spire qui est reliée aux balais, succédant toujours à la précédente quand l'induit tourne, se trouve toujours dans la même position par rapport à l'aimant, le courant circulera toujours dans le même sens à l'extérieur, dans le circuit qui relie les balais. Nous avons réalisé l'instrument que l'on appelle une dynamo.

IG. — Il y a quelque chose qui me gêne beaucoup : je ne vois vraiment pas la différence qu'il y a entre un moteur et une dynamo!

CUR. — Et vous avez bougrement raison, Ignotus, puisque c'est exactement la même machine. C'est une question de terme, uniquement. Si je fais tourner l'induit et que je recueille l'électricité produite, j'emploie l'instrument en dynamo; si j'envoie du courant dans l'induit et que j'utilise la force mécanique de l'axe, j'emploie l'instrument en moteur.

La force contre électro-motrice.

IG. — Bon, mais alors il y a quelque chose qui me tracasse un petit peu. Quand vous allez faire fonctionner cet instrument en moteur, il ne va pas oublier pour cela qu'il peut être une dynamo... Alors, il va produire du courant, à son tour, qui va se superposer à celui que vous lui envoyez... Va-t-il l'aider ou le gêner?

CUR. — Vous avez remarquablement raisonné, Ignotus, mais vous auriez pu trouver vous-même la réponse à votre question : vous souvenez-vous du caractère contradictoire de l'induction : vous pouvez être sûr à l'avance que le courant produit par la machine (du fait qu'elle est toujours une dynamo) va *lutter* contre celui que je lui envoie pour la faire tourner en moteur : c'est ce que l'on appelle la « force contre-électromotrice » du moteur.

IG. — Mais alors, c'est épouvantable! Il ne passera plus aucun courant dans le moteur et il ne tournera plus... Mais s'il ne tourne plus, il n'y aura plus de force contre-électromotrice et alors il tournera... Je sens que je vais devenir fou!

Cur. — Ne vous énervez pas, Ignotus, tout cela est beaucoup plus simple.

Supposez que j'applique à mon moteur une certaine tension : du courant va passer dans les spires de l'induit. Ce dernier va donc se mettre en route à une vitesse croissante. Au fur et à mesure que sa vitesse augmente, la force contre-électromotrice augmente à son tour. Il arrive un moment où elle devient suffisamment voisine de la tension appliquée pour que la différence entre les deux ne fasse plus passer qu'un courant relativement faible dans le moteur. Ce courant sera juste utilisé pour entretenir le mouvement, en donnant la force nécessaire pour lutter contre le frottement. Si je freine le moteur, en lui demandant de fournir du travail, je le ralentirai un peu : la diminution de la force contre-électromotrice, n'équilibrant plus aussi bien la tension appliquée, entraînera une augmentation de courant dans le moteur, ce qui lui donnera la force nécessaire pour lutter contre le freinage.

Ig. — Je crois que j'ai compris. Mais j'aimerais que vous me précisiez un peu ces notions de force de freinage et de vitesse.

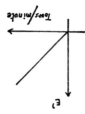

Le couple.

Cur. — Cela se fait très facilement. Si vous bloquez l'induit, en l'empêchant de tourner, l'envie qu'il aura de tourner (que l'on appelle le couple, je vous le définirai plus loin) est proportionnelle à l'intensité du courant que j'ai envoyé dans l'induit. Doublez cette intensité : vous doublerez l'envie de tourner de l'induit. Pour s'exprimer plus correctement, on parle du couple du moteur. Ce couple se mesure en indiquant la valeur du poids que peut soulever le moteur si ce poids est attaché à une ficelle qui s'enroule sur un tambour lié à l'axe du moteur, tambour dont le rayon est défini.

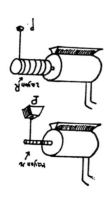

Nous dirons, par exemple, que le couple d'un moteur donné est, pour un courant de 1 A dans son induit, de 0,3 cm/kg, si, à partir de 1 A de courant dans l'induit, le moteur accepte de faire décoller du sol un poids de 0,3 kg, attaché à une ficelle qui s'enroule sur un tambour de 1 cm de rayon lié à l'axe.

Ig. — Oh! C'est bougrement compliqué. Mais pourquoi précisez-vous ainsi le diamètre du tambour?

Cur. — Mais voyons, vous vous doutez bien que si j'enroule la ficelle sur un tambour de tout petit diamètre, un moteur, même peu puissant, pourra soulever un poids important : il le fera très lentement puisque chaque tour ne correspond qu'à une toute petite longueur de ficelle. Il aura, par contre, beaucoup plus de mérite à soulever ce même poids si le diamètre du tambour est plus grand : pour la même vitesse de rotation du moteur, le poids montera beaucoup plus vite.

Ig — Donc, d'après votre indication, l'intensité qui passe dans un moteur permet de connaître son envie de tourner (ou, si vous voulez, son couple, encore que je me méfie de ce terme qui reste assez mystérieux pour moi).

Cur. — C'est exactement cela. Il y a maintenant une autre notion à connaître : la vitesse du moteur pour une tension donnée. On suppose qu'il n'y a aucun frottement et que, dans ce cas, la force contre-électromotrice équilibre rigoureusement la tension appliquée. Autrement dit, quand vous appliquez 10 V à l'induit moteur, celui-ci se met à accélérer jusqu'à ce que sa vitesse ait atteint la valeur qui, pour la machine utilisée comme dynamo, nous donnerait une tension produite de 10 V. A ce moment, le courant qui passe dans l'induit est presque nul. C'est d'ailleurs logique : puisque le moteur n'a aucun couple à fournir, il suffit qu'il maintienne le mouvement de son induit. En réalité, ceci n'est valable que pour un moteur fonctionnant à vide (c'est-à-dire sans fournir de travail extérieur), ou dans le cas où la résistance du fil constituant l'induit est très faible.

IG. — Je commence à y voir clair. Mais vous avez beaucoup insisté sur le fait qu'il s'agissait de moteurs à courant continu. Je suppose que vous allez maintenant me parler d'engins plus modernes, autrement dit de moteurs à courant alternatif.

Fonctionnement en courant alternatif.

CUR. — Je vais en effet vous parler de ces derniers, mais ne les considérez pas comme des engins plus modernes. Ils ont leurs avantages et leurs inconvénients; mais, si vous voulez obtenir un couple énergique au démarrage et un fonctionnement tout particulièrement souple, le moteur à courant continu reste cependant le meilleur.

Avant de vous parler des moteurs spécifiquement réalisés pour le courant alternatif, je voudrais vous poser une question : que se passera-t-il si j'alimente en courant alternatif un moteur à induit et collecteur prévu pour le courant continu?

IG. — Je suppose qu'il n'aimera pas cela du tout!

CUR. — Je ne parlais pas de son état mental, mais des réactions matérielles que cela peut avoir sur le moteur.

IG. — Je pense qu'il se mettra à vibrer, en tournant un tout petit peu dans un sens, puis dans l'autre... jusqu'à ce qu'il soit parfaitement détérioré.

CUR. — Si c'est un moteur dont l'inducteur est réalisé par un aimant, vous avez raison. Dans un tel moteur, en effet, le sens de rotation change

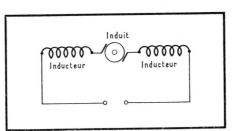

Fig. 97. — Dans le moteur universel, du type « série », l'inducteur est placé en série avec l'induit.

quand on change le sens du courant qui passe dans l'induit. Mais, s'il s'agit d'un moteur dont l'inducteur est réalisé par un électro-aimant et que le bobinage de ce dernier soit alimenté en série avec l'induit comme cela se fait couramment (fig. 97), pensez que, quand le courant changera de sens, l'aimantation produite par l'électro-aimant changera elle aussi. Dans ces conditions, le moteur tourne toujours dans le même sens, quel que soit le sens du courant que l'on envoie dans l'induit et dans l'enroulement inducteur mis en série.

IG. — C'est très désagréable cette plaisanterie. On ne peut donc pas faire changer le sens de marche d'un tel moteur?

CUR. — Si, on le peut. Il faut faire changer le sens du courant dans l'induit et pas dans l'inducteur. Il suffira donc de permuter le sens des

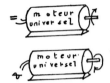

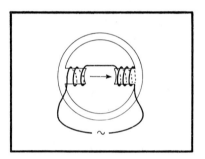

balais, ou celui du branchement de l'électro-aimant inducteur, et le moteur changera de sens de rotation. Mais, si l'on inverse le sens du courant à la fois dans l'induit, et dans l'inducteur, le sens de rotation ne change pas. Si vous alimentez donc un tel moteur avec du courant alternatif, il tournera toujours dans le même sens; je vous dirais même que cela se fait couramment et c'est pourquoi on appelle « moteur universel » un moteur dans lequel l'excitation de l'inducteur est faite par un courant qui a traversé l'induit. Un tel moteur tourne quand on lui envoie du courant continu, il tourne aussi, moins bien, quand on lui envoie du courant alternatif.

Ig. — Pourquoi moins bien? C'est parce qu'il est vexé?

Le moteur diphasé.

Cur. — Soyons sérieux. S'il tourne moins bien avec du courant alternatif, c'est tout simplement parce que celui-ci s'annule fréquemment et que, quand il est faible, il ne communique au moteur qu'un couple faible. D'autre part, notre moteur est doué d'un certain coefficient de

Fig. 98. — Le champ produit par les bobines parcourues par un courant alternatif est oscillant.

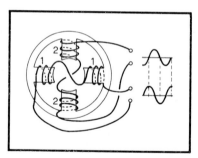

Fig. 99. — Au moyen de deux jeux de bobines alimentées par des courants alternatifs déphasés, on peut produire un champ dont la direction tourne : un aimant pourra tourner, entraîné par ce champ, à la vitesse à laquelle le champ tourne. C'est le moteur synchrone. En y plaçant des spires en court-circuit, on constituera un moteur asynchrone.

self-induction qui gêne le passage d'un courant alternatif dans les enroulements. Maintenant, nous allons voir un principe tout différent, ne fonctionnant uniquement qu'avec le courant alternatif et assez utile pour de nombreuses applications : c'est le moteur déphasé. Regardez la figure 98 : j'ai réalisé un électro-aimant, tout à fait analogue à l'inducteur normal d'un moteur classique, dans lequel j'envoie du courant alternatif. Comment se présentera le champ magnétique entre les pièces polaires?

Ig. — Eh, ce que vous appelez pièces polaires ce sont, je crois, ces parties en saillie autour desquelles se trouve enroulé le fil?

Cur. — C'est exactement cela. Elles sont munies de ce que l'on appelle les épanouissements polaires qui laisseront passage à l'induit. Revenons donc à ma question.

Ig. — Eh bien, je pense que le champ magnétique va aller, entre ces pièces polaires, de l'une vers l'autre, allant en croissant au fur et à mesure que le courant augmente, puis descendant, arrivant jusqu'à être nul, il s'inversera et croîtra en sens opposé, décroîtra à son tour...

Cur. — C'est exactement cela. Maintenant nous allons compliquer un peu les choses en plaçant un second enroulement. Comme vous le voyez sur la figure 99, ce second enroulement tend à produire un champ magnétique qui serait perpendiculaire au premier. Je vais envoyer dans ce second enroulement un courant alternatif, de la même fréquence que le premier, mais déphasé par rapport à celui-ci d'un quart de période...

Ig. — Oh, cela s'annonce très mal! Dès qu'il est question de ces histoires de phase, cela devient bougrement compliqué.

Cur. — Pas tant que cela si vous faites bien attention. Le courant i_2 (fig. 100) que j'enverrai dans le bobinage 2 sera en retard d'un quart

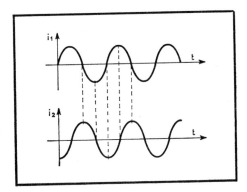

Fig. 100. — Les courants qui exciteront les deux bobinages du moteur diphasé sont déphasés de 90° l'un par rapport à l'autre : le maximum de l'un correspond à l'annulation de l'autre.

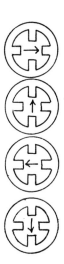

de période dans son évolution, par rapport à i_1, celui qui passe dans le bobinage 1. Autrement dit, ce courant dans 2 sera nul au moment où le courant dans 1 est maximum. Il sera maximum et positif au moment où le courant dans 1 vient de s'annuler, après avoir été positif. Dans ces conditions, le champ magnétique va se comporter entre les quatre pièces polaires d'une façon tout à fait spéciale. D'abord, le courant dans le bobinage 1 étant maximum et positif, ce champ ira de gauche à droite. Le courant dans 1 diminue, en même temps il augmente dans 2. Dans ces conditions il apparaît un champ vertical de bas en haut qui devient de plus en plus important au fur et à mesure que le champ horizontal de gauche à droite diminue.

Au bout d'un quart de période, le champ est exclusivement dirigé de bas en haut, et il commence à décroître puisque l'intensité du courant dans 2 diminue. A ce moment, du courant commence à repasser en 1, mais en sens opposé à celui où il passait initialement. Il en résulte un champ allant un peu vers la gauche. Un peu plus tard, quand le courant est maximum et négatif dans 1 (et nul dans 2), le champ magnétique est uniquement dirigé vers la gauche et il est maximum. Le courant négatif qui circule dans 1 va diminuer d'intensité (en valeur absolue), tandis qu'un courant négatif va s'établir dans 2, tendant à nous donner un champ magnétique vertical, mais dirigé, cette fois, de haut en bas. Nous arriverons à un champ exclusivement dirigé de haut en bas quand le courant dans 1 se sera de nouveau annulé. A ce moment, le courant dans 2 diminuant en valeur absolue tandis qu'il augmente dans 1 en redevenant positif, nous aurons un champ magnétique qui tend à aller de gauche à droite.

En réalité, les champs magnétiques dus aux bobines 1 et 2 s'ajoutent, à chaque instant, pour donner un champ unique qui peut être incliné par rapport aux axes de 1 et de 2, se rapprochant plus de la verticale si le courant dans 2 est important par rapport à celui qui traverse 1 et ainsi de suite.

Le champ tournant.

IG. — C'est en effet terriblement compliqué. Mais je crois comprendre qu'il se passe là un phénomène extrêmement bizarre. Ce champ magnétique fait semblant de tourner.

CUR. — Il fait plus que de faire semblant : il tourne. Nous avons réalisé ainsi ce que l'on appelle un champ tournant.

Mettez donc dedans un aimant, et l'aimant tendra à tourner en suivant à chaque instant ce champ; il tournera exactement à la même vitesse. Nous avons réalisé ce que l'on appelle un moteur synchrone.

IG. — Mais c'est formidable un moteur comme celui-là. Il n'y a pas de collecteur, la partie tournante est uniquement un aimant. C'est d'une simplicité extraordinaire. Par-dessus le marché, il tourne à une vitesse rigoureusement connue.

CUR. — Bien sûr, il présente de sérieux avantages. Je dois tout de même vous préciser qu'il a des inconvénients non moins nombreux. Il ne peut tourner que rigoureusement à la vitesse à laquelle tourne le champ. Si on lui demande trop de travail, il ne peut plus suivre cette vitesse de rotation. On dit qu'il décroche et il s'arrête immédiatement. Pour le faire repartir il peut être nécessaire de le lancer, au moyen d'un système mécanique par exemple, jusqu'à ce qu'il ait atteint la bonne vitesse de rotation à laquelle il s'accroche. C'est donc un engin dont je ne recommande pas beaucoup l'utilisation en dehors de cas spéciaux où on désire une vitesse de rotation rigoureusement connue, par exemple pour entraîner les aiguilles d'une horloge à partir d'une fréquence parfaitement stable, obtenue à l'aide de diviseurs de fréquence excités par un oscillateur à quartz. Pour les fonctionnements plus courants, je recommande beaucoup plus le moteur asynchrone.

L'induit à spires court-circuitées.

IG. — Pourquoi se limiter à cinq? On ne peut pas faire des moteurs à sept ou huit chrones?

CUR. — Ignotus, si vous faites encore des astuces de cet ordre, je ne vous montrerai pas le fonctionnement du moteur asynchrone. Bon, maintenant vous êtes prévenu. Supposons que, dans l'espace existant entre les pièces polaires de la figure 99, j'ai placé une succession de spires en cuivre, toutes mises en court-circuit. Que se passera-t-il?

IG. — Vraisemblablement rien.

CUR. — Vous avez absolument tort. Vous avez donc oublié ce que sont les phénomènes d'induction?

IG. — Non, mais cela ne change pas grand-chose. Votre champ tournant va, évidemment, faire varier les flux magnétiques dans ces spires, et il en résultera des courants. Mais tout cela ne va que créer une immense pagaïe.

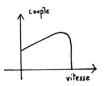

Cur. — Mais pas du tout! Rappelez-vous encore le caractère contradictoire de l'induction. Les courants qui circuleront sous l'influence de ces tensions induites, vont agir sur le champ : il en résultera des forces qui tendront à mettre les spires en mouvement. Pour toutes ces spires, l'action mécanique tendra à les faire tourner à la même vitesse que le champ. Ainsi le champ, étant considéré comme immobile par rapport aux spires, n'induira plus de courant dans celles-ci. C'est normalement ce que tendent à faire les forces magnétiques pour obtenir une lutte contre les variations de flux qui leur ont donné naissance.

Ig. — Cela me semble en effet à peu près compréhensible. Mais je ne vois pas beaucoup ce que vous avez gagné par rapport au moteur synchrone. Il était tout de même plus simple de mettre un aimant que toutes ces spires en court-circuit.

Cur. — D'abord, cela n'était pas forcément plus simple. Ensuite, nous bénéficions ici d'un avantage considérable : ce moteur démarre tout seul. Il ne donnera pas, si son induit est arrêté, un couple aussi important qu'un moteur à courant continu. Il sera tout de même capable de partir tout seul. Ensuite, si nous lui demandons de fournir du travail, il ralentira un peu, de telle sorte que son induit tourne moins vite que le champ et qu'il s'établisse ainsi des courants induits dans les spires. Il ne décrochera pas et tournera à une vitesse voisine de celle du champ, présentant par rapport à cette vitesse un *glissement* d'autant plus grand que nous lui demanderons plus de travail. C'est donc un moteur beaucoup plus souple.

Ig. — Je pense alors que c'est celui-là qui équipe les aspirateurs, les moulins à café électriques...

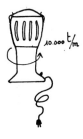

Cur. — En général, dans ces machines qui ont besoin de tourner très vite, on utilise plutôt des moteurs du type universel avec un collecteur et des balais. Voyez-vous, Ignotus, un moteur asynchrone ne peut pas tourner plus vite que le champ. Avec le courant alternatif dont nous disposons, cela fait 50 tours par seconde.

Ig. — Cela me semble déjà formidable!

Cur. — Eh bien, il paraît, aux dires des experts, que c'est insuffisant pour actionner correctement un moulin à café électrique dont la vitesse de rotation doit être au moins triple (150 tours par seconde ou 9 000 tours par minute). C'est pourquoi on équipe ces engins de moteurs universels. En revanche, pour produire des puissances assez élevées d'une façon commode, on utilise beaucoup le moteur asynchrone. C'est presque toujours un moteur de ce type qui équipe les machines à laver. Nous nous contenterons de l'utiliser pour les petits dispositifs que l'on appelle les servo-mécanismes et dont nous parlerons plus loin. Nous allons juste examiner un petit peu comment on envoie du courant à ces moteurs, qu'ils soient du type continu ou du type asynchrone.

Alimentation des moteurs.

Ig. — C'est évidemment beaucoup plus simple d'en envoyer à un moteur asynchrone : il s'agit de courant alternatif et les amplificateurs de ce type sont faciles à faire.

Cur. — Vous avez en partie raison, mais il se pose un petit problème dans le cas du moteur asynchrone. On lui envoie deux courants différents.

Ig. — Je ne vois pas en quoi cela vous attriste : nous utiliserons simplement deux amplificateurs.

Cur. — Il est plus simple d'alimenter une des paires de bobines par un courant alternatif d'amplitude fixe et d'attaquer l'autre paire par un courant alternatif déphasé par rapport au premier, fourni celui-là par un amplificateur. Nous obtiendrons un champ tournant un peu boiteux, mais nous arriverons ainsi à régler la vitesse du moteur en fonction de la tension qui sort de l'amplificateur.

Ig. — Oui, mais il y a là une chose qui m'inquiète un peu. Il ne saurait être question de changer le sens de rotation d'un tel moteur : on ne peut pas dire qu'un courant alternatif est négatif ou positif.

Cur. — En effet, mais on peut dire qu'il est en avance ou en retard d'un quart de période par rapport à celui qui circule dans la paire de bobines alimentées directement. Si donc nous inversons la polarité de sortie de l'amplificateur alimentant l'autre paire de bobines, nous inversons le sens de rotation du moteur.

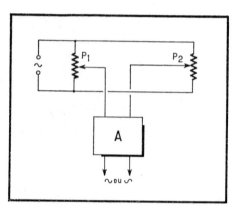

Fig. 101. — Suivant les positions respectives de P_1 et de P_2, la tension alternative sortant de A pourra être en phase ou en opposition de phase avec celle que l'on applique à P_1 et à P_2.

Ig. — Je ne vois pas ce que vous entendez par « inverser la polarité de la sortie »... de l'alternatif, c'est toujours de l'alternatif!

Cur. — Doucement. Regardez donc le montage de la figure 101...

Ig. — Ça je l'ai reconnu depuis longtemps, c'est tout simplement un pont de Wheatstone.

Cur. — Oh! Mais vous êtes particulièrement en forme aujourd'hui, Ignotus. C'est en effet un pont de Wheatstone. Supposez que les deux curseurs des potentiomètres P_1 et P_2 soient exactement à mi-course : qu'enverrons-nous à l'entrée de l'amplificateur A?

Ig. — Mais... rien du tout.

Cur. — En effet, nous lui appliquerons une « tension nulle ». Maintenant, en laissant le curseur de P_2 fixe, nous allons déplacer le curseur de P_1 vers le haut d'abord, puis vers le bas ensuite. Vous voyez bien que la tension que nous enverrons à l'entrée de A pourra être en phase avec celle qui attaque les potentiomètres, ou en opposition de phase avec elle.

Ig. — Ça, alors, c'est plutôt drôle! On pourrait donc parler d'une tension alternative positive ou négative.

Cur. — Je n'emploierai pas ce terme, je dirai simplement « en phase » ou « en opposition de phase ». Voyons, Ignotus, il vous est certainement déjà arrivé de mettre en série deux secondaires d'un transformateur pour avoir une tension égale à la somme des tensions des secondaires?

Ig. — Oh, oui, je me rappelle. C'est même une des humiliations cuisantes de ma carrière. J'avais un transformateur possédant deux secon-

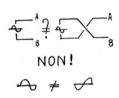

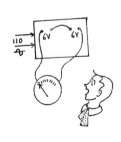

daires qui donnaient 6 V chacun. J'ai voulu les mettre en série pour obtenir 12 V et j'ai d'abord obtenu une tension parfaitement nulle.

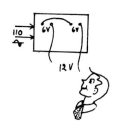

Cur. — Eh bien voilà, Ignotus, vous aviez monté vos deux tensions de sortie en série, mais en opposition de phase. En retournant un de vos secondaires, vous auriez obtenu vos 12 V. C'est encore heureux, d'ailleurs, que vous n'ayez pas eu besoin de mettre vos secondaires en parallèle : dans ce cas, si le branchement avait été fait en opposition de phase, c'était l'équivalent d'un véritable court-circuit. Vous voyez donc que nous pouvons envoyer à l'enroulement auxiliaire d'un moteur diphasé une tension alternative qui le fera tourner dans un sens ou dans l'autre (suivant la phase de cette tension alternative) à une vitesse plus ou moins grande (suivant l'amplitude de cette tension).

Alimentation du moteur continu.

Ig. — Dans le cas du moteur à courant continu, vous n'allez tout de même pas envoyer directement au moteur le courant d'un tube ou d'un transistor?

Cur. — Je vous serais très obligé de me montrer la loi qui me l'interdit. C'est en effet ce que je ferai. Le transistor se prête en général mieux à ce genre de travail, car les moteurs sont plus faciles à réaliser avec peu de tours de gros fil, autrement dit, prévus pour fonctionner avec des tensions relativement faibles et des intensités élevées. Nous emploierons donc couramment un transistor pour actionner un moteur.

Il faut faire attention à certaines choses dans ce cas. Quand on a placé l'induit d'un moteur dans le circuit collecteur d'un transistor, on a pratiquement imposé la valeur du courant qui traverse cet induit (tant qu'il y a encore de la tension aux bornes du transistor, c'est-à-dire tant que ce dernier n'est pas saturé). Nous avons donc imposé la valeur du *couple* que fournit le moteur. Quand le transistor arrive à la saturation, c'est-à-dire quand il n'y a plus de tension à ses bornes, la tension aux bornes du moteur ne peut plus augmenter : elle est égale à la tension d'alimentation. Cela impose donc une limite à la *vitesse* du moteur.

Ig. — Mais il y a une chose qui m'ennuie : un moteur du type à courant continu se prête très bien à tourner dans les deux sens. Ici, il n'est plus question d'histoires horribles de phase ou d'opposition de phase : le changement de sens du courant dans l'induit et pas dans l'inducteur entraîne un changement de sens de marche du moteur. Or, le courant collecteur d'un transistor ne peut passer que dans un seul sens. Comment résoudre ce problème?

Cur. — Il y a des quantités de solutions possibles. Vous pouvez, par exemple, actionner votre moteur par l'amplificateur push-pull série dont je vous ai indiqué le schéma sur la figure 52. C'est encore la solution la plus simple.

Ig. — Il y a encore quelque chose qui m'inquiète. On peut, dans certains cas, avoir besoin d'un moteur donnant une très grande puissance et je ne sais pas si je trouverai facilement des transistors capables de débiter plusieurs dizaines d'ampères et de supporter des tensions de plusieurs centaines de volts.

La dynamo amplificatrice.

Cur. — Vous en trouverez, mais vous les paierez relativement cher. Il y a une solution élégante, dans ce cas : l'utilisation de la dynamo amplificatrice.

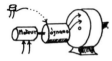

Ig. — Dites-moi vite ce que c'est : je connaissais comme amplificateurs les tubes et les transistors, mais je n'aurais jamais soupçonné que cette brave bête de dynamo, dont j'ai appris l'existence sous le capot de ma voiture, puisse servir d'amplificatrice.

Cur. — Oh, c'est extrêmement simple. Supposez (fig. 102) une dynamo entraînée par un moteur. Si je n'envoie aucun courant à l'électro-aimant qui lui sert d'inducteur, elle ne fournira aucun courant sur ses balais. Plus j'envoie de courant sur l'inducteur, plus cette dynamo pourra fournir entre ses balais une tension élevée, capable de débiter. Il suffit d'une puissance d'excitation de l'inducteur relativement faible pour permettre à la dynamo de débiter une puissance électrique très grande entre ses balais. C'est en effet au moteur qui l'entraîne que

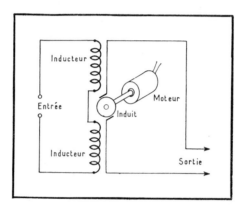

Fig. 102. — Dans une dynamo entraînée par un moteur, la tension aux bornes des balais est fonction du courant sur l'inducteur.

l'on demandera l'énergie, tandis que le courant qui passe dans l'inducteur a pour seul but de fournir un champ magnétique, ce qui peut s'obtenir avec une énergie faible si l'on a consenti à mettre une grande quantité de fil.

Ig. — Ça, alors, c'est formidable! Alors vous enverrez le courant de votre dynamo amplificatrice dans le moteur que vous voulez commander et l'amplificateur à transistors actionnera uniquement l'inducteur de la dynamo?

Cur. — C'est exactement cela. Un tel système permet, avec des transistors tout à fait courants et peu coûteux, de commander la vitesse de rotation d'un moteur d'une puissance de plusieurs kilowatts. Je l'ai déjà employé pour faire tourner une tourelle d'antenne radar qui pesait plusieurs tonnes et que l'on commandait avec un amplificateur très modeste.

Ig. — C'est en effet très joli comme réalisation. Mais il y a un point qui me chagrine! Vous êtes obligé, dans ce cas, d'avoir trois machines : le moteur qui entraîne la dynamo amplificatrice, cette dynamo elle-même et le moteur auquel vous enverrez le courant de la dynamo amplificatrice. C'est vraiment un peu encombrant tout cela!

Cur. — C'est en effet un inconvénient du système, indépendamment de certaines difficultés résultant du magnétisme qui peut rester dans le fer de l'inducteur de la dynamo et qui nécessite des systèmes de correction assez complexes. C'est pourquoi on a développé parallèlement une autre méthode extrêmement ingénieuse qui consiste à alimenter un moteur à courant continu par des thyratrons.

Commande par thyratrons.

Ig. — Mais alors, votre moteur exécute un mouvement en dents de scie!

Cur. — Vous avez déjà proféré quelques bourdes, Ignotus, mais de ce calibre-là... Non, soyons sérieux. Un thyratron se prête en effet, dans certains montages dont je vous ai parlé, à la réalisation de tensions en dents de scie. Nous allons en réalité l'utiliser d'une façon tout à fait autre pour entraîner notre moteur : c'est le courant du thyratron que nous enverrons dans l'induit du moteur.

Ig. — Mais il aura horreur de cela : le courant d'un thyratron se compose d'impulsions très brèves, de très forte intensité, durant très peu de temps.

Cur. — C'était le cas dans les montages générateurs de dents de scie dont je vous ai parlé. Un thyratron peut fonctionner d'une façon tout à fait différente; par exemple, si nous utilisons sa propriété essentielle qui est la *discontinuité*. Une fois que l'on a amorcé le passage du courant, il peut très bien continuer à laisser passer le courant si c'est autre chose qu'un condensateur qui lui fournit son intensité anodique.

Ig. — Mais vous vous contredites, Curiosus! Vous m'avez bien précisé que, dans un thyratron, le courant pouvait prendre des valeurs extrêmement élevées une fois que le thyratron était amorcé et qu'il fallait même prendre quelques précautions pour le limiter.

Cur. — C'est précisément ce que nous ferons. Si nous plaçons en série dans le circuit anodique d'un thyratron une résistance et une source de tension, une fois le thyratron amorcé, l'intensité se maintiendra très sagement à la valeur fixée par la loi d'Ohm. La chute de tension aux bornes du thyratron sera très faible, elle sera grande aux bornes de la résistance, et l'intensité qui traverse le thyratron sera limitée par la valeur de cette résistance.

Ig. — Cela me semble bizarre comme utilisation d'un thyratron, mais je veux bien. Autrement dit, nous disposerons d'un moyen pour faire passer le courant dans le moteur. Mais, à part la possibilité de faire passer ce courant en déclenchant le thyratron par la grille, nous n'y avons pas gagné grand-chose par rapport à ce que nous aurait donné un simple relais.

Alimentation en alternatif.

Cur. — Vous auriez raison si la source qui alimente le thyratron était une source de tension continue. Mais les choses seront tout à fait différentes si nous alimentons le moteur en série avec le thyratron par une source de tension alternative.

Ig. — Je pense alors que vous allez utiliser un de ces moteurs dits universels, qui acceptent de fonctionner avec du courant alternatif?

Cur. — Pas du tout, nous emploierons un bon moteur à courant continu, même avec une excitation bien constante sur l'inducteur si ce dernier n'est pas un aimant permanent.

Ig. — Alors là, j'aime mieux m'en aller tout de suite! Enfin, Curiosus, vous m'avez pourtant dit qu'un tel moteur tourne dans un sens qui dépend de celui dans lequel passe le courant dans son induit!

Cur. — Ne vous énervez pas. Bien sûr, le courant qui passe dans l'induit du moteur ne sera pas continu. Il sera, pour le moins, redressé, car un thyratron ne peut s'ioniser que quand l'anode est positive par

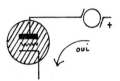

rapport à la cathode. Le courant qui traverse le moteur ira toujours dans le même sens, il ne passera que pendant la moitié de chaque période, moitié pendant laquelle l'anode est positive par rapport à la cathode dans le thyratron.

IG. — Bon, dans ces conditions, je l'admets. Mais je ne vois pas très bien ce que vous y avez gagné : si la grille est suffisamment négative, le thyratron n'ionise pas et le moteur ne tourne pas; si vous rendez la grille positive ou même si vous la portez à un potentiel nul, le thyra-

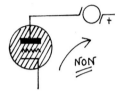

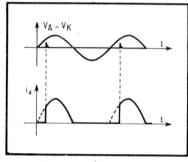

Fig. 103. — Si des impulsions de déclenchement sont appliquées à la grille d'un thyratron à peu près au début de l'alternance positive de tension anodique, le courant anodique passe pendant la majeure partie de cette alternance : sa valeur moyenne est élevée.

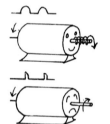

tron ionise tout le temps, et il est possible de le remplacer par un simple redresseur.

CUR. — Oui, vous me présentez bien là les termes extrêmes. Mais je peux faire quelque chose de beaucoup plus progressif : supposez que j'envoie à la grille du thyratron des impulsions et que je m'arrange pour que ces impulsions arrivent plus ou moins tard pendant la demi-période où l'anode est positive par rapport à la cathode. Vous voyez que, si ces impulsions arrivent très tôt pendant cette demi-période, comme

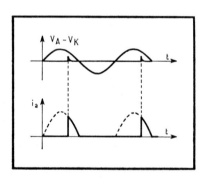

Fig. 104. — Avec des impulsions arrivant plus tard, le courant moyen est faible.

sur la figure 103, le courant redressé passera dans le moteur pendant la quasi-totalité de la demi-période. Par contre, si j'envoie ces impulsions beaucoup plus tard, comme sur la figure 104, vous vous apercevez facilement que le thyratron ne s'ionisera que très peu de temps avant le moment où il se désionise tout seul parce que son anode redevient négative par rapport à sa cathode.

IG. — Ça, alors, c'est plutôt sensationnel! Ce thyratron fonctionne exactement comme un redresseur que l'on pourrait commander.

CUR. — C'est d'ailleurs bien pour cela qu'on le désigne souvent

sous le nom de « valve commandée ». D'ailleurs, l'équivalent en semiconducteur du thyratron s'appelle également « redresseur commandé
au silicium », que l'on désigne souvent par les initiales de la même
phrase dite en anglais : S.C.R.

Les thyratrons semiconducteurs (thyristors).

IG. — Il y a donc des semiconducteurs qui fonctionnent comme
des thyratrons?

CUR. — Ils sont même excellents. Leur nom classique est « Thyristors ». Sans entrer dans le détail de leur constitution, je vous dirai
qu'ils comportent quatre couches alternativement p, n, p et n. La première couche p s'appelle l'anode, la dernière couche n de la cathode est
reliée à un fil extérieur (électrode de commande) et la troisième
couche n'est reliée à rien, mais ses jonctions jouent cependant un
rôle dans le fonctionnement. Un tel thyristor, normalement prévu
pour supporter une tension maximale d'une certaine valeur, par
exemple 200 ou 400 V, tant dans un sens que dans l'autre, peut être
déclenché ou amorcé par son électrode de commande. Il le sera si
on a d'abord maintenu son anode positive par rapport à sa cathode,
exactement comme un thyratron à gaz, à cette différence près avec
ce dernier, toutefois, que ce n'est pas une *tension* que l'on applique
sur son électrode de commande, mais un *courant*. Une fois que le thyristor a été amorcé, seul le circuit extérieur limite l'intensité qui le
traverse, car il se comporte presque comme un court-circuit, plus
exactement comme une bonne diode de redressement au silicium qui
présenterait une chute de tension de 1 V seulement. Vous voyez à quel
point c'est intéressant par rapport à un thyratron à gaz, qui demande
souvent à ses bornes une chute de tension d'une quinzaine de volts
quand il est amorcé.

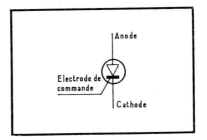

**Fig. 105. — Symbole du thyristor
(équivalent semiconducteur du thyratron à gaz), appelé aussi : redresseur
commandé au silicium ou thyratron
solide.**

Le thyristor s'amorce donc avec un courant de quelque milliampères sur son électrode de commande, après quoi il fonctionne
comme une diode de redressement tant que l'on maintient dans son
circuit anodique une intensité supérieure à quelques milliampères. Si
l'on court-circuite ce thyristor, ce qui fait tomber sa tension aux bornes
au-dessous du volt, tension qui existe normalement entre son anode et
sa cathode quand il conduit, on le désamorce. On le désamorcera aussi
en coupant le courant qui le traverse, ou en rendant son anode négative
par rapport à sa cathode, ce qui revient au même. Pour rappeler à quel
point cet engin est voisin d'un redresseur simple que l'on pourrait commander, on le schématise comme je vous l'indique sur la figure 105,

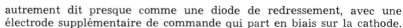

autrement dit presque comme une diode de redressement, avec une électrode supplémentaire de commande qui part en biais sur la cathode.

I<small>G</small>. — Et l'on peut commander des intensités importantes avec ces thyristors?

C<small>UR</small>. — Oh oui, très importantes. Tenez, regardez celui-ci que je sors de la poche de mon gilet : vous avouerez qu'il n'est pas bien gros. Eh bien, il est largement suffisant pour commander régulièrement la vitesse d'un moteur de 2 kW à côté duquel on ne voit presque pas le thyristor. Ce minuscule engin, dont je peux tenir une dizaine dans ma main fermée, chacun pesant 8 g, supporte une tension maximale positive ou négative de 500 V et peut se laisser traverser par un courant de plus de 20 A. Pour en faire autant avec un thyratron à gaz il me faudrait un modèle plus que respectable qui aurait au moins 7 à 8 cm de diamètre et une quinzaine de centimètres de haut. Je passe d'ailleurs sur d'autres problèmes tels que la consommation gigantesque d'énergie pour chauffer la cathode de ce thyratron à gaz et le temps pendant lequel il faut appliquer le chauffage avant de le faire fonctionner, faute de quoi, on risque de l'endommager gravement.

I<small>G</small>. — Je suppose alors que, dans quelques années, il n'y aura plus de thyratrons à gaz.

C<small>UR</small>. — C'est aussi mon avis. Actuellement, cependant, les modèles semiconducteurs sont relativement coûteux, pas plus d'ailleurs que les modèles à gaz de performances équivalentes, et ils sont assez fragiles si l'on ne prend pas des précautions spéciales pour les protéger contre les surtensions. Ils constituent cependant incontestablement la solution de l'avenir.

Déclenchement du thyristor.

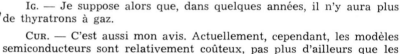

I<small>G</small>. — Bien, quand je monterai des commandes de moteurs, je ne mettrai que des thyristors. Il y a encore un point qui m'inquiète un petit peu : vous m'avez parlé d'impulsions déclenchant l'amorçage du thyristor plus ou moins tôt. Comment les réalise-t-on et comment les fait-on varier en position (je soupçonne que vous me diriez « en phase ») par rapport à la période positive sur l'anode du thyristor?

C<small>UR</small>. — Ces impulsions peuvent se produire de différentes façons. On emploie souvent, pour déclencher les thyristors, un montage équipé d'un petit transistor spécial que l'on appelle « transistor unijonction ».

I<small>G</small>. — Cela me semble très bien. Nous voulions déclencher ce thyristor qui, lui, a trois jonctions : nous utiliserons pour cela un transistor qui, si j'en crois son nom, n'en a qu'une seule. Cela rétablit un peu l'équilibre.

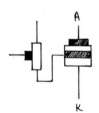

C<small>UR</small>. — Je n'avais pas pensé à cette répartition équitable du nombre des jonctions. Quoi qu'il en soit, le transistor unijonction est un petit dispositif simple : c'est un barreau de silicium de type n avec une connexion à chaque bout (on les appelle les base 1 et base 2) et une jonction pas tout à fait au milieu avec une zone p appelée émetteur. Quand j'établis une différence de potentiel entre ses bases, il se comporte un peu comme un thyristor dont l'anode serait son émetteur et la cathode une de ses bases. Si je réalise avec lui le montage qui est schématisé sur la figure 106, le condensateur C se chargera à travers R₁ jusqu'à ce que l'électrode représentée par une flèche (et que l'on appelle l'*émetteur* du transistor unijonction) soit arrivée à un potentiel voisin de E/2. A ce moment, la jonction émetteur du transistor unijonction devient brusquement très conductrice et le condensateur se décharge rapidement à travers R₃. Les connexions que j'ai appelées B₁ et B₂ sont en réalité deux connexions faites sur la base de ce transistor, qui ne comporte pas de collecteur. Au moment où C se décharge dans R₃, il

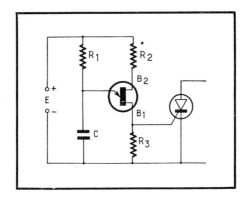

Fig. 106. — Montage d'un transistor unijonction pour donner, par décharge de C dans R₃ quand la tension aux bornes de C atteint une valeur donnée, des impulsions qui déclenchent le thyristor.

apparaît aux bornes de cette résistance une tension capable d'amorcer le thyristor.

Iᴳ. — Au fond, votre transistor unijonction est une espèce de petit thyristor?

Cᴜʀ. — Il a en effet une certaine analogie avec un thyristor. Mais il ne laisse passer que des courants de faible intensité. Il peut être employé pour fabriquer des tensions en dents de scie et pour d'autres usages; on l'emploie surtout comme organe de déclenchement des thyristors.

Iᴳ. — Votre transistor unijonction me semble un curieux instrument. Mais il y a quelque chose qui m'inquiète : vous ne m'avez pas dit comment, dans votre montage de la figure 106, vous faisiez pour obtenir une impulsion plus ou moins tôt pendant la période positive du secteur. Il me semble que votre système doit donner des dents de scie sans aucun rapport avec le secteur.

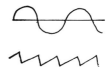

Synchronisation par le secteur.

Cᴜʀ. — Vous avez raison. Le schéma de la figure 106 était destiné à vous faire comprendre le fonctionnement du transistor unijonction et la façon dont on le couple à un thyristor. Si vous voulez le véritable schéma définitif d'utilisation, regardez celui de la figure 107 que vous comprendrez facilement.

Iᴳ. — Et vous osez dire que c'est facile! Il est bougrement compliqué votre schéma.

Cᴜʀ. — Mais non, comme tous les schémas, il faut essayer d'en regarder chaque élément l'un après l'autre. Vous voyez que la tension U alternative est appliquée à travers la charge au thyristor. Cette charge (qui peut être l'induit d'un moteur) sera traversée par le courant du

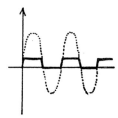

thyristor (pendant les alternances qui rendent l'anode de celui-ci positive par rapport à la cathode) quand le thyristor sera déclenché. A partir de la tension qui existe aux bornes du thyristor, nous fabriquons la tension d'alimentation du transistor unijonction au moyen de la résistance R_4 et de la diode Zener. Dès que la tension aux bornes du thyristor est positive et tant soit peu supérieure à la tension Zener de la diode, la chute de tension dans R_4 maintient entre les points A et B une tension constante, égale à cette tension Zener.

Si la tension aux bornes du thyristor est négative (anode négative par rapport à la cathode), la diode Zener fonctionne en diode ordinaire, maintenant le potentiel de A à une valeur presque égale à celle de B. L'ensemble du transistor unijonction est donc alimenté par la tension entre A et B qui remplace la tension E de la figure 106. La charge du condensateur C commence au moment précis où la tension aux bornes du thyristor devient telle que son anode soit positive par rapport à sa cathode. Elle cesse au moment où la charge du condensateur a atteint une valeur suffisante pour provoquer la conduction du transistor unijonction.

Si le transistor T se trouve bloqué, la charge du condensateur est rapide et l'impulsion qui se produit aux bornes de R_3 déclenchera le thyristor pratiquement dès le début de l'alternance positive. Par contre, si le transistor T est débloqué par un courant fourni à sa base par la source e, il dérivera vers le point B une partie du courant qui, à travers

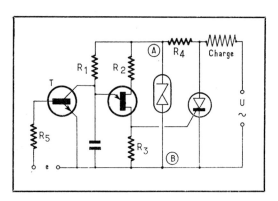

Fig. 107. — Montage complet de commande du courant moyen dans la charge par thyristor déclenché par un transistor unijonction.

R_1, chargeait le condensateur. Cette charge sera donc ralentie, il en résultera un déclenchement tardif du transistor unijonction, donc du thyristor. Le courant moyen passant dans ce dernier sera donc très petit.

IG. — C'est loin d'être aussi simple que vous le dites. Je crois que je vous ai tout de même un peu suivi. Mais, aussi bien dans votre schéma que dans les précédents, il y a quelque chose qui m'ennuie : on n'utilise pratiquement qu'une seule alternance de la tension alternative, l'autre est forcément perdue.

CUR. — C'est exact, et, si cela vous ennuie, il est possible d'utiliser deux thyristors, montés en sens inverse et travaillant chacun sur une alternance du secteur. On s'arrange, par un système de deux diodes ordinaires jointes aux deux thyristors, pour que le courant d'une alternance ou de l'autre traverse la charge dans le même sens. Comme vous le voyez, il n'y a pas là un système tellement complexe et cela se prête remarquablement à la commande de moteurs de très grande puissance.

Ig. — Je veux bien vous croire, mais il reste une dernière chose qui m'inquiète : le courant qui passe dans ces moteurs croît brutalement et ne passe que pendant des périodes courtes si on veut le réduire. Ne faut-il pas s'attendre d'abord à des surtensions dues au phénomène de self-induction et ensuite à des réactions du moteur qui n'aimerait pas du tout se voir soumis à des à-coups aussi brutaux?

Cur. — En ce qui concerne ce moteur, je ne peux que lui adresser mes condoléances. Personnellement, j'en ai un qui fonctionne ainsi chez moi et il n'est jamais venu se plaindre. Votre objection concernant les tensions dues au phénomène de self-induction est plus importante : ces surtensions peuvent en effet nous gêner, en tout cas elles compliquent un peu le fonctionnement du système, sans toutefois nécessiter une modification très importante du schéma que je vous ai tracé et qui est assez voisin de celui que l'on peut employer dans la pratique.

Ig. — Il se peut que votre moteur s'en accommode, mais quant à mon cerveau je le sens nettement saturé et je crois qu'il vaudrait mieux continuer demain.

Plus rien à faire tourner, cette fois : Ignotus veut savoir ce que sont les ultra-sons et comment on les produit. Passant à la modulation des sources lumineuses et à son application à la bélinographie, il va faire connaissance d'un instrument dont l'avenir est immense : le LASER.

GENERATEURS D'ULTRA-SONS MODULATEURS DE LUMIERE et LASERS

Les excitateurs de vibrations.

IGNOTUS. — Dites-moi, Curiosus, il y a une sorte de restituteur dont j'aimerais que vous me disiez quelques mots. Un de mes amis qui travaille dans l'aéronautique m'a dit que, pour essayer de petits appareils fragiles qui devraient être montés sur des avions, il les plaçait sur une table vibrante commandée par un gros amplificateur. Qu'est-ce donc que cela?

CURIOSUS. — Vous connaissez l'instrument sans le savoir. C'est tout simplement un très gros haut-parleur à bobine mobile. L'aimant qui le constitue est énorme, et l'on place dans son entrefer une bobine dans laquelle on envoie le courant d'un amplificateur. Cette bobine communique aux pièces qui lui sont liées un mouvement à la fréquence du courant qu'on y envoie.

IG. — Mais alors, je pourrais très bien réaliser un tel excitateur de vibrations : il me suffit d'utiliser un haut-parleur que j'ai dans un coin de mon armoire et que je n'utilise plus puisque sa membrane est déchirée.

CUR. — Vous pourriez en effet l'employer, mais les excitateurs de vibrations habituels sont des engins d'une puissance gigantesque comparée à celle de votre petit haut-parleur. Imaginez-vous que, pour entraîner en vibration forcée d'une certaine amplitude une grande plaque d'acier sur laquelle sont fixés les objets à essayer, il faut une très grande puissance si vous voulez que le mouvement ait une amplitude notable. Par exemple, je connais une station d'essais où l'amplificateur de commande de la table vibrante peut délivrer une puissance de 80 kW.

IG. — Vous m'en voyez littéralement stupéfait. Evidemment, avec mon amplificateur donnant 5 W, je ne pourrais rien faire du tout.

CUR. — Je corrige votre expression, vous pouvez communiquer à de petits objets légers une amplitude modérée, surtout aux fréquences relativement basses. C'est aux fréquences élevées qu'il est difficile d'obtenir de fortes amplitudes sans engouffrer des puissances effarantes dans la bobine de l'excitateur.

IG. — Oui, mais il y a une chose qui m'inquiète, la puissance que vous envoyez là-dedans, n'est pas convertie tout entière en énergie mécanique. Que devient-elle?

CUR. — La plus grande partie se dissipe en chaleur. C'est d'ailleurs pourquoi il faut prévoir des systèmes de refroidissement très énergiques pour les excitateurs de vibrations quand ils commencent à devenir de grande taille. Celui que j'ai vu, et qui était excité par ce fameux amplificateur de 80 kW, était capable, moyennant des corrections adéquates dans les amplificateurs d'excitation, de servir de chaîne haute fidélité comme vous n'en avez jamais entendue. Ce qui était plutôt surprenant c'était d'entendre sortir une valse de Chopin jouée par le mouvement dans l'air d'une plaque d'acier d'à peu près un demi-mètre carré ayant plusieurs millimètres d'épaisseur : vous imaginez un peu ce que cela représente comme puissance pour l'ébranler avec une amplitude notable, au point d'en faire une véritable membrane de haut-parleur, à des fréquences de 3 ou 4 kHz.

Excitateur Hi-fi

Ig. — Pour ce qui est de la musique, je me contenterai de la classique membrane en papier que l'on commande très bien avec quelques watts. Mais j'admets volontiers qu'elle n'est pas capable d'ébranler jusqu'à la rupture les petits engins qu'on essaye. Mais comment connaît-on exactement les efforts auxquels ces engins sont soumis.

Cur. — C'est extrêmement facile : on fixe, à côté de l'appareil essayé, un de ces petits systèmes nommés accéléromètres dont je vous ai déjà parlé.

Les ultra-sons.

Ig. — Et jusqu'à quelle fréquence pouvez-vous aller avec ces excitateurs de vibrations.

Cur. — Oh, il ne faut guère dépasser une dizaine de kilohertz. Il est même rare que l'on aille aussi loin. Si vous voulez communiquer à un corps une vibration plus rapide, nous tombons pratiquement dans le domaine des ultra-sons.

Ig. — J'en ai entendu parler. Je crois que ce sont les sons dont la fréquence est trop élevée pour que l'oreille puisse les percevoir; autrement dit, ceux qui se situent au delà d'une quinzaine de kilohertz.

Cur. — C'est en effet cela. La gamme des ultra-sons est extrêmement vaste et s'étend d'une quinzaine de kilohertz à plusieurs mégahertz.

Ig. — Je suppose qu'il doit falloir des haut-parleurs absolument extraordinaires pour arriver à les produire.

Cur. — En réalité on les produit rarement avec des haut-parleurs. D'ailleurs, on n'utilise que très peu les ultra-sons dans l'air. Vous pourrez en faire assez facilement avec une petite puissance jusqu'à 100 kHz en utilisant ces petits haut-parleurs électrostatiques que l'on emploie souvent comme tweeters dans les ensembles haute fidélité. Vous pourrez aussi utiliser le haut-parleur ionique qui permet de monter assez loin. Mais les ultra-sons ne se propagent pas très bien dans l'air. On les utilise le plus souvent dans des liquides ou dans des solides.

Ig. — Ça alors! Vous n'allez tout de même pas me dire que des ultra-sons peuvent se propager dans des liquides ou des solides.

Cur. — Même si vous n'êtes pas d'accord, je vous le dirai. Pourquoi voulez-vous que les ultra-sons ne puissent le faire alors que les sons ordinaires le font très bien? Vous avez déjà remarqué, si vous avez fait de la plongée sous-marine, que l'on entend parfaitement sous l'eau le bruit des hélices de bateaux qui passent très loin de vous. Pour les ultra-sons, la propagation est encore plus facile, car ces sons, de courte longueur d'onde, se laissent facilement diriger en un faisceau très serré que l'on peut envoyer à bonne distance sans le disperser. Mais, comme je vous l'ai dit, on utilise rarement des appareils du type haut-parleur pour les produire.

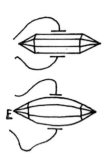

Ig. — Alors, je ne vois vraiment pas comment on peut fabriquer des ultra-sons autrement qu'avec un haut-parleur.

Cur. — Les deux principales méthodes consistent à utiliser la piézo-électricité ou la magnétostriction.

Ig. — Si vous continuez avec des mots pareils, j'aime mieux m'en aller tout de suite.

Générateurs d'ultra-sons piézo-électriques.

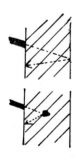

Cur. — Ne vous inquiétez pas, Ignotus. La piézo-électricité est la propriété qu'ont certains cristaux d'engendrer une tension électrique quand on les soumet à une action mécanique. Vous connaissez cela déjà : les têtes de pick-up piézo-électriques sont courantes. Le phénomène est réversible, autrement dit, quand on applique une tension électrique entre deux électrodes convenablement déposées sur un cristal donné, ce cristal se déforme. C'est à l'aide d'un cristal de ce type, souvent en quartz, que l'on fabriquera des ultra-sons : on lui appliquera une tension alternative à fréquence élevée et le cristal se mettra à vibrer.

Ig. — Mais ce serait un engin sensationnel pour faire un haut-parleur : après ce que vous venez de m'en dire je suppose qu'il doit être particulièrement désigné pour bien reproduire les fréquences élevées.

Cur. — Très élevées même. Pratiquement, il reproduirait très mal les fréquences basses, car l'amplitude de la déformation est petite, et il faut une grande amplitude pour engendrer des sons à fréquence basse. En fait, cette amplitude serait tellement faible qu'on ne percevrait même pas, avec les systèmes appropriés, l'ultra-son produit, si l'on n'utilisait pas la résonance. Vous savez qu'un cristal a une fréquence d'oscillation propre. C'est sur cette fréquence qu'on l'excite en général. L'amplitude d'oscillation devient alors plus grande. Le cristal est directement baigné dans le liquide où il doit envoyer le faisceau d'ultra-sons à moins qu'il ne soit mis en contact avec la pièce solide dans laquelle on envoie ces ultra-sons en interposant une mince couche d'huile pour assurer un très bon contact.

Ig. — Et, excusez ma question, à quoi cela sert-il d'envoyer des ultra-sons dans des liquides ou des solides?

Cur. — Les ultra-sons envoyés dans un liquide ont déjà la propriété d'y faire tomber les substances en suspension colloïdale. Ils détruisent également les micro-organismes. C'est un procédé de stérilisation, mais il n'est pas encore employé très couramment. Ils permettent également de réaliser un mélange extrêmement homogène de constituants qui, d'habitude, ne se mélangent pas. Si vous envoyez, par exemple, un faisceau d'ultra-sons dans de l'eau au fond de laquelle il y a du mercure, vous verrez votre mercure se séparer en de minuscules petites gouttes très fines qui se mélangeront à l'eau en une espèce de suspension grise qui met très longtemps avant de retomber. En ce qui concerne les solides, on y envoie surtout des petits faisceaux d'ultra-sons pour savoir si ces faisceaux ne rencontreront pas, à l'intérieur du solide, des défauts (fissures ou cavités) qui donneront un écho décelable, permettant ainsi de connaître l'existence de ces défauts sans avoir à détruire la pièce. Nous en reparlerons plus loin. De même, dans un liquide, les ultra-sons peuvent constituer un moyen de communication, comme une onde porteuse de radio dans l'air ou dans le vide. Ils peuvent également être employés pour déceler les obstacles dans l'eau, les bancs de poissons pour la pêche ou pour des applications militaires que vous devinez facilement.

IG. — Et comment est constitué l'émetteur d'ultra-sons? Vous m'avez parlé d'un cristal, j'aimerais savoir comment on l'utilise.

Projecteur à ultra-sons de petite puissance.

CUR. — Il y a beaucoup de façons. Pour de petites puissances, on utilisera une lame de quartz, métallisée sur l'une de ses faces et dont l'autre, baignée dans un liquide isolant, comme du pétrole, se trouve à courte distance d'une sorte de piston qui constitue l'autre électrode, ainsi

Fig. 108. — La lame de quartz située au bout du projecteur ultra-sonore entre en oscillation et envoie un faisceau d'ultra-sons dans l'eau; il se réfléchit au fond du récipient et la pression de radiation forme un petit geyser sur l'eau.

que je vous le représente en coupe sur la figure 108. Vous voyez que le piston s'approche très près de la face arrière de la lame de quartz, sans la toucher rigoureusement.

IG. — Je vois assez bien la disposition de votre système. Par contre, je ne saisis pas du tout la raison de cette petite trombe que vous m'avez dessinée sur la surface de l'eau, à droite du « projecteur d'ultra-sons », si j'ose m'exprimer ainsi.

CUR. — Votre terme de projecteur est parfaitement correct, il est fréquemment utilisé. Quant à cette petite trombe, elle représente simplement un phénomène que vous verrez effectivement. Le faisceau d'ultra-sons part tout droit, perpendiculairement à la face inférieure métallisée du cristal. Il arrive sur le fond du bac contenant de l'eau, il s'y réfléchit et arrive en surface. Or il se trouve que, quand on envoie une forte énergie ultra-sonore dans l'eau, les points soumis à ce rayonnement se trouvent refoulés par un phénomène assez complexe que l'on appelle la pression de radiation. Si le faisceau d'ultra-sons arrive près de la surface, venant du dessous, on voit surgir au-dessus de cette surface, une sorte de petit geyser qui se couronne d'une poussière d'eau pulvérisée par l'agitation ultra-sonore.

IG. — Et quel effet cela ferait-il si je mettais la main dans le faisceau d'ultra-sons.

CUR. — Vous la retireriez tout de suite. Vous auriez l'impression d'avoir mis une main plus ou moins écorchée dans un bain d'acide sulfurique. On éprouve en même temps une sensation de brûlure. C'est d'ailleurs une bonne chose, car il ne faudrait pas laisser les ultra-sons

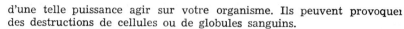

d'une telle puissance agir sur votre organisme. Ils peuvent provoquer des destructions de cellules ou de globules sanguins.

IG. — Tiens, je n'aurais jamais cru que ces ultra-sons étaient dangereux. Mais, dites-moi, Curiosus, on a proposé de les utiliser pour laver le linge. J'avoue que je n'y comprends rien, et que cela me semble très dangereux, sinon pour le linge du moins pour les ménagères.

CUR. — Rassurez-vous, Ignotus, il s'agirait dans ce cas de faisceaux d'ultra-sons à faible puissance. D'ailleurs, un dispositif adéquat couperait le producteur d'ultra-sons quand on ouvre le couvercle pour mettre la main dans la cuve. L'efficacité d'un tel système doit être assez bonne, puisqu'on l'utilise actuellement pour nettoyer les petites pièces mécaniques et que l'on obtient d'excellents résultats. En ce qui concerne le linge, l'action des ultra-sons serait de faire pénétrer le produit détersif dans les pores du tissu. Je ne crois d'ailleurs pas que cette application ait encore reçu à l'heure actuelle un grand développement. Mais il y a des possibilités intéressantes pour l'avenir.

Les projecteurs de grande puissance.

IG. — On procédera donc toujours avec un projecteur comme celui que vous m'avez représenté sur la figure 108.

CUR. — Non. Surtout si vous décidez de faire un faisceau d'ultra-sons plus intense, il vous faudra un quartz plus épais. Comme ce matériau est relativement rare et coûteux, on a trouvé une solution fort intéressante qui est le « sandwich de Langevin ». C'est tout simplement une lame de quartz mince, placée entre deux lames d'un matériau dans lequel le son se propage à la même vitesse que dans le quartz. Fort heureusement l'acier répond à cette définition. On constitue donc un ensemble de deux plaques épaisses en acier séparées par une mince plaque de quartz, laquelle peut d'ailleurs être en plusieurs morceaux, à condition qu'ils soient tous de la même épaisseur et tous taillés de la même façon par rapport aux axes du cristal de quartz.

IG. — Sincèrement ce type de sandwich acier-quartz ne doit pas être très intéressant pour le petit déjeuner!

CUR. — Indirectement si. En effet, c'est ce système qui est utilisé sur les bateaux pour émettre des impulsions ultra-sonores et déceler par écho la présence des sous-marins et, éventuellement, celle des bancs de poissons.

IG. — Je vois donc bien comment on va produire des ultra-sons grâce à ces propriétés piézo-électriques. Mais vous m'avez parlé d'autre chose qui portait un nom au moins aussi barbare.

CUR. — Vous voulez parler de la magnétostriction. C'est un phénomène relativement simple qui est le suivant. Certains matériaux magnétiques, soumis à un champ magnétique, voient leur longueur varier. Si on les soumet à un champ alternatif superposé à un champ continu et que la fréquence du champ alternatif corresponde à la fréquence de résonance mécanique du matériau, on obtient un effet de vibration ultrasonore.

IG. — Pourquoi superposez-vous un champ magnétique continu?

CUR. — Exactement comme dans les anciens haut-parleurs magnétiques. Le barreau se contracte aussi bien quand le champ magnétique est dans un sens que quand il est dans un autre. La contraction est presque insensible autour du champ nul. Le champ magnétique continu constitue une sorte de polarisation magnétique qui assure une bonne efficacité du système.

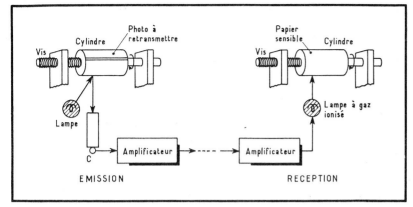

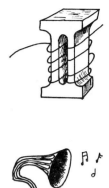

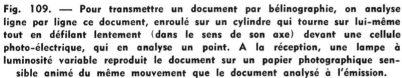

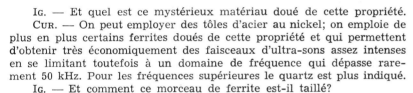

Fig. 109. — Pour transmettre un document par bélinographie, on analyse ligne par ligne ce document, enroulé sur un cylindre qui tourne sur lui-même tout en défilant lentement (dans le sens de son axe) devant une cellule photo-électrique, qui en analyse un point. A la réception, une lampe à luminosité variable reproduit le document sur un papier photographique sensible animé du même mouvement que le document analysé à l'émission.

Ig. — Et quel est ce mystérieux matériau doué de cette propriété.

Cur. — On peut employer des tôles d'acier au nickel; on emploie de plus en plus certains ferrites doués de cette propriété et qui permettent d'obtenir très économiquement des faisceaux d'ultra-sons assez intenses en se limitant toutefois à un domaine de fréquence qui dépasse rarement 50 kHz. Pour les fréquences supérieures le quartz est plus indiqué.

Ig. — Et comment ce morceau de ferrite est-il taillé?

Cur. — En général, sous forme d'un bâton, ou d'un noyau fermé sur lui-même pour permettre une bonne circulation du flux. Ce qui est important, c'est que ses deux faces terminales soient bien planes et bien parallèles. Ainsi, l'onde ultra-sonore qui parcourt le barreau se réfléchit correctement sur ses faces et entretient une oscillation en onde stationnaire à l'intérieur du barreau. Chaque fois que cette onde heurte une face, une partie s'échappe vers le milieu extérieur et une partie est réfléchie dans le ferrite. C'est grâce à cette partie réfléchie qu'est assuré l'entretien de l'oscillation en onde stationnaire.

Le belinographe.

Ig. — Je vois donc ce qui se passe dans le barreau. Mais dites-moi, Curiosus, ne pourrait-on pas essayer de produire autre chose que des ultra-sons comme phénomène donné par le restituteur? Si l'on fabriquait de la lumière. Y a-t-il d'autres moyens que la bonne lampe à incandescence?

Cur. — Oh, oui, des quantités de moyens! D'abord, vous avez l'utilisation des lampes à ionisation, dans lesquelles vous faites parcourir un gaz par un courant d'ions. Un tel système se prêtera à une variation de la lumière beaucoup plus rapide que celle que peut donner une lampe à incandescence. C'est ainsi que, par exemple, on réalise la transmission des photographies à distance par le **procédé Edouard Belin.**

La photographie à reproduire est placée (fig. 109) sur un cylindre qui tourne d'un mouvement parfaitement régulier à une vitesse rigoureusement connue, déterminée par un quartz. Une cellule photo-électrique C analyse une coupe de ce cylindre par un plan perpendiculaire à l'axe, ou, plus exactement, une hélice dessinée sur ce cylindre car le point exploré se déplace lentement d'un mouvement parallèle à l'axe du cylindre.

IG. — Ce n'est vraiment pas la peine, Curiosus, de me donner tant d'explications détaillées. Ce type d'analyse ressemble tellement à la télévision courante que je le trouve presque évident.

CUR. — Tant mieux. A la réception, le signal envoyé par la cellule photo-électrique par une ligne téléphonique est reçu, après amplification, dans une lampe à gaz ionisé, qui donnera un point plus ou moins brillant arrivant sur un tambour, identique au tambour émetteur, placé dans une chambre noire, et garni d'un papier photographique sensible. Le tambour récepteur tourne exactement à la même vitesse que le tambour émetteur (on compte pour cela sur l'extrême précision des quartz); on a pris soin de mettre son mouvement en phase avec celui du tambour émetteur au moyen d'un top approprié. Le point lumineux qui se forme sur le papier sensible est déplacé le long d'une ligne parallèle à l'axe de rotation du tambour à la même vitesse que le point d'exploration à l'émission. Une fois la réception terminée, on développe le papier et on y voit la photographie.

IG. — Mais il y a une chose que je ne comprends pas du tout : quand vous m'avez parlé de télévision, vous avez insisté sur le fait qu'il fallait, pour transmettre une image, une bande passante gigantesque se comptant en mégahertz. Maintenant, vous me parlez de transmettre une image sur une ligne téléphonique! Je ne comprends plus.

CUR. — Pour la télévision, chaque image était transmise en 1/25 de seconde. Une phototélégraphie est transmise par le procédé Edouard Belin en 7 à 15 minutes. Vous voyez que l'on peut réduire considérablement la bande passante et utiliser ainsi une ligne téléphonique.

IG. — Oui, mais c'est très approximatif. Cela m'explique pourquoi les téléphotos que l'on voit dans les journaux sont si mauvaises.

CUR. — Cela ne vient pas du tout de la retransmission, Ignotus. Si je vous montrais côte à côte un original et la téléphoto reçue à 600 km de là, je ne crois pas que, sans l'aide d'une loupe, vous arriviez à les distinguer l'un de l'autre; seulement, comme les téléphotos sont en général transmises pour des informations de grande urgence, ce sont les systèmes de clichage très accélérés employés dans les journaux qui dénaturent l'image.

IG. — Bien, je ne dirai donc plus de mal de la téléphoto sans le savoir. Mais, dites-moi, Curiosus, ne peut-on pas produire de la lumière d'une autre façon?

Le laser.

CUR. — Oh, si, bien sûr. Je vais même vous indiquer la méthode la plus récente pour en produire, méthode très prometteuse, le Laser, dont le nom vient du groupement d'initiales d'une définition en anglais.

IG. — J'ai vaguement entendu parler de cet instrument, dont on m'a dit qu'on pouvait faire de lui le rayon de la mort.

CUR. — Ignotus, je vois que vous avez puisé vos informations dans la grande presse. Remarquez que, hélas, il y a peut-être un peu de vrai dans un futur relativement éloigné. Pour le moment, le Laser peut produire des faisceaux lumineux parfaitement dirigés et comme tels susceptibles d'être envoyés à très grande distance. Il procède un peu comme le générateur d'ultra-sons à ferrite dont nous avons parlé plus haut. On utilise un cristal transparent, du type rubis, dont les deux faces terminales sont parfaitement polies et parallèles. Ces faces réfléchissent une partie de la lumière qui peut être produite à l'intérieur du cristal et en laissent filtrer une autre partie. On place autour de ce cristal (fig. 110) une source lumineuse d'une extrême puissance, par exemple un tube flash analogue à celui que vous employez en photographie, utilisant la décharge d'un gros condensateur C chargé à très haute tension dans un gaz ionisé.

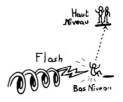

Ig. — Et c'est la lumière du flash qui sort par le cristal! Mais alors... votre Laser n'a rien de nouveau.

Cur. — Vous n'y êtes pas. La lumière vient du cristal.

L'énergie fournie sous forme lumineuse aux constituants du cristal provoque une activation de certaines particules à l'intérieur de celui-ci; autrement dit, une augmentation de leur niveau d'énergie. Ces particules abandonnent leur énergie en retombant à un niveau énergétique

Fig. 110. — Dans le Laser à cristal, le tube flash enroulé autour du cristal envoie un éclair qui excite les particules du cristal. Celles-ci, en perdant leur énergie, engendrent et amplifient un faisceau lumineux pour lequel le cristal à deux faces planes et parallèles constitue un « résonateur optique ».

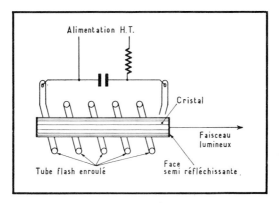

plus faible. Cette énergie abandonnée est rayonnée sous forme de lumière. Le cristal, avec ses faces taillées, constitue une sorte de résonateur, un peu comme un circuit oscillant d'une surtension gigantesque. Il y a donc production de lumière, à une fréquence imposée par la longueur du cristal; et cette lumière est rayonnée par une des faces terminales du cristal suivant un faisceau de rayons presque rigoureusement parallèles.

Ig. — Et la lumière produite par le cristal a-t-elle autant de puissance que celle du flash?

Cur. — Tant s'en faut. Mais elle a une propriété précieuse : cette lumière est dite « cohérente ». Contrairement à la lumière émise par les corps chauds ou par les gaz ionisés classiques, elle se compose d'un seul train d'ondes qui envoie son oscillation pendant un temps appréciable. Dans les autres modes de production de la lumière, l'énergie lumineuse est rayonnée par des quantités de petites oscillations, durant chacune extrêmement peu de temps, fournissant chacune un petit train d'ondes très court (quelques centimètres, ce qui représente bien peu de temps vu la vitesse de la lumière) sans aucun rapport de phase les uns avec les autres.

Dans le Laser, au contraire, la lumière produite est tout à fait analogue comme structure d'onde à l'onde électromagnétique produite par une antenne excitée par un oscillateur haute fréquence. On utilise également des Lasers à gaz, dans lesquels un gaz donné est placé entre deux faces semi-réfléchissantes, rigoureusement planes et parallèles. Ce gaz est excité par une décharge électrique, à la façon d'une lampe à luminescence ionique. Mais, cette fois, il y a émission de lumière cohérente Citons également les Lasers à semiconducteurs. On a remarqué que certaines diodes, principalement celles qui sont réalisées avec de l'arséniure de gallium, de l'antimoniure d'indium d'autres composés de ce type émettent de la lumière quand elles sont parcourues par un courant suffisamment intense dans le sens passant. En général, cette émission lumineuse se situe dans le domaine de l'infrarouge et il ne s'agit pas de lumière cohérente.

Mais, si l'on a réalisé un telle diode ayant deux faces rigoureusement parallèles et parfaitement polies, on arrive à obtenir une lumière cohérente. Un tel Laser (dit « à injection », ou « Laser semiconducteur ») est de taille minime, toutefois, sa directivité est nettement moindre que celle des modèles à gaz ou à rubis. Evidemment, étant donné le parallélisme rigoureux des rayons lumineux donnés par un Laser, si on concentre ceux-ci au moyen d'une lentille, on obtient un rassemblement d'énergie assez important, en un point d'une dimension si faible que l'énergie par centimètre carré est énorme : en concentrant ainsi le faisceau d'un Laser sur une mince lame d'acier, on la perce presque instantanément. C'est de là qu'est venue l'idée de son utilisation destructrice, fort heureusement restée pour le moment à l'état de projet, mais qui pourrait bien, hélas, devenir un jour une horrible réalité.

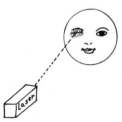

Applications du Laser.

IG. — Ce Laser me semble donc un bien méchant instrument. Quel intérêt présentera-t-il pour nous?

CUR. — Il présente l'intérêt de pouvoir émettre une lumière modulée et, en même temps, de canaliser cette lumière avec une précision rigoureuse. C'est avec un tel instrument que l'on a réussi à illuminer un point donné sur la Lune sans qu'il y ait une dispersion trop appréciable des rayons, malgré un parcours de 380 000 km.

IG. — Cela commence à devenir intéressant. Mais on pourrait aussi bien concentrer des ondes hertziennes?

CUR. — Ce serait plus difficile. N'oubliez pas, Ignotus, que la possibilité de concentration d'une onde quelconque est fonction du rapport de la dimension des organes employés pour la concentrer à la longueur d'onde de la radiation que l'on concentre. Autrement dit, avec un Laser qui produit une radiation de 0,7 µm, on obtient le même effet de concentration avec un cristal de 5 mm de côté que celui que l'on obtiendrait pour une onde de 10 cm de longueur d'onde avec un réflecteur de 700 m de côté. En outre, la fréquence des oscillations lumineuses étant extrêmement élevée, elle peut servir de porteuse pour des modulations à des fréquences considérables. Un seul rayon de Laser est capable d'acheminer simultanément des centaines de milliers de programmes de télévision ou quelques milliards de conversations téléphoniques, de quoi établir des liaisons entre tous les habitants de notre planète... Nous allons maintenant parler de restituteurs qui nous fournissent une grandeur de sortie immatérielle.

IG. — Ça, alors, Curiosus! Vous nagez donc au sommet des hautes sphères de la philosophie?

Les tubes à rayons cathodiques.

CUR. — Ignotus, j'aimerais que vous me définissiez d'abord ce que c'est que le sommet d'une sphère. Ensuite quand je nage, je préfère un plan (d'eau). Non, rassurez-vous. Quand je parle de restitution immatérielle, cela veut dire que j'envisagerai un restituteur qui ne fait pas bouger quelque chose de matériel (disons qu'avec la lumière c'était déjà un peu le cas). Ce à quoi je pense en ce moment, c'est tout simplement le tube à rayon cathodique de l'oscilloscope : le restituteur (qui est ici le champ électrique dû à la tension de sortie de l'oscilloscope) n'y exerce une action que sur des électrons.

IG. — Mais, des électrons, c'est parfaitement matériel cela!

CUR. — Vous trouvez? Eh bien, voilà un seau, allez m'en chercher!

IG. — Je voulais dire qu'il s'agit de constituants de la matière. Qu'allez-vous donc en faire, de ces électrons?

CUR. — Je vais tout simplement les concentrer dans un tube spécial, à partir d'une cathode qui les émet, pour les faire arriver en un point bien précis du fond du tube, garni, comme vous le savez, d'une couche de produit fluorescent qui s'illumine quand les électrons le touchent. Nous aurons ainsi réalisé un point lumineux que nous pouvons déplacer dans tous les sens au moyen de champs électriques produits par les plaques de déviation à l'intérieur du tube.

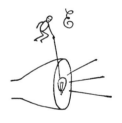

IG. — Mais, Curiosus, je connais déjà très bien cet engin. Je ne pense pas que vous ayez quelque chose à m'apprendre sur lui.

CUR. — Je sais qu'en général vous avez toujours l'impression de connaître une question à fond quand vous l'avez un peu examinée. Mais il y aurait énormément à dire sur l'oscilloscope cathodique. Je me permets d'abord de vous demander comment vous feriez pour en réaliser un équipé uniquement de transistors (à l'exception du tube cathodique lui-même, bien entendu)?

IG. — Oh! dans ce cas, je prendrai de bons transistors qui supportent des tensions assez élevées et je monterai les amplificateurs et bases de temps d'une façon assez classique.

Tubes à haute sensibilité.

CUR. — Je veux bien. Mais dites-vous que vos transistors supporteront difficilement plus de 40 ou 50 V collecteur, surtout si vous voulez leur faire débiter une certaine puissance, ce qui sera nécessaire, si on les utilise avec les courants élevés qu'imposent les faibles résistances de charge liées aux grandes bandes passantes. Dans un tube cathodique ordinaire, où la sensibilité de déviation est voisine de 0,3 mm/V, les tensions de sortie d'un tel amplificateur pourront tout au plus dévier le spot de 20 mm. Vous en ferez éventuellement le double avec un montage symétrique, mais je ne vous conseille guère d'utiliser ces tensions de 60 V pour des transistors. Des valeurs de 20 V sont plus courantes. A ce moment vous finirez par être obligé d'examiner votre point avec une loupe pour en voir les déplacements.

Ig. — J'aurais considéré la situation comme irrémédiable si je n'avais pas l'habitude de vous voir résoudre les problèmes en apparence insolubles. En conséquence, j'attends le miracle.

Cur. — Je vous remercie de votre confiance. En réalité il ne s'agit pas de miracle, mais de progrès importants réalisés dans la fabrication des tubes à rayons cathodiques. On a pu réussir à accélérer les électrons *après* leur déviation par un champ électrique très étagé obtenu au moyen d'une espèce d'anode découpée en une longue spirale qui tapisse

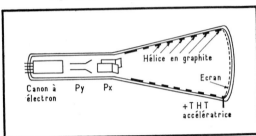

Fig. 111. — **Dans le tube cathodique à post-accélération, les électrons émis par le canon, déviés par les plaques déflectrices sont accélérés ensuite par le champ électrique progressif réalisé dans le tube par la T.H.T. de post-accélération et l'hélice en graphite qui est reliée à cette anode de post-accélération.**

la paroi interne du tube (fig. 111). Grâce à des structures perfectionnées des électrodes de déviation, on est arrivé à des sensibilités de déviations qui atteignent jusqu'à 5 mm/V et même plus. Dans ces conditions, avec des transistors alimentés sous leurs tensions usuelles, on balaye très facilement la totalité du tube.

Ig. — Quel dommage que l'on n'ait pas fait de tels tubes plus tôt! Ils auraient été bien pratiques avec les amplificateurs à tubes chauds. Mais, il y a une question qui me tracasse : quelle bande passante peut-on réaliser avec ces oscilloscopes à transistors?

L'oscilloscope à échantillonnage.

Cur. — Ceux que je connais ont actuellement des bandes passantes de 20 MHz, ce qui n'est pas mal. Dites-vous bien d'ailleurs que, avec les techniques les plus poussées, il est très difficile de faire des bandes passantes qui dépassent beaucoup 50 ou 80 MHz. Si l'on veut voir des formes d'onde correspondant à des vitesses plus grandes encore, il y a une solution intéressante, s'il s'agit de phénomènes périodiques : l'oscilloscope à échantillonnage.

Ig. — Qu'est-ce que c'est que cet instrument dont je n'ai jamais entendu parler?

Cur. — C'est tout simplement l'application à l'oscilloscope de la technique de la stroboscopie. Vous connaissez? Si vous éclairez un arbre qui tourne, au moyen d'un éclair bref, à raison d'un éclair par tour exactement, l'arbre vous paraît immobile en raison de la persistance des impressions visuelles. Diminuez un tout petit peu la fréquence des éclairs : à chacun de ces éclairs l'arbre paraîtra s'être un petit peu déplacé par rapport à la position précédente; vous aurez l'impression de le voir tourner à l'extrême ralenti.

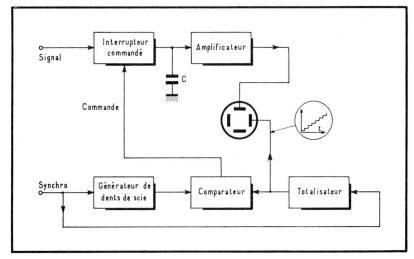

Fig. 112. — Schéma-bloc de l'oscilloscope à échantillonnage qui permet de faire une « stroboscopie » d'une forme d'onde périodique.

Iɢ. — Ça c'est un système très ingénieux. Je l'avais vu fonctionner mais je ne savais pas du tout comment cela pouvait se faire. Comment allez-vous appliquer ce principe à l'oscilloscope.

Cᴜʀ. — Je vous ai tracé, sur la figure 112, le schéma-bloc d'un tel oscilloscope.

Nous supposerons que le signal périodique qu'il s'agit d'examiner est toujours précédé d'un signal de synchronisation. Au besoin, nous fabriquerons ce signal de synchronisation à partir du signal à examiner, avec un montage voisin du trigger de Schmitt, et nous retarderons le signal à étudier au moyen d'une ligne à retard pour que le top de synchronisation le précède.

Chaque fois qu'arrive un top de synchronisation, il déclenche une dent de scie à montée très rapide. En même temps, il est appliqué à un système dit « totalisateur », qui charge par échelons un condensateur, le chargeant d'un échelon chaque fois qu'arrive un signal de synchronisation. La dent de scie à montée rapide et le signal issu du totalisateur sont appliqués à un montage dit « comparateur ». Ce montage donne une impulsion de sortie au moment où les tensions qu'on applique à ses deux entrées passent par la même valeur. Cette impulsion est utilisée pour commander une sorte d'interrupteur électronique qui ne met en communication le signal et le condensateur mémoire C qu'au moment précis où une impulsion d'ouverture lui est appliquée par le comparateur.

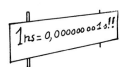

Iɢ. — Tout cela est d'une complexité folle!

Cᴜʀ. — Je n'ai pas dit que c'était simple. Mais je crois qu'il faut que vous connaissiez ce dispositif qui révolutionne l'électronique rapide (celle dans laquelle les temps se mesurent en nanosecondes, c'est-à-dire en milliardièmes de seconde). Vous voyez que, au premier signal qui arrivera, la tension de sortie du totalisateur sera presque nulle. C'est donc tout à fait au début de la montée de la dent de scie rapide que le

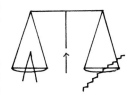

comparateur donnera son impulsion : l'interrupteur électronique branchera le signal sur C à un moment qui suit de très près l'impulsion de synchronisation.

A la période suivante, la tension de sortie du totalisateur s'étant élevée d'une hauteur correspondant à une marche, le comparateur ne délivrera son impulsion qu'un petit peu plus tard. C'est donc un instant un peu plus éloigné de celui du top de synchronisation que nous analyserons, en mettant en communication le signal avec le condensateur mémoire C. A chaque période C est mis en relation avec le signal un petit peu plus tard. Point par point, en admettant que C ne se décharge pas d'une période à l'autre, nous allons donc avoir aux bornes de C une variation de tension qui correspond à celle du signal considérablement ralenti. Tout se passe exactement comme dans la stroboscopie : à chaque période on « regarde » le signal un petit peu plus tard. La tension aux bornes de C est amplifiée avant d'être appliquée aux plaques verticales de l'oscilloscope. En ce qui concerne la déviation horizontale, elle est directement produite par la tension du totalisateur. Ainsi, comme vous pouvez le comprendre, le spot du tube cathodique se déplace très brusquement d'un point à un autre : il tracera en pointillé une courbe qui correspond à la variation au cours du temps de la tension du signal. On pourra le réaliser avec des amplificateurs de bande passante très modeste.

Ig. — Eh bien, voilà bien des complications pour faire un oscilloscope! Je ne vois vraiment pas ce que l'on y a gagné.

Cur. — C'est parce que vous ne regardez pas beaucoup. Examinez un petit peu l'oscillogramme (fig. 113) dont je vous montre ici la forme

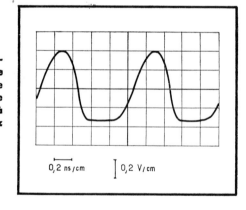

Fig. 113. — **Courbe relevée sur un oscilloscope à échantillonnage; elle permet de voir une forme d'onde correspondant à une fréquence de 1 GHz (1 000 MHz).**

0,2 ns/cm   0,2 V/cm

Il a été relevé sur le tube cathodique d'un oscilloscope à échantillonnage. Voyez-vous quelle est l'indication portée sur la figure?

Ig. — Oui, je vois, dans la direction verticale 0,2 V/cm et, dans la direction horizontale, 0,2 ns/cm.

Cur. — Et vous dites cela très calmement, sans vous demander un peu à quoi cela correspond. Vous savez ce que c'est qu'une nanoseconde, Ignotus?

Ig. — Vous me l'avez dit, c'est un milliardième de seconde. C'est tout.

Cur. — Vous ne semblez pas réagir. Mais pensez donc que, pendant une nanoseconde, la lumière (qui ne traîne pourtant pas en chemin) parcourt une distance de 30 cm.

Ig. — Ah! Dans ce cas je commence à comprendre que c'est en effet assez rapide. Mais alors, si je compte bien, l'espèce de sinusoïde un peu déformée que je vois là a une période en 5 cm, autrement dit en une nanoseconde. C'est donc du 1 000 MHz!

Cur. — Je suis heureux de vous faire toucher du doigt qu'il s'agit là de quelque chose d'assez remarquable.

Ig. — Mais, dites-moi, Curiosus, vous m'avez dit qu'une telle courbe était faite de points les uns derrière les autres, or je ne vois là qu'un tracé continu.

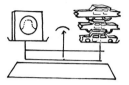

Cur. — En réalité, c'est une succession de points. Mais il y en a deux mille pour la totalité de la trace. En conséquence, vous ne pouvez pas les distinguer les uns des autres.

Ig. — C'est un engin sensationnel et je vais tout de suite m'acheter un oscilloscope à échantillonnage.

Cur. — Je vous conseille d'attendre un petit peu, les prix de ces engins sont, à l'heure actuelle, l'équivalent de deux ou trois voitures de sport.

Ig. — Puisque je me contente pour le moment de la 2 CV, j'attendrai encore un peu. Par contre, j'ai l'impression qu'il se fait tard...

Cur. — Je ne voudrais pas être cause d'une explication avec Paulette, en conséquence, je vous invite à revenir continuer cette discussion demain avec moi.

Comme Ignotus n'aime pas les mathématiques, il est logique que son ami lui explique comment les machines électroniques calculeront pour lui. Il faut pour cela étudier la première des opérations : le comptage. Il sera d'abord binaire, puis on va passer aux « décades », qui comptent directement dans le système décimal, et aux moyens de les réaliser et d'en afficher le résultat. Ne doutant plus de rien, Ignotus demande même à savoir ce qu'est un « compteur prédéterminé ».

COMPTAGE ELECTRONIQUE

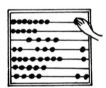

CURIOSUS. — Bonjour, Ignotus. Je vais vous parler aujourd'hui de quelque chose de très nouveau : le comptage.

IGNOTUS. — Que désirez-vous donc compter?

CUR. — Nous compterons des impulsions électriques. Ce qui est fort intéressant, c'est qu'on peut les compter très rapidement. Vous connaissez peut-être déjà un moyen de compter les signaux électriques?

Le comptage mécanique.

IG. — Oui, j'ai acheté, il y a quelque temps, un petit compteur téléphonique. J'ai regardé comment c'était fait : c'est relativement simple. Il y a un électro-aimant qui attire une palette chaque fois qu'on lui envoie du courant. Quand le courant est coupé, la palette revient à sa position initiale sous l'influence d'un ressort. En revenant à son point de départ, elle pousse un cliquet qui fait avancer une roue à rochets. Cette dernière entraîne une roue portant des chiffres qui tournent devant une fenêtre. Chaque fois que la roue a fait un tour complet, faisant défiler dix chiffres, elle entraîne la suivante d'un dixième de tour exactement par le même système que les totalisateurs kilométriques des automobiles.

CUR. — Très bien, Ignotus, vous venez de me décrire avec beaucoup de précision le compteur mécanique. Un tel système est commode; mais vous vous êtes sans doute déjà aperçu que ses possibilités sont limitées en ce qui concerne la vitesse de comptage.

IG. — Pas tant que cela! J'ai réussi à compter jusqu'à quatre impulsions par seconde.

CUR. — Ça n'est pas mal pour un compteur mécanique, mais nous allons envisager des montages qui sont capables de compter plusieurs dizaines de millions d'impulsions par seconde. Je ne crois pas que votre système mécanique puisse approcher cette performance, même de très loin.

IG. — Oh, le pauvre, il en est bien incapable. Je suppose que vous allez utiliser des systèmes électroniques?

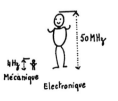

Comptage par 2.

Cur. — Oui, et vous en connaissez déjà un.

Ig. — Ça, alors! Je ne vois pas du tout lequel.

Cur. — Nous en avons pourtant parlé ensemble : c'est le basculeur bistable d'Eccles-Jordan que je vous ai schématisé sur la figure 82.

Ig. — Il s'agit là d'un simple diviseur de fréquence par deux, je ne vois pas en quoi cela peut compter.

Cur. — Et pourtant, Ignotus, supposez que je mette systématiquement ce basculeur, pour commencer, dans un état donné (par exemple T_1 saturé et T_2 bloqué). Il me sera facile de savoir si ce basculeur a reçu ou non une impulsion, suivant qu'il est resté dans sa position initiale ou qu'il a changé d'état.

Ig. — Là, je ne suis plus d'accord : s'il a reçu trois impulsions, ce sera exactement la même chose que s'il n'en avait reçu qu'une. S'il en a reçu deux, vous pouvez conclure qu'il n'en a reçu aucune.

Cur. — C'est exact, ce montage ne sait compter que jusqu'à un. Passé ce nombre, il vous fait commettre des erreurs.

Ig. — Alors là, je ne vous fais pas mes compliments. Réaliser quelque chose d'aussi complexe pour ne pouvoir compter que jusqu'à un. C'est vraiment bien peu!

Comptage par 4.

Cur. — Supposez donc que je prenne ce montage et que je m'arrange pour que, en revenant au zéro (c'est-à-dire quand T_1 se débloque et que T_2 se bloque), il délivre une impulsion négative appliquée à l'entrée d'un autre montage identique au premier (fig. 114). Partons de

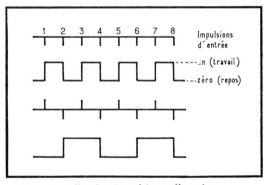

Fig. 114. — Les impulsions d'entrée, faisant passer le premier basculeur de l'état un à l'état zéro (ou inversement), font fonctionner celui-ci à une fréquence moitié moindre. Sa tension de sortie dérivée, dans laquelle seuls les tops négatifs sont utilisés, actionne un autre basculeur qui fonctionne alors à une fréquence quatre fois plus petite que celle des impulsions d'entrée.

deux basculeurs mis chacun au zéro. A la première impulsion le premier basculeur passe dans l'état que j'appellerai « travail » (T_1 bloqué et T_2 saturé), mais cela sera sans action sur le deuxième basculeur : ce basculement ne lui enverra qu'une impulsion positive à laquelle il est insensible. A la deuxième impulsion d'entrée, le premier basculeur revient au zéro. Il enverra donc au second une impulsion négative qui le fera basculer. La troisième impulsion fera repasser le premier basculeur au un, le second restant à son tour à l'état travail. La quatrième impulsion seulement ramènera le premier basculeur au zéro, envoyant

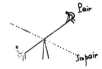

une impulsion négative au second qui reviendra également au zéro. Notre nouveau montage peut compter ainsi de zéro à un, deux et trois. Au delà il nous donnera des résultats erronés.

Iɢ. — Ça n'est pas encore tellement miraculeux. Savoir compter jusqu'à trois n'est pas un exploit.

Comptage par 2^n.

Cᴜʀ. — Oui, mais cela va rapidement devenir très intéressant. Nous allons réaliser toute une série de basculeurs comme celui de la figure 82 et nous ferons agir le basculement de l'un sur l'entrée du suivant. Par exemple, nous appliquerons la tension du collecteur du transistor T_1 de chaque basculeur à un circuit du type dérivateur (comme celui de la figure 64). Chaque fois qu'un basculeur reviendra au zéro, il appliquera une impulsion négative à l'entrée du suivant en le faisant basculer (fig. 115).

Iɢ. — J'admets que chaque rectangle représente un bistable comme

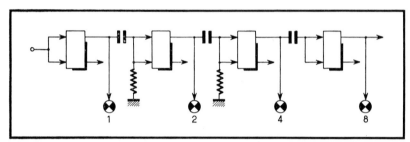

Fig. 115. — On constitue un compteur binaire par une chaîne de basculeurs se commandant les uns les autres, l'état de chaque basculeur étant signalé par une lampe.

celui de la figure 82, mais je ne comprends pas ces deux entrées et ces deux sorties pour chaque basculeur bistable.

Cᴜʀ. — Les deux entrées sont simplement les condensateurs C_3 et C_4 dans la figure 82. Ici encore je les attaque simultanément, mais ce ne sera pas toujours le cas. Les deux sorties sont reliées aux collecteurs des transistors. On tend de plus en plus, maintenant, à utiliser des basculateurs qui ne sont plus constitués d'assemblages de transistors et résistances séparés, mais en circuits intégrés. Les possibilités de ces circuits sont telles que l'on peut maintenant grouper dans une même plaquette plusieurs basculeurs binaires (plus de quatre). On est surtout limité dans cette voie par le fait qu'un circuit intégré ne peut avoir trop de fils; il est alors impossible d'augmenter autant qu'on le voudrait le nombre de basculeurs dans un même circuit intégré, si l'on veut que l'on puisse disposer, pour chaque basculeur, d'une entrée, d'une (ou deux) sorties, d'une remise au zéro et d'autres commandes que nous préciserons ci-après.

Les basculeurs de ce type existent en plusieurs versions, qui ont reçu des noms à peu près normalisés.

1° Le type T (T comme Transition), qui comporte une seule entrée, sur laquelle l'application d'un signal adéquat fait changer l'état du basculeur, l'amenant au « repos » s'il était au « travail » et inversement.

2° Le type R-S-T, comportant, outre l'entrée T, deux entrées dites

R (Reset = remise à zéro) et S (Set = mise à un). Si l'on a, avant de commander l'entrée T,

— appliqué de la tension sur S et pas sur R, le basculeur, après la commande sur T, va passer dans l'état « travail » (à moins qu'il n'y soit déjà, auquel cas le signal en T n'agit pas);

— appliqué de la tension sur R et pas sur S, le basculeur, après la commande sur T, va passer dans l'état « repos » (à moins qu'il n'y soit déjà, auquel cas la commande en T n'agit pas);

— appliqué une tension nulle sur R et sur S, la commande en T n'agit pas, le basculeur garde son état initial;

— appliqué de la tension sur R et sur S, on ne peut savoir ce qui se passera, on est alors dans le « cas indéterminé ».

3° Le type J-K, version plus évoluée du type R-S-T, comportant, lui aussi une entrée T mais pas de « cas indéterminé ». Si l'on a, avant de commander l'entrée T :

— appliqué de la tension sur l'entrée J et pas sur l'entrée K, le basculeur, après la commande en T, va passer dans l'état « travail » (à moins qu'il n'y soit déjà, auquel cas la commande en T n'agit pas);

— appliqué de la tension sur l'entrée K et pas sur l'entrée J, le basculeur, après la commande en T, va passer dans l'état « repos » (à moins qu'il n'y soit déjà, auquel cas la commande en T n'agit pas);

— pas appliqué de tension ni à l'entrée J ni à l'entrée K, le basculeur va rester dans l'état où il était, l'entrée T n'agit pas (jusqu'ici, tout se passe comme dans le R-S-T, en faisant jouer à J le rôle de l'entrée S et à K le rôle de l'entrée R);

— appliqué de la tension sur l'entrée J et sur l'entrée K, le basculeur va, à l'arrivée de la commande en T, changer d'état, quel qu'ait été son état précédent (comme un basculeur du type T).

4° Le basculeur du type D, qui est un J-K dans lequel l'entrée J est seulement accessible, l'entrée K étant commandée par un circuit « inverseur » situé à l'intérieur du circuit intégré. On l'emploie surtout comme élément de mémoire.

Dans ces différents basculeurs, il y a encore des subdivisions suivant le mode d'attaque. Les types les plus perfectionnés sont les modèles dits « masterslave » (système à circuit « maître » et à circuit « esclave »). Ils ne nécessitent, pour leur commande sur l'entrée T, aucune mise en forme : la commande en T doit simplement partir d'une tension nulle, monter au-delà d'un certain seuil et redescendre en dessous d'un autre seuil plus bas (par exemple jusqu'à zéro), aussi lentement que l'on veut.

Partons d'une chaîne de tels basculeurs, initialement tous au zéro. Vous voyez que le premier passera au un chaque fois que nous aurons envoyé un nombre impair d'impulsions, il sera au zéro après envoi d'un nombre pair d'impulsions. Le second basculeur passera au un après la deuxième impulsion, y restera pour la troisième et repassera au zéro pour les quatrième et cinquième impulsions. Vous pouvez donc, en continuant le raisonnement, voir que, plus un basculeur est loin dans la chaîne, moins il bascule souvent. Cela n'a d'ailleurs rien d'étonnant puisque chacun réalise une division de fréquence de rapport deux. Il me suffira de repérer les positions des basculeurs, par exemple au moyen d'une petite lampe qui s'allume quand le basculeur est dans la position 1, pour savoir le nombre d'impulsions envoyées. J'écrirai le chiffre 1 sous la lampe du premier basculeur, 2 sous la lampe du second, 4 sous la lampe du troisième, 8 sous la lampe du quatrième, 16, 32 et 64 sous les lampes respectives des cinquième, sixième et septième...

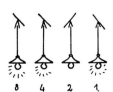

8   4   2   1

Après avoir envoyé un certain nombre d'impulsions, je n'aurai qu'à noter les nombres situés en regard des lampes allumées et à les additionner. J'aurai ainsi le nombre total d'impulsions reçues. Vous voyez que, chaque fois que j'ajoute un étage, je double le nombre que je peux compter. Ainsi, avec dix étages, je peux compter jusqu'à 1 024. Avec 11, 12, 13 étages, je pourrai compter jusqu'à 2 048, 4 096 et 8 192. Vous voyez que cela monte déjà rapidement.

I<small>G</small>. — Je veux bien, mais cela est tout de même assez compliqué. Par-dessus le marché, vous ne pouvez pas être sûr de ne pas avoir dépassé le nombre maximum d'impulsions que votre compteur peut vous indiquer. A ce moment-là vous ne saurez pas si l'indication est exacte.

Le « basculeur de garde ».

C<small>UR</small>. — Il y a un moyen pour le savoir. Il suffit de placer après le dernier basculeur, un modèle de basculeur spécial qui ne peut fonctionner qu'une seule fois. On le réalisera, par exemple, dans le montage de la figure 82 en supprimant le condensateur C_4. Dans ces conditions, ce basculeur passe à l'état 1 quand il reçoit une impulsion, mais il y reste s'il en reçoit d'autres. Un tel basculeur, situé après le dernier, constituera notre système de sécurité. Si le dernier basculeur n'est jamais revenu au zéro, notre basculeur de sécurité sera resté au zéro. Donc, si le basculeur de sécurité est resté au zéro, nous sommes sûrs que le nombre affiché est exact. De toute façon, on s'arrange pour mettre suffisamment d'étages pour que le compteur soit toujours capable de compter les impulsions qu'on lui enverra sans « recycler », c'est-à-dire sans revenir au zéro pour cause de dépassement du nombre maximal autorisé.

I<small>G</small>. — Dans ce cas, j'admets qu'avec le nombre des étages votre compteur est devenu adulte, capable par exemple de compter jusqu'à 8 192 ou même le double. Ce qui m'attriste, c'est que, pour obtenir le total des impulsions reçues, il faut additionner des nombres dont certains peuvent être relativement compliqués. Cela ne va pas tout de suite, et je ne vois pas très bien ce que nous avons gagné par rapport au compteur mécanique.

C<small>UR</small>. — Evidemment, votre compteur mécanique était plus simple de constitution et beaucoup plus facile à lire. Mais je vous rappelle que, si nous avons bien choisi les premiers basculeurs, nous pourrons compter des impulsions au rythme de plusieurs millions par seconde, même de plusieurs dizaines de millions par seconde.

I<small>G</small>. — Je n'y pensais plus, mais, dans ce cas, il ne faudra pas compter longtemps avant que les possibilités de votre compteur soient dépassées, à moins qu'il ne comporte un nombre d'étages vraiment respectable.

C<small>UR</small>. — Je le reconnais : pour avoir une capacité de comptage de un million, le compteur doit comporter environ 20 étages. Je vous rappelle que ces étages sont relativement simples, surtout ceux qui fonctionnent à cadence faible. Néanmoins, je suis d'accord avec vous, ce compteur du type binaire (basé sur une numération qui ne connaît que le zéro et le un) n'est pas d'un emploi très commode. C'est pourquoi on a conçu des compteurs plus perfectionnés permettant de compter dans notre bon système décimal.

Comptage par 10.

I<small>G</small>. — Pouvez-vous m'en décrire un... J'ai peur que ce ne soit atrocement compliqué.

Cur. — Certains de ces montages peuvent être assez complexes. Nous n'en étudierons qu'un seul. Il s'agit de réaliser une « décade », c'est-à-dire un montage électronique qui, chaque fois qu'il a reçu 10 impulsions, repasse dans le même état. A la dixième impulsion reçue, il en délivre une sur une voie appelée « sortie », qui est chargée de commander une autre décade.

Je vous montrerai simplement la constitution de la décade *Rochar*, dont le schéma-bloc est représenté sur la figure 116. Vous y voyez en tête un premier basculeur bistable B_1 que je dessine de nouveau comme un petit rectangle (c'est encore un montage identique à celui de la figure 82).

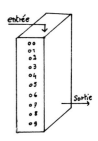

Ig. — Vous indiquez à nouveau deux entrées, mais c'est inutile puisque vous les reliez toujours l'une à l'autre.

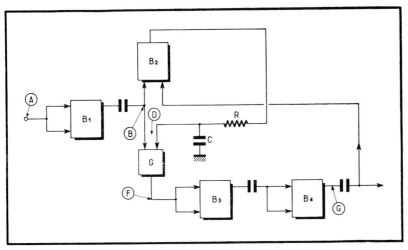

Fig. 116. — Schéma-bloc de la décade de comptage Rochar : le bistable B_1 réalise une division de fréquence par 2, l'ensemble des trois autres passe par cinq états successifs.

Cur. — Non, pas toujours. Je peux avoir à les attaquer d'une façon différente, par exemple C_3 par certaines impulsions et C_4 par d'autres. C'est pourquoi je considère le basculeur comme ayant deux entrées. Quand on l'utilise comme diviseur par deux, ces deux entrées sont réunies entre elles et attaquées simultanément par des impulsions négatives. Nous avons défini comme état zéro (ou état repos) l'état dans lequel le transistor T_1 débite alors que T_2 est bloqué. Quand un basculeur revient au zéro, l'abaissement brusque de potentiel du collecteur de T_1 se traduit, après un circuit dérivateur dont je ne représenterai que le condensateur, par une impulsion négative. Vous voyez donc qu'au point B j'ai une impulsion négative toutes les deux impulsions d'entrée.

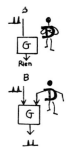

Ig. — Oui, et je vois aussi que cette impulsion est envoyée dans deux directions : d'abord dans le basculeur B_2, qu'elle attaque bizarrement sur une seule entrée, ensuite dans un montage appelé G dont je ne vois pas du tout le fonctionnement.

Cur. — Prenons les choses méthodiquement. Le basculeur B_2 est en effet attaqué uniquement sur la base de son transistor T_1. A la première impulsion qu'il recevra sur son entrée de gauche, il va basculer et passer de l'état 0 à l'état 1 (T_1 bloqué, T_2 saturé). Les impulsions négatives suivantes qui pourraient arriver en B seront sans influence sur lui tant qu'il n'aura pas été ramené au 0.

En ce qui concerne le montage G, c'est tout simplement ce que l'on appelle en bon français un « gate », c'est-à-dire un interrupteur électronique commandé par une tension : si la tension qu'il a sur son entrée D est nulle, les impulsions qui arrivent sur son entrée de gauche ne se retrouveront pas en F. Par contre, si son entrée D reçoit une tension positive, ce gate est ouvert au passage des impulsions et celles qui sont appliquées sur son entrée de gauche se retrouveront en F.

Iɢ. — Ça doit être terriblement compliqué de réaliser un tel montage.

Cᴜʀ. — Oh non, en général il suffit d'une diode et d'une résistance; nous y reviendrons plus tard. Pour le moment, je vais vous montrer que, en ne m'occupant que des impulsions négatives arrivant en B, le reste du montage possède cinq états par lesquels il passe successivement.

La première impulsion arrivant en B fait basculer B_2 : le potentiel de la sortie de gauche de B_2 (collecteur de son transistor T_1) augmente et vient débloquer le gate G...

Iɢ. — Donc, cette première impulsion passera à travers G et on la retrouvera en F.

Cᴜʀ. — Non, Ignotus, vous semblez oublier la présence de la résistance R et du condensateur C : ils retardent suffisamment la montée de potentiel du point D pour que l'impulsion qui a provoqué le basculement de B_2 ne trouve pas encore le gate G ouvert et ne soit ainsi pas transmise.

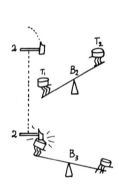

En revanche, la deuxième impulsion arrivant en B pourra passer à travers le gate G.

Iɢ. — Mais, cette impulsion va agir de nouveau sur le basculeur B_2?

Cᴜʀ. — Elle ne lui fera rigoureusement aucun mal : n'oubliez pas qu'elle n'agit que sur une seule entrée de ce basculeur : elle arrive en négatif sur la base de T_1 qui est bloqué. Cela ne lui fait donc rien.

Iɢ. — Effectivement, je l'avais oublié. Mais, si elle ne fait rien à B_2, cette impulsion doit faire quelque chose à B_3?

Cᴜʀ. — Vous avez parfaitement raison : elle le fait basculer, ce qui n'influe pas B_4 puisque B_3 passe du 0 au 1, envoyant seulement à B_4 une impulsion positive à laquelle il n'est pas sensible. La troisième impulsion en B passe aussi à travers G (B_2 reste toujours en position 1). On la retrouve donc en F et elle ramène le basculeur B_3 au 0. Ce faisant, B_3 envoie une impulsion négative à B_4 qui bascule. Arrive la quatrième impulsion en B, elle passe à travers G, arrive en F, fait basculer B_3 en le faisant passer à la position 1, ce qui ne fait aucun effet sur B_4...

Iɢ. — Mais, dites-moi, Curiosus, j'ai l'impression que les basculeurs B_3 et B_4 fonctionnent exactement comme un compteur classique comptant jusqu'à 3?

Cᴜʀ. — Votre impression est parfaitement justifiée. Examinons maintenant ce qui se passe pour la cinquième impulsion arrivant en B. Elle va passer par le gate G. On la retrouvera en F. Elle ramènera B_3 au 0, B_3 enverra donc une impulsion négative à B_4 qui va basculer, c'est-à-dire revenir au 0.

Comme B_4 revient au 0, il envoie par sa sortie G une impulsion négative sur l'entrée de droite du basculeur B_2 et ramène ce dernier au 0.

Iᴳ. — Mais, cela ne va plus : voici que B₂ est ramené au 0, il va donc bloquer le gate G et ne laissera pas passer cette cinquième impulsion.

Cᴜʀ. — Mais si, vous semblez oublier encore une fois la présence de la résistance R et du condensateur C qui ralentissent la transmission de la sortie de B₂ au gate G. D'autre part, même sans cette résistance et ce condensateur, il n'y aurait pas de danger : la cinquième impulsion doit d'abord passer par G, ensuite ramener B₃ au 0, ce qui ramène B₄ au 0 avant que l'impulsion de remise au zéro ne soit envoyée à B₂. Tous ces retards accumulés font que l'impulsion passe très bien à travers le gate G même si elle en déclenche plus tard la fermeture.

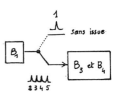

Iᴳ. — Très ingénieux ce système. Si je comprends bien, vous avez en quelque sorte un compteur à quatre positions formées de B₃ et de B₄ et qui ne peut donc compter que de 0 à 3. On escamote une des impulsions qui lui sont envoyées au moyen du gate G et c'est le compteur B₂ qui la garde en lui, ce qui nous fait compter tout l'ensemble de 0 à 4, c'est-à-dire par 5.

Cᴜʀ. — Vous avez parfaitement raison, Ignotus, je vous fais tous mes compliments. Vous êtes dans une forme magnifique. Dans ces conditions vous comprendrez que tout cet ensemble divise effectivement par 10, puisque l'ensemble des basculeurs B₂, B₃ et B₄ repasse par le même état chaque fois qu'il est arrivé 5 impulsions en B, c'est-à-dire chaque fois que l'on a reçu 10 impulsions en A. Etant donné les progrès faits par l'intégration des circuits, il existe maintenant des décades complètes en un seul circuit intégré : certaines ont une structure qui rappelle assez exactement l'organisation de la décade Rochar. C'est le cas des circuits SFC 490, SN 7490, etc. Il s'agit d'un ensemble qui compte directement par dix, les sorties étant en code binaire décimal classique. L'entrée est du type « master-slave », il n'y a donc aucune mise en forme à faire pour la commander. La vitesse de comptage dépasse 20 MHz, la décade est munie en plus de deux circuits (à deux entrées chacun) permettant de la remettre au zéro, ou de la remettre dans l'état correspondant à neuf. Il suffit de 5 V pour alimenter le tout, avec une consommation inférieure à 40 mA. D'autres décades en circuit intégré permettent maintenant de compter et de « décompter ».

Affichage du chiffre.

Iᴳ. — J'admets en effet que vos montages comptent bien par 10. Mais je ne vois pas comment nous allons afficher ce résultat.

Cᴜʀ. — Cela nécessite des mélanges de tensions faits avec des résistances à partir des collecteurs des quatre basculeurs. Leur description détaillée est complexe et d'ailleurs sans beaucoup d'intérêt. Sachez seulement qu'il est facile d'obtenir des tensions sur 10 fils indépendants, un seul d'entre eux se trouvant positif alors que tous les autres sont négatifs. Quand tout l'ensemble est au zéro c'est le fil appelé « zéro » qui véhicule une tension positive, tous les autres se trouvant portés à un potentiel négatif. Au fur et à mesure que des impulsions sont envoyées à la décade, la tension positive se trouve sur le fil repéré 1, puis sur le fil repéré 2... puis sur le fil repéré 9; elle revient enfin sur le fil repéré 0. Ces 10 fils commandent les 10 bases de 10 transistors au silicium, capables de supporter une tension élevée. Dans les collecteurs de ces 10 transistors on place 10 tubes à néon qui peuvent s'illuminer à tour de rôle quand le transistor qui les commande est débloqué.

Ig. — Cela fait vraiment beaucoup de constituants. Seulement, si je comprends bien, vous allez mettre vos 10 tubes à néon en ligne et écrire à côté de chacun les chiffres de 0 à 9. Il doit y avoir quelque chose de **plus perfectionné** : j'ai vu, l'autre jour, chez un de mes amis qui s'occupe d'énergie nucléaire, un compteur dans lequel on voyait les chiffres eux-mêmes apparaître, toujours à la même place, en chiffres rouges bien visibles dans un espèce de petit tube. Comment peut-on réaliser cela?

Cur. — Ce système est un tube à affichage numérique à gaz. Je vous en dessine la structure sur la figure 117. Il comporte une anode commune et dix cathodes en fils très fins, découpées suivant les formes des dix chiffres de 0 à 9; le tout dans du néon sous faible pression.

Ce tube est presque toujours désigné (quelquefois à tort) sous le nom de « Nixie », qui est, en réalité, une marque déposée de la Société *Burroughs*.

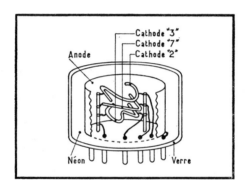

Fig. 117. — Le tube d'affichage numérique comporte, dans du néon, une anode cylindrique (ici découpée pour montrer la structure des cathodes) et dix cathodes en fils fins, ayant la forme des dix chiffres de zéro à neuf. Suivant la cathode connectée, on voit s'illuminer en rouge le chiffre correspondant.

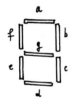

On l'emploie moins souvent maintenant, on a tendance à le remplacer par un affichage dit « 7 segments » que vous connaissez bien dans votre calculatrice électronique et dans votre montre à quartz.

Ig. — Oui, je serais curieux de savoir comment cela fonctionne dans ma calculatrice, par exemple.

Cur. — Facile. Chaque chiffre peut être dessiné par un ensemble de sept segments, formant les côtés de deux carrés qui ont un côté en commun formant le chiffre 8 si les 7 segments sont illuminés.

On provoque cette illumination en faisant passer du courant dans une petite diode productrice de lumière (ou L.E.D.), sous une tension de 1,5 V, avec un courant très faible. Si vous faites passer le courant dans les sept segments, vous affichiez un 8 lumineux. Si vous n'en allumez que six, par exemple, en laissant éteint celui qui est en bas et à gauche, le chiffre affiché est 9, etc.

Un circuit intégré « décodeur » reçoit les quatre sorties de chaque décade, et, suivant le chiffre affiché sur ces quatre sorties, commande l'allumage des segments adéquats.

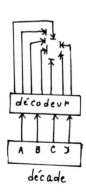

On peut d'ailleurs interposer entre la sortie de la décade et le circuit décodeur une « quadruple mémoire », qui garde, appliqué au décodeur, le résultat du dernier comptage. On libère ainsi la décade pour lui permettre de compter un nouveau nombre, qui ne sera « pris en mémoire » et affiché qu'après la fin du comptage.

Ig. — Très ingénieux, cela, mais ce ne sont pas des L.E.D. qu'il y a sur ma montre à quartz : les chiffres sont bien affichés en 7 segments aussi mais en noir sur fond blanc. Comment y arrive-t-on?

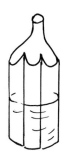

Cur. — En utilisant les « cristaux liquides ». Ce sont des produits huileux, placés entre une électrode conductrice continue et une métallisation très fine et transparente, en forme de segment, sur le verre supérieur. Une tension, même faible, appliquée entre l'électrode du bas et celle du haut, agissant par le champ électrique (sans consommer aucun courant) modifie la structure interne du liquide et change ses propriétés optiques. On peut alors, en utilisant des systèmes de lumière dite « polarisée », faire en sorte que la zone sous la métallisation polarisée devienne noire.

Ig. — Vu comme cela, le système a l'air simple. Donc, quand on a réalisé une de ces décades, on compte par dix, on l'affiche, soit sur le tube à gaz, soit sur l'afficheur 7 segments à L.E.D. ou à cristaux liquides, et on peut commander une nouvelle décade. Il me vient une idée.

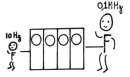

Cur. — Assez dangereux, ça, mais dites tout de même.

Ig. — Je pense que, quand on a mis à la suite, par exemple, quatre décades de ce type, les impulsions qui sortent de la dernière sont à fréquence beaucoup plus faible que celles que l'on applique à la première.

Cur. — Je ne dirais pas : « beaucoup plus faible », je dirais plus exactement : « dix mille fois plus faible ».

Ig. — C'est ce que je voulais dire. En conséquence, ces impulsions sortent éventuellement à une fréquence assez basse. On pourrait peut-être les compter par un moyen plus simple. Même par un totalisateur mécanique.

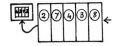

Cur. — Cela se fait, Ignotus. En général, on met plus de quatre décades avant le totalisateur mécanique. Celui-ci ne peut fonctionner que quatre ou cinq fois par seconde. Comme les décades les plus défavorisées comptent jusqu'à plusieurs centaines de milliers d'impulsions par seconde, vous voyez qu'il en faudra au moins cinq avant le numérateur mécanique. Si je veux augmenter la cadence de comptage, je mettrai en tête une décade supplémentaire, construite cette fois pour fonctionner très vite, par exemple pour compter jusqu'à 2 ou 3 millions par seconde.

Si je veux pousser encore plus loin les possibilités de mon ensemble de comptage, je placerai encore en avant une décade tout spécialement soignée, capable de compter par exemple des impulsions à 50 MHz, et j'aurai ainsi un dispositif très complet.

Ig. — Oui, je vois donc que l'emploi du numérateur mécanique aura épargné quelques décades du côté des fréquences très basses. Mais je trouve tout de même triste qu'il faille réaliser des ensembles aussi compliqués pour compter.

Le dékatron.

Cur. — Si vous n'êtes pas trop pressé, autrement dit si vous ne désirez pas des comptages extra-rapides, vous pouvez utiliser des systèmes plus simples, quoiqu'aux possibilités plus limitées. Il y a déjà quelque chose d'assez intéressant que l'on peut faire : les tubes compteurs à

gaz. Je vais vous parler de l'un d'entre eux qui s'appelle le dékatron. Il comporte, dans une atmosphère de néon, d'argon ou d'hydrogène, un anneau formant l'anode désigné par A sur la figure 118. Je ne vous ai représenté qu'une partie de l'ensemble pour ne pas surcharger le dessin. Sous cet anneau se trouvent 10 cathodes principales désignées par K; et qui sont, comme vous le voyez, recourbées en crochet à l'endroit où elles s'approchent de l'anode.

Ces 10 cathodes sont réunies entre elles par un anneau qui est relié à la masse. Entre chacune de ces cathodes se trouvent les cathodes

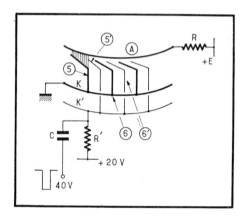

Fig. 118. — Tube compteur à gaz du type « Dékatron » : l'ionisation saute de (5) à (6) en passant par (5') quand on applique une impulsion négative par C.

secondaires que je vous ai représentées en traits plus fins et que j'ai numérotées en les appelant K'. Elles sont également reliées à un autre anneau qui sort de l'ampoule. Elles sont aussi au nombre de 10 et elles ont la même forme recourbée que les cathodes K.

Ig. — Mais il est abominablement compliqué, votre dékatron! Avec vingt cathodes, il doit coûter une fortune!

Cur. — Pas du tout. Ces cathodes ne sont que des pointes métalliques fixées sur des anneaux, la structure en est très simple.

L'anode est alimentée depuis une tension + E qui est de 300 ou 400 volts, à travers une résistance R. Les cathodes principales K sont à la masse tandis que les cathodes auxiliaires K' sont toutes portées à un potentiel légèrement positif. L'ionisation s'amorcera donc sur l'une des cathodes K. Supposons que ce soit sur la cathode numéro 5 comme je vous l'ai représenté sur la figure.

Appliquons maintenant, à travers le condensateur C, une impulsion négative d'une amplitude de 40 V aux cathodes auxiliaires K'. Celles-ci vont devenir négatives par rapport aux cathodes K puisqu'elles étaient initialement au potentiel 20 V et que le condensateur va retransmettre la totalité du front descendant de l'impulsion. L'ionisation tendra donc à s'établir maintenant entre l'anode et une des cathodes K' puisque la différence de potentiel entre A et les cathodes K' est supérieure à celle qu'il y a entre cette anode et les cathodes K.

Ig. — Et quelle sera la cathode K' qui va « bénéficier » de cette ionisation? On a le choix puisqu'il y en a dix!

Cur. — Non, il n'y a qu'une possibilité : comme la cathode auxiliaire 5' se termine par un bout recourbé qui baigne déjà dans la zone ionisée de la cathode principale 5, ce sera celle-ci qui attirera sur elle l'ionisation, de préférence à toutes les autres. La zone ionisée passe alors sur la cathode auxiliaire 5'. Elle n'y restera pas longtemps. A la fin de l'impulsion appliquée aux cathodes K' celles-ci retrouvent au moins leur potentiel positif de + 20 V. L'ionisation tend donc à s'établir de nouveau vers une cathode principale K. Celle qui est particulièrement favorisée pour établir l'ionisation sera la cathode principale numéro 6, car son extrémité recourbée baigne déjà dans la zone ionisée qui entoure la cathode auxiliaire 5'.

Vous voyez donc que, à chaque impulsion envoyée aux cathodes auxiliaires K', la zone ionisée saute d'une des cathodes principales à la suivante. Etant donné que cette zone se voit, car elle émet de la lumière, il suffit de regarder le tube par l'extrémité avant, dans l'axe de l'anneau d'anode, pour savoir quel est le nombre d'impulsions reçu. On place autour du tube, à l'extérieur, un anneau sur lequel sont répartis en cercle à peu près comme sur une montre, les chiffres de 0 à 9.

Ig. — C'est extrêmement ingénieux votre système : le tube sert à la fois à compter et à afficher le résultat du comptage. Maintenant, ce que je vois moins bien, c'est comment on va en tirer des impulsions tous les dix coups pour actionner le suivant.

Cur. — Il suffira pour cela que l'une des cathodes principales K sorte par une sortie séparée; nous la relierons à la masse à travers une petite résistance R (fig. 119), aux bornes de laquelle apparaîtra une tension légèrement positive quand ce sera sur cette cathode que la décharge arrive. Cette tension positive, appliquée à la base d'un transistor, nous donnera sur le collecteur de celui-ci l'impulsion négative transmise au dékatron suivant.

Ig. — Mais ce genre de système me plaît beaucoup plus que vos décades! C'est beaucoup plus simple et il n'y a que le tube à utiliser.

Fig. 119. — La cathode « zéro » du dékatron, quand elle reçoit le courant, provoque le déblocage d'un transistor qui commande l'avance du dékatron suivant.

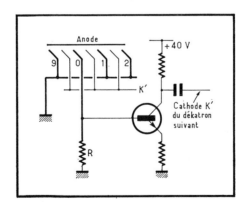

Limitations du dékatron.

Cur. — N'oubliez tout de même pas qu'il faut un transistor amplificateur pour commander les cathodes K'. On en utilise même souvent deux, montés en monostable, pour obtenir une belle impulsion calibrée. Par ailleurs, ce système de dékatron, s'il présente l'avantage d'une certaine simplicité, est plus limité en fréquence. Les modèles assez courants réalisés sur ce type fonctionnent jusqu'à une centaine de kilohertz, ce qui est déjà beau. Certains modèles spéciaux avec un remplissage d'hydrogène fonctionnent jusqu'à 1 MHz. Mais, avec l'hydrogène, la lumière émise est très faible et il faut souvent disposer d'un système d'affichage spécial. Je vous signale que ces tubes sont petits, environ 18 mm de diamètre et 40 mm de long. Souvent, les 10 cathodes principales K sont

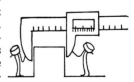

sorties séparément, pour permettre d'afficher le nombre compté, par l'intermédiaire d'amplificateurs à transistors, sur un tube à affichage numérique du type Nixie.

IG. — C'est malheureux, vous aviez un dispositif si simple, et voilà que vous le compliquez déjà.

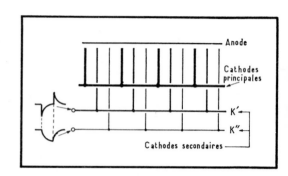

Fig. 120. — Dans le dékatron à deux rangées de cathodes secondaires, on commande le sens de rotation de la zone ionisée par les signaux appliqués sur ces cathodes : sur les cathodes K' des signaux rectangulaires dérivés et sur les cathodes K" des signaux rectangulaires intégrés.

Le comptage-décomptage.

CUR. — Dites-vous bien, Ignotus, que le très grand nombre des méthodes employées pour réaliser les décades est une preuve qu'il n'y a pas de solution parfaite.

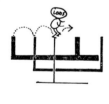

Je vous signale qu'il existe d'autres espèces de dékatron, qui ont d'ailleurs historiquement précédé celui que je vous ai décrit. Les cathodes sont de petites pointes droites et il y a non pas une, mais deux rangées de cathodes auxiliaires K' et K" (fig. 120). On applique sur la première rangée les impulsions à front raide, descendant ensuite progressivement, et, sur la seconde des impulsions montant progressivement et descendant ensuite plus lentement. On arrive ainsi à faire sauter la zone ionisée depuis une des cathodes principales vers la suivante, en passant par les deux cathodes auxiliaires qui séparent une cathode principale de la suivante. Quoique ce système puisse sembler plus compliqué, il a l'avantage de permettre, en inversant le sens de branchement des deux rangées de cathodes auxiliaires, de faire croître ou décroître à volonté l'indication sur le tube.

IG. — Ça me semble vraiment un inconvénient plutôt qu'un avantage. On m'a toujours appris que l'on comptait en montant dans le sens 1, 2, 3, 4...

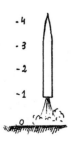

CUR. — Oui, c'est cela qu'on appelle compter. Mais il peut être utile, pour certaines applications de disposer d'un système capable de « décompter ». Par exemple, vous pouvez ainsi faire des soustractions en faisant compter un premier nombre d'impulsions, puis décompter un deuxième nombre. Le compteur affichera la différence. Le dékatron à deux systèmes de cathodes auxiliaires s'y prête, tandis que celui que je vous ai dessiné sur la figure 118, plus simple comme structure, ne tourne que dans un seul sens.

IG. — Est-ce que vous m'avez décrit maintenant toutes les méthodes de comptage?

Le tube à faisceau laminaire.

CUR. — Oh non! Tant s'en faut! Je vous citerai rapidement, sans entrer dans les détails, car cela nous entraînerait trop loin, les dispositifs suivants. Il y a d'abord le tube à faisceau laminaire. C'est une sorte de tube à rayons cathodiques, dans lequel le faisceau d'électrons peut se trouver dévié par des plaques de déviation. Il arrive sur un

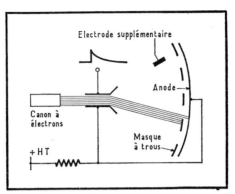

Fig. 121. — Dans le tube à faisceau laminaire, le faisceau d'électrons arrive, à travers les trous d'un masque, à l'anode. Celle-ci est reliée à une plaque déviatrice, ce qui donne à la caractéristique du courant anodique en fonction de la tension anode une allure sinueuse, permettant d'avoir dix positions stables du faisceau électronique si on alimente cette anode à travers une résistance adéquate. En agissant sur l'autre plaque déviatrice par des signaux à flanc avant raide et à descente lente, on peut faire passer le faisceau d'une position à l'autre.

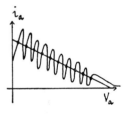

écran situé sur le côté du tube, qui permet de repérer la position du faisceau. Ce faisceau passe, à travers des trous (fig. 121) de telle sorte que le courant qu'il véhicule varie en fonction de la position du faisceau suivant une loi assez complexe qui permet, grâce à une simple résistance en série dans l'anode, d'obtenir 10 positions stables possibles pour le faisceau. Par des impulsions à flanc avant raide et à flanc arrière à variation lente, on peut faire en sorte que le faisceau saute d'une position à une autre. Quand le faisceau a atteint la dixième position stable, il envoie au passage des électrons sur une petite électrode supplémentaire, déclenchant ainsi un signal qui actionne le tube compteur suivant et remet le premier au zéro. Ce système peut aller sans précaution particulière jusqu'à 30 kHz. On peut le faire monter jusqu'à 1 MHz avec des montages très étudiés. Ces tubes sont de dimensions modérées. Le plus courant d'entre eux, ou tube E1T, a 35 mm de diamètre et 65 mm de haut. C'est une solution assez intéressante et relativement économique. Je dois dire qu'il est de moins en moins utilisé.

IG. — Dommage. Comme c'est purement électronique, c'est plus élégant que ces systèmes à gaz ionisé.

CUR. — Il y a des tubes à gaz très intéressants : je vous signale au passage les thyratrons à cathode froide. Ce sont de petits tubes au néon contenant une électrode spéciale d'amorçage (fig. 122). On peut réaliser avec ces tubes des sortes de montage à 10 états d'équilibre (avec 10 tubes), qui ont l'avantage d'afficher par eux-mêmes l'état dans lequel ils se trouvent : celui des 10 tubes qui est ionisé se trouve fortement illuminé en rouge. Ce système ne permet guère de dépasser quelques kilohertz de comptage, mais il est simple et se prête à certaines applications industrielles.

Je vous citerai également le trochotron, qui utilise un champ magnétique produit par un aimant situé autour du tube. Son fonctionnement est assez complexe, mais il peut monter jusqu'à 1 MHz.

Retenez surtout que, pour le comptage, on s'oriente de plus en plus vers l'utilisation de décades équipées de transistors et affichant sur un tube à affichage numérique à gaz.

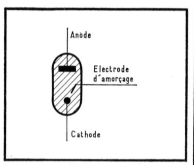

Fig. 122. — Le thyratron à cathode froide comporte une électrode d'amorçage qui, par un courant très faible, peut amorcer la décharge entre la cathode et l'anode.

Fig. 123. — Structure de l'« anneau de Regener », permettant de compter par dix avec cinq basculeurs bistables et des montages « portes », ou « gates » (G), qui orientent les impulsions de déclenchement.

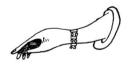

L'anneau de Regener.

IG. — Et toutes les décades à transistors sont montées suivant le schéma de la figure 116?

Cur. — Oh, non, il s'en faut de beaucoup. Il existe probablement des centaines de schémas différents de décades. Et je n'aurai pas l'idée de vous les énumérer tous. Je vous citerai seulement, sans trop entrer dans le détail, le système assez ingénieux de l'anneau de Regener qui utilise cinq basculeurs analogues à celui de la figure 82. Chaque basculeur, par ses tensions de sortie, ouvre ou ferme des gates qui orientent les impulsions vers une entrée ou l'autre du basculeur suivant (fig. 123). Le basculeur n° 1 est branché de façon telle que toute impulsion envoyée au gate qu'il commande, tend à amener le basculeur n° 2 dans le même état que le n° 1. Il en est de même du couplage entre le n° 2 et le n° 3, ainsi qu'entre le n° 3 et le n° 4 et entre le n° 4 et le n° 5.

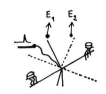

Par contre, le basculeur n° 5 est couplé au n° 1 (ou plutôt aux gates qui commandent les deux entrées du n° 1), de telle sorte que, à une arrivée d'impulsion, le basculeur n° 5 tende à faire passer le n° 1 dans un état opposé à celui du n° 5...

Ig. — C'est d'une complexité épouvantable votre système!

Cur. — Oui, c'est en effet assez complexe, mais c'est très ingénieux. Initialement tous les basculeurs sont au zéro. En envoyant une impulsion à tous les gates, comme le basculeur n° 5 est au zéro il oriente cette impulsion dans les gates de commande du n° 1 de telle sorte que celui-ci passe à l'état 1. La deuxième impulsion, sans agir sur le n° 1 puisqu'il est déjà passé à l'état 1, agira sur le n° 2 en le faisant passer aussi à l'état 1. A la cinquième impulsion, tous les basculeurs seront dans l'état 1. A ce moment, l'action du cinquième sur le premier fait que la sixième impulsion ramènera le basculeur 1 au zéro. La septième y ramènera aussi le basculeur 2 et la dixième y ramènera aussi le basculeur n° 5. Comme vous voyez, le système compte donc normalement par 10.

Ig. — C'est amusant, la succession des états de vos cinq basculeurs me rappelle quelque chose, et je n'arrive plus à dire exactement quoi... Ah! ça y est, c'est la représentation en alphabet Morse des différents chiffres, qui utilise toujours cinq signes, sur lesquels on voit avancer les points, depuis le 1 (un point, quatre traits), passant par le 2 (deux points, trois traits), jusqu'au 5 (5 points). Après cela, ce sont les traits qui progressent depuis le 6 (un trait, quatre points) jusqu'au 9 (quatre traits, un point).

Cur. — J'avoue que je n'y avais jamais pensé, mais c'est exact. Au moins, cela montre que vous avez bien compris la succession des états.

Il y a tellement de types différents de décades que je n'aurais certainement pas l'idée d'en commencer même la description. Chaque constructeur veut avoir la sienne et il n'y a malheureusement pas de solution parfaite. Quoi qu'il en soit, nous disposons maintenant d'excellents moyens de compter des impulsions à des fréquences très rapides (j'ai entendu parler de comptage montant jusqu'à 2 ou 300 MHz).

Applications du comptage rapide.

Ig. — Et, si je me permets de vous poser la question, à quoi cela sert-il de compter aussi vite?

Cur. — Les applications sont innombrables. D'abord, vous pouvez ainsi mesurer très exactement une fréquence : on s'arrange à mettre en communication le signal avec le compteur pendant un temps rigoureusement égal à une seconde : le compteur vous indique le nombre de périodes par seconde.

Ensuite, nous pouvons employer ce comptage pour mesurer des temps. Supposez que l'on envoie au compteur des impulsions à une récurrence de 10 MHz, cet envoi étant commencé au moment où se produit une certaine impulsion qui ouvre un gate, et terminé au moment d'une autre impulsion qui referme le gate. Nous avons ainsi mesuré, en dixième de microseconde, le temps qui a séparé ces deux impulsions. Il est donc ainsi possible de mesurer très facilement, avec beaucoup de précision, la vitesse d'un projectile qui occulte successivement deux faisceaux lumineux arrivant sur deux cellules photo-électriques.

Je vous signale encore une autre application : envoyez sur un compteur 23 473 impulsions, puis envoyez-lui 118 277 impulsions sans l'avoir remis à zéro entre les deux envois. Vous verrez alors, affiché sur le compteur le nombre 141 750 qui est tout simplement la somme des deux nombres précédents : vous avez fait une addition. Etant donnée l'allure à laquelle les nombres sont comptés, vous voyez que ce système, quoique très élémentaire comme principe, peut donner rapidement des sommes d'additions importantes.

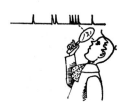

Enfin, nous utiliserons beaucoup ce comptage pour des applications nucléaires. Vous vous souvenez que les compteurs appropriés, quand ce sont des compteurs de Geiger-Müller, nous donnent des impulsions dont la cadence moyenne définit l'activité de la source nucléaire qui les a produites.

IG. — Je suppose que, dans ces cas-là, il n'y a pas besoin de compteurs à très grosse performance.

CUR. — Vous vous trompez lourdement. En effet, n'oubliez pas que ces impulsions, si elles ont une cadence moyenne (par exemple 1 000 impulsions par seconde), sont émises d'une façon tout à fait irrégulière et, disons, erratique.

Autrement dit, si un compteur de Geiger-Müller nous envoie 1 000 impulsions par seconde, le temps qui sépare une impulsion de la suivante, qui serait toujours de un millième de seconde avec une cadence régulière, peut très bien, d'une impulsion à l'autre, être de un cent-millième de seconde ou de 25 millièmes de seconde. Il faudra donc, pour ne pas oublier une impulsion, que le compteur électronique qui est derrière puisse considérer comme deux impulsions séparées celles qui se suivent à un cent-millième de seconde d'écart. Autrement dit, quoique ne recevant en moyenne que 1 000 impulsions par seconde, ce compteur devra être capable de compter des impulsions régulièrement espacées à 100 000 impulsions par seconde.

IG. — C'est horrible! Il faudra donc que la deuxième décade suivante soit capable de compter 10 000 impulsions par seconde et la suivante 1 000 par seconde?

CUR. — Précisément non. En effet, si, d'une impulsion à l'autre, l'intervalle de temps qui les sépare peut varier énormément, le temps qu'il faut pour recevoir 10 impulsions n'est déjà plus sujet qu'à des variations plus faibles. En principe, il est en moyenne de 1/100 de seconde. Il sera rare qu'il varie de plus de $\mp$ 50 %. Après deux décades, nous aurons des impulsions presque régulières. En effet, si nous comptons cent impulsions, le temps qu'il faut pour en recevoir, un peu après, cent autres est très voisin du premier, c'est-à-dire très voisin de 1/10 de seconde si la

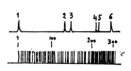

cadence moyenne est de 1 000 impulsions par seconde. Autrement dit, seule la première décade devra avoir une vitesse de fonctionnement très supérieure à celle qui serait théoriquement nécessaire, la deuxième un peu supérieure seulement et la troisième comptera des impulsions à cadence presque régulière.

Ig. — J'aime mieux cela. Ainsi nous pourrons, derrière trois ou quatre décades, utiliser un bon numérateur mécanique pour connaître le chiffre des dizaines, centaines de mille et les chiffres de plus haut rang encore.

Il y a cependant une question que je voudrais vous poser : on m'a parlé de systèmes de compteurs électroniques sur lesquels, au départ, on affichait un nombre et qui donnait un signal quand ce nombre était atteint. Comment réalise-t-on cela?

Compteurs prédéterminés.

Cur. — Ce que vous venez d'évoquer s'appelle compteur prédéterminé. C'est assez facile à faire. On utilise des décades ordinaires, par exemple affichant leur résultat sur des tubes Nixie. Au moyen d'un certain nombre de commutateurs à 10 positions (autant de commutateurs qu'il y a de décades), on branche une quelconque des électrodes du Nixie des unités vers une première voie, une électrode du Nixie des dizaines vers une deuxième voie..., etc. Supposons que nous ayons branché le chiffre 7 des unités, le chiffre 2 des dizaines et le chiffre 4 des centaines au moyen de ces commutateurs. Nous pourrons réaliser un circuit électronique qui nous délivrera une impulsion quand il y aura des tensions nulles sur les trois commutateurs, c'est-à-dire quand seront allumés simultanément le chiffre 7 des unités, le chiffre 2 des dizaines et le chiffre 4 des centaines. Cette impulsion ne sera donc fournie que quand le compteur aura reçu 427 impulsions. C'est ainsi que l'on réalise un compteur prédéterminé.

Maintenant, puisque vous connaissez les principes de base des compteurs, nous allons voir ensemble comment on emploie ces notions pour faire de grands calculateurs numériques...

Ig. — Pour aujourd'hui, ne comptez plus sur moi, j'ai trop compté sur mon cerveau et vous risqueriez des mécomptes qui pourraient vous mécontenter...

Les machines à calculer électroniques ayant un goût marqué pour le système binaire, notre jeune ami doit s'initier à cette curieuse arithmétique qui ne connaît que zéro et un. Il y prend rapidement goût et cela amène Curiosus à lui parler des « circuits logiques » qui ne manipulent que des zéros et des uns, et leur association. Particulièrement rechargé en phosphore, Ignotus assimile sans trop de difficulté cet instrument fondamental des calculatrices électroniques : l'afficheur-décaleur (ou registre à décalage). Bon à tout faire, cet instrument semble toutefois un peu lent pour effectuer des additions.

CIRCUITS LOGIQUES
ET CALCUL ELECTRONIQUE

$$3 \times 10^2 = 300$$
$$8 \times 10 = 80$$
$$5 \times 1 = 5$$
$$\overline{ 385}$$

CURIOSUS. — Dites-moi, Ignotus, vous sentez-vous en forme aujourd'hui?

IGNOTUS. — Oui, merci. Pourquoi? Vous allez me faire faire des choses terribles?

CUR. — Je vais commencer par vous apprendre à compter... en numération binaire, je précise.

IG. — Mais, je croyais que nous avions examiné ces questions de comptage la dernière fois.

CUR. — Nous avons regardé les solutions électroniques. Ce dont il s'agit maintenant relève de l'arithmétique.

IG. — Euh!

CUR. — Ne vous inquiétez pas, vous allez voir que c'est très simple. Vous savez exactement ce que signifie le nombre 385?

IG. — Bien sûr, cela veut dire trois centaines, plus huit dizaines, plus cinq unités.

CUR. — Exact. Je dirais avec plus de précision, puisque nous employons la numération décimale, que ce nombre signifie : trois fois la base (10) élevée au carré, plus huit fois la base à la puissance 1, plus cinq unités. Maintenant, imaginons que, au lieu de prendre le nombre 10 comme base de notre numération, nous prenions le nombre 2. Il suffira d'utiliser deux chiffres qui sont respectivement 0 et 1. Dans ce cas, comment écrirez-vous la quantité qui, en notation décimale, se note 2?

IG. — Là, je ne vois pas du tout comment m'en sortir puisque je ne peux utiliser que les chiffres 1 et 0.

CUR. — C'est pourtant simple. Nous écrirons ce nombre sous la forme d'un 1 suivi d'un zéro. En effet, il vaut une fois la base (2) à la puissance 1, plus zéro unité. On l'écrira donc comme un 1 suivi d'un zéro

IG. — Cela ne me semble pas lumineux. Vous écrivez dix et cela vaut 2.

CUR. — Je n'ai pas écrit dix, j'ai écrit un 1 suivi d'un zéro. Cela ne veut plus dire dix, puisque nous n'employons plus l'arithmétique décimale mais l'arithmétique binaire et je n'énoncerai pas de chiffres en disant dix, je dirai, par exemple : un, zéro. Maintenant, comment écrirez-vous, dans cette arithmétique, le nombre qui, en décimal, vaut 3?

Ig. — J'hésite un peu, mais, puisque ce nombre vaut une fois 2 à la puissance 1 plus une unité, j'ai un peu l'idée que cela s'écrira sous forme de deux un, l'un derrière l'autre.

Cur. — Vous avez parfaitement raison. Et pour écrire 4?

Ig. — Alors là, je ne sais plus.

Cur. — C'est pourtant simple : ce que nous appelons 4 n'est autre que le carré de la base. Nous écrirons donc cela sous forme d'un 1 suivi de deux zéros, pour rappeler qu'il s'agit de une fois la base au carré, plus zéro fois la base, plus zéro unité.

Ig. — Ça ne me semble pas très sensationnel, votre arithmétique binaire. Il vous faut trois chiffres pour écrire le nombre 4... C'est plutôt minable.

Conversions et calculs binaires.

Cur. — Ne jugez pas trop vite, Ignotus. Certes, il nous faudra plus de chiffres que dans l'arithmétique que vous connaissez, en moyenne trois fois plus. Mais ces chiffres ne seront que des zéros et des 1, ce qui entraîne une énorme simplification dans leur manipulation.

Comment me traduirez-vous maintenant en langage décimal le chiffre que je vous écris ici 1101101?

Ig. — Je commence par éviter le piège en vous disant que ce n'est pas un million-cent-un-mille-cent-un. Maintenant, je vais commencer par la droite, je crois que cela sera plus facile. Ce nombre comporte donc une unité, il ne comporte pas de base puisque son deuxième chiffre à partir de la droite est un zéro. Par contre, il comporte la base au carré, c'est-à-dire 4 et il comporte aussi la base au cube, c'est-à-dire 8 puisque les troisième et quatrième chiffres à partir de la droite sont des un tous les deux. Il ne comportera pas la base à la puissance 4 (le nombre 16); par contre, il comportera la base à la puissance 5 (c'est-à-dire 32) et la base à la puissance 6 (c'est-à-dire 64). Il sera donc égal à la somme de 64, 32, 8, 4 et 1 : il vaudra donc ce que l'on appelle en décimal 109.

Cur. — Parfait, Ignotus, vous avez remarquablement converti ce nombre. Maintenant, sauriez-vous me faire une addition en arithmétique binaire?

Ig. — Cela doit être assez horrible, mais je me sens prêt à essayer tout de même.

Cur. — Eh bien voilà : je vous pose ici

$$h \quad g \quad f \quad e \quad d \quad c \quad b \quad a$$
$$1 \ 1 \ 0 \ 1 \ 1 \ 0 \ 1$$
$$+ \ 1 \ 1 \ 0 \ 1 \ 0 \ 0 \ 0$$

J'ai mis au-dessus de chaque colonne des petites lettres pour vous guider; a concerne les unités, b les deuxaines (excusez ce néologisme, qui rappelle les dizaines), c pour les quatraines, d pour les huitaines, e pour les seizaines, f pour les trente-deuxaines, g pour les soixante-quatraines, h pour les cent-vingt-huitaines. Nous pouvons commencer.

Ig. — Je vais essayer de m'y lancer. Je suppose qu'on procède comme dans l'arithmétique décimale?

Cur. — Exactement, avec seulement des règles différentes pour les additions individuelles puisque nous sommes en arithmétique binaire.

Ig. — Allons-y bravement. Dans la colonne a des unités, je trouve

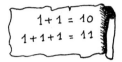

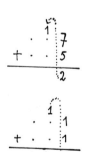

un 1 en haut et un zéro en bas. Normalement, je suppose que zéro plus 1 cela fait 1 que j'inscris en dessous. Cela va?

Cur. — Très bien, mais avouez que ce n'était pas très compliqué.

Ig. — Bon, je le reconnais volontiers. Passons à la colonne b des deuxaines. Eh bien, là je suis un peu gêné. Il y a zéro dans les deux nombres.

Cur. — Ça, c'est classique : quand c'est trop simple on ne sait plus. Pour moi, que ce soit dans n'importe quelle arithmétique, zéro plus zéro a toujours fait zéro.

Ig. — Effectivement, j'aurais dû y penser. J'inscris donc zéro dans la somme au droit de la colonne b. Passons aux quatraines en c. Là non plus pas de difficultés; 1 en haut et zéro en bas, la somme c'est 1 que j'inscris en bas. Du côté des huitaines, c'est peut-être un peu plus complexe : je me trouve devant un 1 en haut et un 1 en bas : leur somme fait 2 et je ne dispose pas du chiffre 2.

Cur. — Effectivement, vous ne disposez pas du *chiffre* 2, mais vous pouvez exprimer le *nombre* 2 en binaire sous la forme d'un 1 suivi d'un zéro. Autrement dit, vous vous trouvez dans la situation que vous rencontrez en arithmétique, quand, additionnant deux chiffres, vous trouvez un nombre qui dépasse 10. Que faites-vous dans ce cas-là?

Ig. — Dans ce cas, je pose simplement le chiffre des unités et je retiens le chiffre des dizaines.

Cur. — Et bien, vous poserez le chiffre des unités dans la colonne d, c'est-à-dire zéro, et vous retiendrez le chiffre des deuxaines, c'est-à-dire 1 que vous ajouterez au chiffre de la colonne e.

Ig. — Je continue. Pour e, pas de difficulté, je n'ai que la retenue, plus zéro, plus zéro. J'inscris donc un 1 dans la somme à la colonne e. En f, je retrouve quelque chose de connu; 1 + 1, ce qui me donne le nombre 2 : j'inscris zéro et je retiens 1, pour l'additionner en g.

Là, ça va être beaucoup plus difficile parce que j'aurais à additionner trois fois le nombre 1.

Cur. — Mais vous appliquerez exactement le même principe. Trois fois le nombre 1, autrement dit 3, cela se représente en binaire par une deuxaine plus une unité, cela s'écrit donc 1 suivi de 1. Vous posez donc le 1 dans la colonne g et vous retenez 1.

Ig. — C'est exact, j'aurais dû y penser et comme ce 1 que je retiens n'a plus rien qui s'y ajoute, je me contenterai de le poser dans la colonne h. Je comprends maintenant pourquoi vous aviez prévu cette colonne qui m'intriguait puisqu'il n'y avait pas de chiffre dedans, dans le premier nombre, ni dans le second.

Les circuits logiques.

Cur. — Je crois que maintenant vous en savez assez pour faire n'importe quelle opération en binaire, en raisonnant logiquement. Nous allons maintenant regarder quels sont les moyens électroniques de le faire.

Je vais commencer par vous parler des circuits logiques.

Ig. — Comment! Ceux dont vous m'avez parlé jusqu'à présent étaient illogiques?

Cur. — Non, ne jouez pas sur les mots. On appelle circuits logiques des circuits qui permettent d'accomplir certaines opérations relevant d'une façon de raisonner que l'on appelle l'algèbre logique et qui est étroitement liée à l'arithmétique binaire. Dans ces circuits, nous n'envisagerons que la possibilité de la présence ou de l'absence de tension. Cette absence s'appellera zéro et la présence d'une certaine tension positive s'appellera 1. Autrement dit, tout ce qui n'est pas 1 est zéro, tout ce qui n'est pas zéro est 1.

IG. — Tant que cela ne sera pas plus compliqué, je me sens très tranquille.

CUR. — Ne vous y fiez pas trop, Ignotus, c'est précisément derrière cette simplicité apparente que se cache quelquefois la difficulté de ce type de raisonnement. Quoi qu'il en soit, vous allez voir que cela ne vous entraînera pas trop loin.

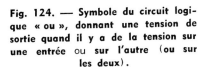

Nous commencerons par le circuit « ou », que je vous symboliserai

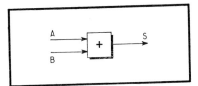

Fig. 124. — Symbole du circuit logique « ou », donnant une tension de sortie quand il y a de la tension sur une entrée ou sur l'autre (ou sur les deux).

comme sur la figure 124. Ne vous inquiétez pas du signe +; il fait allusion à une notation spéciale dans laquelle je préfère ne pas vous emmener. Ce circuit « ou » est destiné à fournir une tension à sa sortie S quand il y a une tension sur son entrée A, *ou* sur son entrée B, *ou* sur les deux à la fois. Vous réaliserez quelque chose d'analogue en supposant que les tensions A et B vont agir sur les bobines de deux relais dont j'aurais mis les contacts travail en parallèle.

IG. — Ce qui me gêne un peu, dans votre idée de circuit « ou », c'est qu'il n'y a pas de différence quand je mets de la tension sur une des deux entrées ou quand j'en mets sur les deux simultanément.

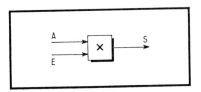

Fig. — 125. — Symbole du circuit logique « et », donnant une tension de sortie uniquement s'il y a de la tension sur une de ses entrées et sur l'autre simultanément.

CUR. — C'est une idée à laquelle il faut vous habituer. Imaginez que, par exemple, vous ayez alimenté une sonnette par deux interrupteurs différents, mis en parallèle pour que l'on puisse commander cette sonnette de deux endroits différents. La sonnette sonnera si j'appuie sur l'un des interrupteurs, ou sur l'autre. Elle sonnera aussi (mais pas deux fois plus fort) si j'appuie sur les deux interrupteurs à la fois.

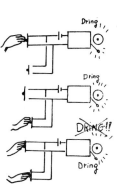

IG. — Bon, j'admets, mais alors il faudrait un mot spécial à la place du « ou » de votre définition.

CUR. — C'est en partie vrai. Nous avons tellement pris l'habitude de considérer le mot « ou » comme exclusif : lorsqu'on dit que quelqu'un est grand ou petit, il ne peut pas être les deux à la fois. Mais on emploie quand même ce mot dans son sens non exclusif. Quand vous dites qu'un transistor est mal utilisé *ou* défectueux, il serait parfaitement possible qu'il soit les deux à la fois et le mot « ou » n'introduit pas une idée d'exclusivité.

Je passe maintenant au circuit « et ». Je prendrai pour le représenter conventionnellement le symbole de la figure 125. Le signe × qui y figure

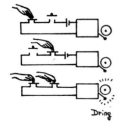

rappelle ces notations de l'algèbre de Boole dont l'étude nous entraînerait un petit peu trop loin.

Ce circuit doit donner une tension à sa sortie quand on applique de la tension à son entrée A *et* à son entrée E en même temps. Nous pourrions, par exemple, le réaliser en commandant par les tensions A et B les bobines de deux relais, dont nous placerions les contacts travail en série.

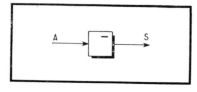

Fig. 126. — **Symbole du circuit logique « complément », donnant de la tension de sortie quand il n'y en a pas à son entrée et vice versa.**

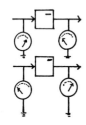

Je vous définirai maintenant le troisième circuit logique qui est le circuit « complément ». Nous le schématiserons par le symbole de la figure 126. C'est tout simplement un circuit qui donne de la tension de sortie quand on n'en applique *pas* à l'entrée, et ne donne pas de tension de sortie quand on en applique à l'entrée. Nous pourrions le réaliser en faisant agir la tension d'entrée A sur le bobinage d'un relais dont le contact repos nous enverrait une tension positive à la sortie.

Fig. 127. — **Réalisation d'un circuit « complément » au moyen d'un simple transistor.**

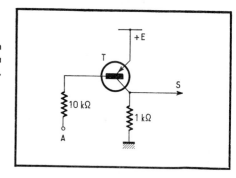

Circuits logiques sans relais.

Ig. — Vos circuits me semblent en effet assez simples, mais je déplore la présence là-dedans de relais. Il doit certainement y avoir un moyen de les remplacer par des organes à fonctionnement plus rapide.

Cur. — Vous avez raison. Les circuits à relais que je vous ai décrits étaient destinés à vous montrer clairement le fonctionnement de ces circuits logiques. En fait, si vous voulez un exemple, le circuit de la figure 126 sera réalisé très bien au moyen du montage de la figure 127.

Vous voyez que, si je porte le point A au potentiel + E (qui est considéré comme la présence de tension), le transistor T est bloqué et la tension de sortie S est nulle. Par contre, si le point A est relié à la masse (absence de tension à l'entrée), il circule un courant base dans le transistor à travers la résistance de 10 kΩ; si le gain en courant de ce transistor est supérieur à 10, ce qui est normal, le transistor est saturé et le courant qui circule à travers lui porte son collecteur (c'est-à-dire la sortie S) à un potentiel voisin de + E. Nous aurions des systèmes assez simples, à transistors aussi, pour réaliser les circuits *et* et *ou*.

Ig. — Tout cela me semble en effet assez simple. Mais je ne vois pas très bien ce que vous allez faire de vos circuits logiques. Leurs possibilités me semblent très limitées.

Les associations de circuits logiques.

Cur. — Ne vous inquiétez pas. Leurs possibilités deviennent grandes à partir du moment où on en assemble un certain nombre. Pour vous en donner un exemple, nous allons construire un circuit qui nous servira dans l'addition des nombres binaires. Comme vous l'avez constaté, quand on additionne deux nombres binaires, le nombre des unités doit être :

zéro si les deux nombres sont nuls;

un si un seul des deux nombres vaut un;

zéro (avec une retenue de un) si les deux nombres valent un.

Nous chercherons donc un groupement de circuits qui nous donne une tension de sortie si j'applique une tension à l'une de ses deux entrées, ou à l'autre, mais pas quand je l'applique aux deux.

Ig. — Donc, le circuit *ou* ne peut pas convenir.

Cur. — Effectivement, il ne suffit pas à lui seul. Mais examinez le montage réalisé que je vous ai schématisé sur la figure 128. Les deux tensions d'entrée A et B sont appliquées simultanément au circuit *ou* n° 1 et au circuit *et* n° 2. Vous voyez que, à la sortie du circuit *et* j'ai placé un circuit *complément* n° 3.

A la sortie de ce circuit *complément*, j'aurai donc un, sauf lorsque les tensions d'entrée A et B sont présentes l'une et l'autre : ce n'est en effet que dans ce cas que j'aurai une tension en sortie du circuit *et* n° 2.

Ig. — Jusque-là je vous suis sans difficulté.

Cur. — Le reste ne sera pas plus compliqué. A la sortie du circuit *ou* n° 1, j'ai de la tension quand il y en a sur A, ou sur B, ou sur les deux. Examinez maintenant le fonctionnement du circuit *et* n° 4. Ce n'est que dans le cas où les entrées A et B reçoivent de la tension toutes les deux qu'il n'en recevra pas sur son entrée inférieure. Dans les trois autres cas (tension nulle en A et B, tension nulle en A et présente en B et tension nulle en B et présente en A), il recevra une tension présente sur son entrée inférieure.

Ce circuit n° 4 éliminera donc la présence de tension à la sortie du circuit *ou* n° 1 uniquement dans le cas où des tensions sont présentes en A et en B simultanément. Vous voyez donc que, en examinant tous

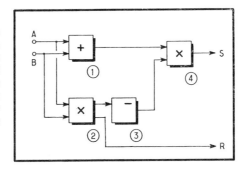

Fig. 128. — **Association de circuits logiques donnant un circuit « ou exclusif » ou « demi-additionneur »,** qui **donne de la tension de sortie quand il y a de la tension en A ou en B, mais pas sur les deux entrées A et B à la fois.**

les cas possibles il n'y aura de tension S que si j'ai de la tension sur A et pas sur B ou bien sur B et pas sur A.

Ig. — C'est loin d'être aussi simple que vous me l'aviez annoncé, mais on peut quand même arriver à se débrouiller là-dedans. Seulement, je ne vois pas à quoi sert cette sortie marquée R que vous avez prise après le circuit *et* n° 2.

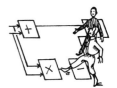

A	B	S	R
0	0	0	0
1	0	1	0
0	1	1	0
1	1	0	1

Cur. — Faites appel à vos souvenirs, Ignotus, et vous vous rappellerez que, dans l'addition binaire, il y a une retenue si les deux chiffres ajoutés valent un tous les deux; autrement dit, la sortie R représente la retenue; il y en aura une s'il y a présence de tension en A et B.

Ig. — Pouvez-vous maintenant, me parler des grands calculateurs arithmétiques?

Représentation électrique des nombres.

Cur. — Avant d'en arriver là, il faut d'abord que je vous dise quelles sont les méthodes employées pour représenter les nombres sous forme électrique.

Un nombre, exprimé en code binaire est composé d'un certain nombre de chiffres qui sont des un ou des zéros. Supposons qu'il y ait n chiffres. Nous pouvons exprimer ce chiffre sous forme électrique de deux façons.

D'abord sous forme de nombre *parallèle* : nous utiliserons n fils, correspondant respectivement aux n chiffres, sur lesquels on trouvera ou ne trouvera pas de tension suivant que le chiffre correspondant à un fil est un 1 ou un zéro. Tous les chiffres seront donc présents simultanément sur autant de fils qu'il y a de chiffres.

La deuxième méthode de représentation est dite celle du nombre *série*. Elle consiste à envoyer sur un fil unique, à une cadence convenue à l'avance, des impulsions ou absences d'impulsion suivant que, en examinant les chiffres du nombre à transmettre de la droite vers la gauche par exemple, on trouve un 1 ou un zéro.

Ig. — Cette dernière méthode me semble dangereuse : si l'on commence par trouver un certain nombre de zéros dans le chiffre à transmettre, on ne sait pas du tout quand va commencer la transmission. C'est ainsi que, par exemple, dans un nombre à sept chiffres s'il comporte un 1 suivi de six zéros, votre nombre série se composera uniquement d'une impulsion; on pourrait croire que c'est un nombre réduit à une unité ou à une deuxaine. On ne sait pas bien.

Cur. — On va employer, pour lever cette incertitude, un moyen que les sportifs connaissent bien. Pour faire partir ensemble tous les coureurs d'un 100 mètres, comment procède-t-on?

Ig. — On demande au starter de tirer un coup de pistolet.

Cur. — Nous ferons exactement de même : il y aura, sur la ligne où les chiffres doivent être envoyés, une impulsion de début appelée « start », qui annonce la retransmission et à partir de laquelle on sait quand on doit trouver les chiffres des unités, des deuxaines, des quatraines, etc. Pour ne pas risquer de confondre ce start avec les impulsions de chiffres, on lui donne une longueur différente qui permet de le séparer facilement.

Ig. — Je trouve cette méthode de retransmission beaucoup plus ingénieuse que celle du nombre parallèle. Il suffit d'un seul fil pour les envoyer tous. Il y a cependant quelque chose que je trouve très bizarre : cette façon de commencer par les unités, suivies des deuxaines, suivies des quatraines, etc. En général, quand on énonce un nombre, on donne ses chiffres de gauche à droite.

L'afficheur-décaleur.

Cur. — C'est en effet l'habitude, mais vous savez que, pour les calculs, on commence toujours par procéder, en ce qui concerne les additions et les multiplications, par les unités. Pour utiliser commodément ce nombre série dans les calculateurs, il vaut mieux qu'il nous amène d'abord les unités. En ce qui concerne le côté plus agréable du nombre série, n'oubliez pas que, si l'on n'a besoin que d'un seul fil pour le transmettre, on paye cela de deux façons : d'abord la transmission est plus longue, ensuite le nombre obtenu n'est pas aussi facile à manipuler. Nous allons maintenant considérer comment on réalise l'instrument-clé des calculateurs; c'est ce qu'on appelle afficheur-décaleur que l'on désigne aussi par son nom anglais : « shift register ». C'est une sorte de banc de mémoire sur lequel on peut faire glisser le nombre cran par cran.

Iɢ. — Comment voulez-vous donc réaliser une mémoire? Si, en plus, il faut décaler le nombre affiché, cela doit être particulièrement difficile.

Cᴜʀ. — Je vous ai tracé le schéma d'un tel afficheur-décaleur à trois étages sur la figure 129; vous voyez qu'il est la répétition d'un montage de base défini. Il se compose d'un basculeur actionné sur l'une de ses entrées directement et sur l'autre par un circuit ou. Le basculeur délivre une tension de sortie qui, transformée en impulsions, va attaquer un montage, désigné par R, qui est un retardateur. On peut le réaliser, par exemple, au moyen d'un montage monostable comme ceux que je vous ai déjà expliqués.

Iɢ. — Cela semble évidemment compréhensible, mais j'ai fini par me méfier beaucoup de vos schémas-blocs qui cachent sous une simplicité apparente des complications effroyables.

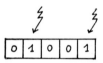

Cᴜʀ. — Celui-là ne vous fera pas perdre de cheveux. Vous voyez sur les basculeurs, en plus des entrées normales, une petite entrée latérale que j'ai intitulée z. C'est une entrée qui correspond à une commande de remise au zéro : on peut le faire, par exemple, en envoyant par cette entrée une impulsion négative sur la base du transistor T_2 dans le montage de la figure 82.

Supposons que je dispose d'un nombre parallèle : appliquons-le, par toutes ses lignes d'amenée, sur les entrées E_1, E_2, E_3, etc, de l'afficheur-décaleur dont tous les basculeurs ont été ramenés à zéro. Nous connecterons le fil des unités du réseau de fils sur lequel est amené le nombre parallèle à l'entrée E_1; le fil des deuxaines ira à l'entrée B_2, le fil des quatraines à l'entrée E_3. Si le nombre parallèle se trouve ainsi appliqué sous forme d'impulsions ou absences d'impulsion sur les différentes entrées de notre afficheur-décaleur, que se passera-t-il?

Iɢ. — Tout cela est tellement nébuleux pour moi que je peux seulement vous répondre ceci : seuls les basculeurs qui auront reçu une impulsion passeront à l'état un. Au-delà de cette réponse, je ne peux plus rien vous dire.

Cᴜʀ. — Mais je ne vous en demandais pas plus, Ignotus. Vous voyez donc que les différents basculeurs correspondant aux rangs où il y avait un 1 dans le nombre, auront basculé. Les tensions de sortie de ces basculeurs constitueront donc une mémoire du nombre en question, représentée en code parallèle et affichée en permanence.

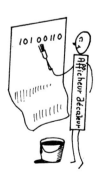

Iɢ. — Tout cela est bien compliqué pour obtenir une mémoire du nombre. Votre nombre parallèle était fourni sous forme d'impulsions ou absences d'impulsion. S'il avait été fourni sous forme de tensions continues ou absences de tension, tout votre montage aurait été inutile.

Le décalage.

Cᴜʀ. — Je suis tout à fait d'accord avec vous. Mais vous ne soupçonnez pas encore les possibilités du montage. Supposez que, mainte-

nant, j'applique au fil Z une impulsion négative de remise à zéro. Que se passera-t-il?

Ig. — Oh, ce n'est pas sorcier, tous les basculeurs seront remis au zéro, et votre mémoire sera effacée.

Cur. — Cela serait vrai si je n'avais pas ici les circuits retardateurs. Au moment où j'appliquerai cette impulsion de remise à zéro, les basculeurs qui se trouvaient dans la position 1 reviendront au zéro. Ce faisant, ils enverront une impulsion aux retardateurs qui les suivent. Ces retardateurs prendront l'impulsion et la restitueront, après un certain temps, aux basculeurs suivants.

Ig. — Mais puisque vos basculeurs ont été remis à zéro...

Cur. — Je les ai remis à zéro par une impulsion brève sur Z. Mais cette impulsion est complètement terminée quand les retardateurs R qui auront reçu une impulsion la restitueront aux basculeurs suivants. A ce moment, ceux des basculeurs qui devront repasser au 1 le feront, qu'ils aient été remis à zéro ou pas.

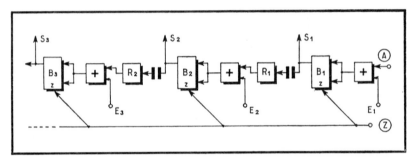

Fig. 129. — **Schéma-bloc de l'« afficheur-décaleur » (shift register) sur lequel on peut afficher un nombre binaire par les entrées E, une impulsion en (Z) faisant « glisser » le nombre affiché vers la gauche.**

Ig. — Je vous l'accorde bien volontiers. Qu'aurez-vous donc gagné à cette curieuse manœuvre.

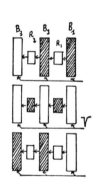

Cur. — Tout simplement ceci: l'indication qui se trouvait sur un basculeur avant cette remise au zéro se trouvera maintenant reportée sur le basculeur suivant (sens de droite à gauche). Si, par exemple, j'avais appliqué une impulsion sur E_1, une aussi sur E_2 et pas sur E_3, j'aurais initialement une tension de sortie sur S_1, sur S_2 et pas sur S_3. Envoyons une impulsion de remise à zéro. Les basculeurs B_1 et B_2 reviennent au zéro, excitant les retardateurs R_1 et R_2. Par contre, le basculeur B_3 qui était au zéro n'y revient pas, il y reste. Il n'excitera donc pas le retardateur R_3. Quand les retardateurs R_1 et R_2, un peu plus tard, enverront leurs impulsions, le basculeur B_2 qui avait été ramené au zéro repassera au 1, tandis que B_3, qui était resté au zéro, repassera au 1. Nous aurons donc de la tension sur S_3 et S_2, nous n'en aurons pas sur S_1. Au lieu d'afficher le nombre 011 nous affichons maintenant 110. Nous avons décalé l'affichage d'un cran vers la gauche et placé à droite un zéro.

Ig. — Si l'on avait fait une chose pareille sur un affichage décimal, c'est-à-dire de décaler tous les chiffres d'un cran vers la gauche et de mettre un zéro à droite, nous aurions multiplié le nombre par 10. Mais quand il s'agit de nombres binaires je ne sais pas à quoi cela correspond.

CUR. — Mais tout simplement à l'avoir multiplié par 2. Cela est donc déjà une première possibilité de notre système. A chaque impulsion envoyée sur la ligne Z, j'affiche un nombre double de celui qui était affiché initialement. Mais notre afficheur-décaleur a des possibilités encore plus intéressantes. Regardez donc les impulsions qui vont sortir du basculeur B_3 quand je vais effectuer trois remises à zéro successives par la ligne Z.

La conversion parallèle-série.

IG. — Pour essayer de m'y retrouver, je vais considérer le cas que vous aviez envisagé : le nombre affiché initialement était 011. La première commande en Z nous fait afficher 110, mais je crois que, dans ce cas-là, vous considérez qu'il ne sort pas d'impulsion du basculeur B_3 puisqu'il passe de zéro à un.

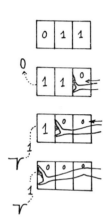

CUR. — En effet, il ne donnera qu'une impulsion positive, que nous éliminerons avec une diode. Donc il ne sort rien du basculeur B_3. Et à la remise au zéro suivante, que se passera-t-il?

IG. — Oh, là c'est bougrement compliqué! Je vois que le basculeur B_1, qui était passé au 1, sera remis au zéro par l'impulsion en Z; à mon avis, il doit donc délivrer une impulsion en sortie, puisque seules vous intéressent les impulsions correspondant à un passage de l'état 1 à zéro. Mais, puisqu'il a reçu par le retardateur R_2 l'impulsion venant de la remise au zéro de B_2, B_3 va repasser à l'état 1. Je ne vois plus très bien où nous en sommes.

CUR. — Eh bien, nous venons de faire sortir une impulsion de B_3 et le nombre affiché est maintenant 100. Si nous remettons à zéro une troisième fois, nous ferons sortir de nouveau une impulsion de B_3, puisqu'il sera remis à zéro en partant de l'état 1. Plus aucun basculeur ne pourra repasser à l'état 1, puisque l'affichage a progressé vers la gauche au point d'être complètement chassé.

IG. — Ça, alors, c'est plutôt drôle! En remettant à zéro trois fois, vous avez en quelque sorte chassé, chiffre par chiffre, le nombre affiché sur votre montage. Seulement, vous l'avez chassé dans le mauvais sens : nous l'avons obtenu en ayant d'abord une absence d'impulsions (chiffre des quatraines), puis une impulsion (chiffre des deuxaines), puis encore une impulsion (chiffre des unités).

CUR. — C'est en effet cela. Nous avons chassé notre nombre chiffre par chiffre de l'endroit où il était affiché. Autrement dit, nous l'avons obtenu sur la sortie S_3 en code série. Vous avez raison quand vous indiquez que ce code série est fourni en terminant par les unités; si nous avions voulu avoir le contraire, nous aurions affiché le nombre sur les trois basculeurs dans l'ordre inverse : les unités en E_3, les deuxaines en E_2 et les quatraines en E_1.

IG. — Donc, votre afficheur-décaleur est capable de transformer un nombre parallèle en nombre série.

La conversion série-parallèle.

CUR. — Oh, vous savez, ce montage a plus d'un tour dans son transistor, si j'ose dire. Il peut aussi faire le contraire. Supposez que nous envoyions le nombre sous forme série sur l'entrée A, en faisant suivre chaque envoi de chiffre d'une remise au zéro. Vous voyez que, quand le premier chiffre a été affiché sur B_1, la remise au zéro le fait progresser sur B_2. A ce moment, le second chiffre se trouve affiché sur B_1 qui a été remis au zéro. La seconde impulsion arrive en Z et fait passer le chiffre primitivement affiché sur B_2 (le premier) sur B_3, tandis que le chiffre affiché sur B_1 (le deuxième) passe en B_2. B_1 est à ce moment remis à zéro et capable d'enregistrer le troisième chiffre du nombre série arrivant en A.

IG. — Décidément, ce montage est très intelligent. Le voici qui vient de transformer un nombre série en nombre parallèle.

L'addition parallèle.

CUR. — Et nous n'avons pas encore épuisé ses possibilités. Supposez que j'envoie un premier nombre parallèle sur mon montage par les entrées E_1, E_2, E_3. Envoyons-en maintenant un second sur les mêmes entrées, les unités en E_1, deuxaines en E_2 et quatraines en E_3. Qu'est-ce que cela va donner?

IG. — Un affreux mélange!

CUR. — Pas du tout. Regardez ce qui se passe sur un des basculeurs. S'il se trouve au zéro après l'affichage du premier nombre, il peut ne pas recevoir d'impulsion lors de l'affichage du second, si ce second nombre comporte aussi un chiffre zéro à l'emplacement correspondant. Dans ce cas, il reste au zéro. Il peut également, au moment de l'affichage du second, recevoir une impulsion : il bascule et passe au 1. Il peut en avoir reçu une lors de l'affichage du premier nombre, et pas lors de l'affichage du second. Dans ce cas, également, après l'affichage du deuxième nombre il sera au 1. Vous voyez que, dans ces trois cas, nous aurons sur chaque basculeur un chiffre correspondant au chiffre de la somme des deux premiers nombres.

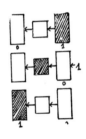

IG. — Tiens, c'est amusant cela; mais ce que vous m'avez dit n'est valable que dans des cas limités.

CUR. — Je vais vous montrer que c'est valable dans tous les cas. Supposez que le basculeur B_1 par exemple, ait reçu une impulsion lors de l'affichage du premier nombre (ce qui signifie que ce premier nombre a un 1 comme chiffre des unités). Nous supposerons maintenant qu'il reçoive encore une impulsion sur E_1 lors de l'affichage du second nombre. Il va donc revenir au zéro, affichant bien ainsi le chiffre de la somme. Mais, en revenant au zéro, il va envoyer une impulsion au retardateur R_1. Cette impulsion n'est autre que la retenue. Après l'affichage du deuxième nombre, cette retenue arrivera au basculeur B_2 et s'ajoutera donc, en faisant changer son état, à ce que B_2 avait affiché.

IG. — Ça, c'est sensationnel : votre montage est capable de faire les additions et de tenir compte des retenues, c'est la **solution idéale pour** réaliser un additionneur.

CUR. — C'est une solution possible, mais pas la meilleure. Supposez que le premier chiffre affiché ait été 111 et que le second soit 001. Quand nous afficherons le second B_1 va basculer et revenir au zéro. Il enverra par R_1 une impulsion à B_2 qui, après un certain retard, basculera et reviendra au zéro. B_2 enverra par R_2 une impulsion à B_3 qui basculera et reviendra au zéro après un autre retard : vous voyez que les retards s'accumulent et que nous pouvons avoir un temps important pour que la somme soit entièrement affichée.

IG. — Mais, c'est bien votre faute. Pourquoi avoir mis des retardateurs?

Cur. — Mais alors, Ignotus, vous n'avez donc pas compris le fonctionnement de l'afficheur-décaleur? Ces retardateurs sont indispensables. En effet, quand je fais progresser un nombre par une remise à zéro, il faut que les basculeurs soient d'abord revenus au zéro et que, *ensuite,* arrive à ceux qui doivent rebasculer une impulsion transmise et *retardée* par un des circuits retardateurs. De même, quand j'utilise l'afficheur-décaleur pour additionner des nombres parallèles, il faut éviter qu'il puisse arriver en même temps à un basculeur un chiffre du deuxième nombre et une retenue venant d'une addition sur un autre basculeur.

Ig. — Là, je vous vois venir, Curiosus. Vous m'avez demandé un travail terrible pour comprendre le fonctionnement de votre afficheur-décaleur et vous allez m'expliquer qu'on ne peut pas s'en servir.

Cur. — Loin de là, Ignotus. On peut très bien utiliser l'afficheur-décaleur; nous verrons d'ailleurs prochainement une application extrêmement ingénieuse de cet ensemble. Naturellement les techniques des circuits intégrés ont permis de réduire énormément la complexité de l'afficheur-décaleur (plus souvent appelé actuellement « registre à décalage »). On le fait surtout en circuits intégrés de technologie M.O.S. et il y en a plusieurs types :

1° Les registres du type « dynamique », dans lesquels l'information ne peut se maintenir que si on la fait « circuler », par des commandes de progression se succédant au-dessus d'un certain rythme minimal. Comme les circuits intégrés en question peuvent stocker jusqu'à cent chiffres binaires, il est hors de question de munir un tel circuit de cent entrées et de cent sorties. On se contente donc de faire « circuler » le nombre affiché en « bouclant » le registre sur lui-même. Si l'on veut connaître le nombre affiché, il faudra le faire « au vol », autrement dit sous forme série, en lisant au passage les chiffres binaires qui sortent du dernier étage du registre pour rentrer dans le premier.

2° Les registres du type « statique », plus complexes, où l'on peut arrêter l'information. Les chiffres binaires écrits dans ce registre n'ont donc pas besoin de « circuler » en permanence pour éviter l'effacement.

Si l'on veut réaliser un registre à décalage avec autant d'entrées et de sorties qu'il a de chiffres binaires stockés, on le fera avec plusieurs circuits intégrés. On peut employer dans ce but des circuits contenant plusieurs basculeurs du type J-K (ce dernier se prête remarquablement à la réalisation de tels registres) ou de type D. Je tiens enfin à attirer votre attention sur le fait suivant : si nous utilisons un registre à circuits retardateurs pour une addition, il peut se faire que celle-ci dure longtemps. Nous essaierons donc d'employer dans ce cas une autre méthode dont je vous parlerai demain.

C'était fatal : à force d'en connaître davantage en électronique, Ignotus se lance! Il a trouvé comment il faut faire les additions en calcul électronique binaire. Il sera donc prêt à apprendre les raffinements de cette technique, et, pourquoi pas, à étudier le multiplicateur. Il lui faudra encore assimiler le fonctionnement des mémoires à tores de ferrite avant que son énergie intellectuelle soit aussi déchargée qu'un condensateur de LASER après l'éclair...

MULTIPLICATEUR ARITHMETIQUE ET MEMOIRES

IGNOTUS. — J'ai trouvé la solution de l'additionneur : il n'y a aucune difficulté particulière, nous mettrons un montage comme celui de la figure 128 pour chaque chiffre à additionner.

CURIOSUS. — Oui, cela ira parfaitement pour les unités du premier et du deuxième nombre. Quand nous voudrons additionner les deuxaines de ces deux nombres, il va se poser un problème : il faudra éventuellement ajouter *trois* chiffres : le chiffre des deuxaines du pre-

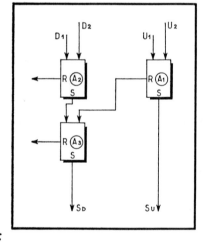

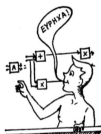

Fig. 130. — Etage des unités et des deuxaines d'un additionneur parallèle binaire.

mier nombre, le chiffre des deuxaines du deuxième nombre et la retenue éventuelle provenant de l'addition des unités.

IG. — Je suppose alors qu'il vous faudra un circuit analogue à celui de la figure 128, légèrement modifié pour avoir trois entrées au lieu de deux.

CUR. — En réalité, nous utiliserons tout simplement deux fois le circuit de la figure 128, comme je vous l'indique sur la figure 130. Sur cette figure, j'ai remplacé tout le circuit de la figure 128 (utilisé plusieurs fois) par des rectangles A ayant deux entrées, une sortie S pour la somme et une sortie R pour la retenue. Vous voyez que le circuit A_1

reçoit le chiffre des unités du premier nombre (U_1) et du second nombre (U_2). Sa sortie S nous donne le chiffre des unités de la somme, que je désigne par Su. Vous voyez également que, pour additionner les chiffres des deuxaines de nos deux nombres, désignés par D_1 et D_2, nous utiliserons un circuit A_2. Sa sortie somme va être envoyée à l'une des entrées d'un circuit identique A_3, l'autre entrée de A_3 recevant la retenue issue de A_1. A la sortie S de A_3, nous aurons le chiffre des deuxaines de la somme Sd.

Ig. — Je crois que j'ai compris. Mais alors, la retenue de cette dernière opération va-t-elle sortir de A_2, ou de A_3, ou des deux à la fois?

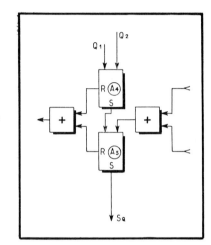

Fig. 131. — Etage des « quatraines » du même additionneur.

Cur. — Certainement pas des deux à la fois. En effet, s'il y a une retenue qui sort de A_2, cela veut dire que D_1 et D_2 valent 1 tous les deux. Dans ces conditions, la sortie somme de A_2 vaut zéro. Alors A_3, recevant zéro sur une de ses entrées peut donner une sortie somme, mais pas de retenue.

Ig. — Je vois en effet qu'il n'y aura pas de sortie retenue à la fois sur A_2 et sur A_3. Mais alors, pour passer aux quatraines, allons-nous relier à l'additionneur correspondant, comme chiffre de retenue, la sortie R de A_2 ou celle de A_3?

Cur. — Ignotus, vous avez employé le mot précis qui vous donne la solution. Nous relierons donc à l'entrée retenue de l'ensemble de deux circuits A, qui constituera l'additionneur des chiffres des quatraines, la sortie R de A_2 *ou* celle de A_3 au moyen d'un circuit *ou*.

C'est ce que je vous représente sur la figure 131, indiquant la constitution de la suite de l'additionneur. A partir de l'étage des quatraines, le tout se reproduit exactement de la même façon. Vous voyez donc, que, si un additionneur parallèle est éventuellement complexe, il n'est pas tellement compliqué.

Ig. — Qu'est-ce qu'il vous faut? Quand je pense que ce que vous désignez pudiquement par la lettre A dans un rectangle est le circuit de la figure 128, dans lequel chaque petit carré représente déjà un assemblage de plusieurs transistors, résistances et diodes, je suis un peu effaré.

Cur. — Ne vous inquiétez pas, Ignotus. Les systèmes de calcul arithmétique sont toujours la répétition, un grand nombre de fois, d'élé-

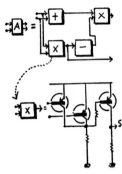

ments relativement simples, qui se décomposent en sous-ensembles encore plus simples. Quoi qu'il en soit un additionneur comme celui des figures 130 et 131 a l'avantage de donner *instantanément* la somme des deux nombres parallèles affichés sur les entrées.

IG. — Et si nous voulions additionner des nombres série?

CUR. — Nous prendrions un montage analogue, en utilisant simplement deux circuits A, un circuit *ou* sur les retenues, et un système à mémoire, rajoutant les retenues des deuxaines, par exemple, lors de l'addition des quatraines. Sa description nous entraînerait un peu loin, mais il est relativement simple. Il comporterait beaucoup moins d'éléments, mais il présente l'inconvénient de nécessiter un stockage du nombre série qui sort. Dans l'additionneur des figures 130 et 131, la réponse est fournie immédiatement sans attendre le défilement des chiffres du nombre série; en plus, cette réponse est affichée à la sortie tant que les nombres parallèles sont appliqués aux entrées.

La soustraction.

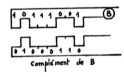

Complément de B

IG. — Bien, je sais maintenant à peu près additionner. Mais comment fait-on une soustraction?

CUR. — En général, on tourne le problème. Supposez que l'on ait à retrancher d'un nombre A un nombre B, on commence par ajouter à A une unité, on lui ajoute le nombre opposé à B et on ne tient pas compte de la retenue.

IG. — Qu'appelez-vous « nombre opposé à B »?

CUR. — C'est tout simplement celui que nous obtenons en remplaçant, dans B, tous les zéros par des 1 et tous les 1 par des zéros. Comme B est plus petit que A et qu'il comporte, en général, moins de chiffres que A, il faudra écrire B avec autant de zéros qu'il est nécessaire à gauche de son premier 1 pour que B et A aient le même nombre de chiffres. En prenant le chiffre opposé à B, tous ces zéros seront transformés en 1. Je vais vous donner un exemple numérique.

Supposons que A soit 1101101 (c'est-à-dire 45) et que B soit 1011..

IG. — Autrement dit, onze.

CUR. — Bravo, Ignotus. Vous vous êtes très bien mis au système binaire. Nous allons donc écrire le nombre B :

$$001011$$

pour qu'il ait, comme A, six chiffres. En prenant le nombre opposé à B, nous obtenons :

$$110100$$

Laissez-moi maintenant vous poser une question : qu'obtiendrez-vous en ajoutant ce « nombre opposé » à B?

IG. — Je crois pouvoir faire cette addition sans difficulté : partout où, dans un des nombres, il y a un 1, on trouve zéro dans l'autre. La somme sera donc un nombre de six chiffres constitués tous de 1, c'est-à-dire 111111.

CUR. — Bravo, rigoureusement exact! Maintenant, ajoutez-lui une unité.

IG. — Eh bien, si j'ajoute cette unité, cela donnera zéro comme chiffre des unités pour la somme. Je retiens 1 qui, ajouté au 1, donne zéro comme chiffre des deuxaines et je retiens 1... Tiens, c'est curieux, je vais finir par obtenir 1000000.

CUR. — Exactement. Votre nombre a maintenant 7 chiffres. Si je néglige la dernière retenue, il ne me reste que zéro. Vous voyez donc qu'en ajoutant au « nombre opposé à B » le nombre B, et une unité, nous obtenons zéro. Autrement dit, si je néglige la retenue, le nombre opposé à B, plus une unité, est, en quelque sorte, équivalent à — B. Il me suffira donc de l'ajouter ainsi à A : je vous pose l'opération :

$$
\begin{array}{r}
101101 \\
+ \ 110100 \\
\hline
(1) \ 100001
\end{array}
$$

Ig. — Je vois que vous avez entre parenthèses le dernier 1 à gauche, c'est sans doute parce que vous ne voulez pas tenir compte de la dernière retenue.

Cur. — C'est exactement cela. Vous voyez que, maintenant, si j'ajoute encore une unité à la somme que nous venons de trouver, cela nous donnera : 100010. Converti en décimal, ce dernier nombre donne 34, ce qui est bien la différence entre 45 et 11.

Ig. — J'avoue que j'aurais été plus vite sans passer par le système binaire!

Cur. — Vous, peut-être. Mais les machines électroniques comptent beaucoup plus vite en binaire que vous en décimal, même en tenant compte du temps de conversion nécessaire.

La multiplication.

Ig. — Décidément, ce système de calcul automatique est très amusant. Pourriez-vous m'expliquer comment on fait une multiplication?

Cur. — Cette fois, vous êtes très courageux. En effet, l'ensemble du montage est assez complexe.

Je vais commencer par vous montrer comment on procéderait du point de vue arithmétique sur l'expression des nombres. Supposons que nous voulions multiplier le multiplicande 11010 (vingt-six) par un multiplicateur égal à treize...

Ig. — Autrement dit 1101.

Cur. — Oh! Mais vous êtes vraiment très fort pour les conversions décimal-binaires. Vous voyez donc que notre multiplicateur se compose de :

— une fois une unité;
— zéro fois 2,
— une fois 2 au carré;
— une fois 2 au cube.
Nous ajouterons donc :
— une fois le multiplicande;
— zéro fois ce même multiplicande multiplié par deux (c'est-à-dire avec un zéro à sa droite, autrement dit 110100);
— une fois ce multiplicande multiplié par quatre, c'est-à-dire écrit avec deux zéros à sa droite (autrement dit 1101000);
— une fois ce même multiplicande multiplié par huit, c'est-à-dire écrit avec trois zéros supplémentaires à sa droite (autrement dit 11010000).

Nous pourrons donc poser l'opération comme je vous le fais ici :

$$
\begin{array}{r}
11010 \\
\times \quad 1101 \\
\hline
11010 \\
00000 \\
1101000 \\
11010000 \\
\hline
101010010
\end{array}
$$

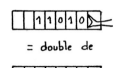

= double de

Iᴳ. — Maintenant que je suis bien habitué au système binaire, votre multiplication me rappelle tout à fait celles que je fais en décimal. Ce qui me gêne le plus, c'est l'addition des produits partiels. Mais je suppose que cela va être terrible quand il faudra faire cette opération avec des circuits.

Le multiplieur binaire.

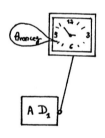

Cᴜʀ. — Non, cela sera complexe, mais nous y arriverons par l'emploi généralisé des afficheurs-décaleurs que vous méprisiez tant tout à l'heure. Souvenez-vous que, sur ces montages, on peut faire progresser d'un cran le nombre affiché, c'est-à-dire le multiplier par deux. Il suffira pour cela, dans le montage de la figure 129, d'une commande appliquée à la ligne Z. Je vous crois maintenant suffisamment entraîné pour pouvoir affronter courageusement le schéma complet du multiplieur, tel que je vous le trace sur la figure 132. Nous avons affiché le multiplicande sur l'afficheur-décaleur AD_1. Ce multiplicande est placé avec les unités à droite, ensuite, en allant vers la gauche, les deuxaines (D), les quatraines (Q), les huitaines (H). La commande Z_1 fait progresser l'affichage sur AD_1 vers la gauche.

Le multiplicateur est affiché, lui, sur l'afficheur-décaleur AD_2. Nous avons placé, cette fois, les unités tout à fait à gauche, les deuxaines plus à droite, les quatraines encore plus à droite... et la commande de progression, Z_2, fera décaler l'affichage du multiplicateur également vers la gauche. C'est sur un troisième afficheur-décaleur AD_3, utilisé uniquement comme additionneur, que se notera la somme. Les afficheurs-décaleurs AD_1 et AD_3 ont tous suffisamment d'entrées et de sorties pour que l'opération soit possible jusqu'au bout.

Le petit rectangle situé à droite est un générateur d'impulsions de cadencement (ou horloge). C'est lui qui rythmera la progression de l'opération.

Voyons ce qui se passe lors de la première impulsion de cadencement : elle pourra passer par le circuit *et* G_1 puisque le chiffre des unités, affiché sur AD_2, est un 1. Je vous ai indiqué, entre parenthèses, les sorties de AD_1 et AD_2 au moment de l'arrivée de la première impulsion de cadencement. Cette première impulsion passe donc à travers G_1. Elle arrive à tous les circuits D situés entre AD_1 et AD_3, elle ressortira par ceux de ces circuits qui reçoivent un 1 sur leur entrée commandée par la sortie de même rang de AD_1...

Iᴳ. — Cela devient complètement horrible et je n'y comprends plus rien!

Cᴜʀ. — Reprenons plus en détail : vous voyez que sur la sortie U de AD_1 il y a zéro, il y a 1 sur sa sortie D (deuxaine), il y a zéro sur sa sortie Q (quatraine), il y a 1 sur ses sorties H et S (huitaine et seizaine). Initialement, il y a 1 sur la sortie unité (U) de AD_2. La première impulsion de cadencement va donc passer par le circuit *et* G_1. Elle arrivera à toutes les entrées de droite des autres circuits *et* g_1, g_2... g_6. En raison de la présence du nombre affiché sur AD_1, cette impulsion se retrouvera : absente sur la sortie de g_1, présente sur la sortie de g_2, absente sur la sortie de g_3, présente sur les sorties de g_4 et g_5. Je pense que cette fois vous m'avez suivi?

Iᴳ. — C'est bougrement compliqué, mais en faisant appel à toutes mes ressources intellectuelles, j'arrive à peu près à comprendre.

Cᴜʀ. — Vous allez voir que le reste ne sera pas plus difficile. Vous voyez que cette première impulsion de cadencement aura pour résultat d'afficher sur AD_3 la valeur du multiplicande tel quel. Une fois cette impulsion terminée, le circuit retardateur R (dont le temps de retard est inférieur à l'écart séparant deux impulsions de cadencement), envoie une commande de décalage en Z_1 à AD_1 et en Z_2 à AD_2. Pour AD_1, le nombre affiché se décale d'un cran vers la gauche. Autrement dit, ce qui est affiché sur AD_1, c'est maintenant le nombre : 110100 que nous avions déjà rencontré. Sur AD_2, le nombre présent s'est décalé d'un cran vers la gauche, autrement dit, c'est l'ancien chiffre des deuxaines (zéro) qui se trouve appliqué à l'entrée du haut du circuit G_1.

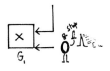

Donc, la deuxième impulsion de cadencement ne passera pas à travers G_1, puisque le chiffre des deuxaines du multiplicateur, appliqué

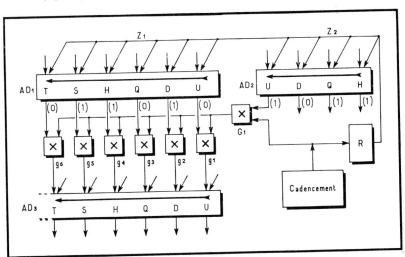

Fig. 132. — Schéma complet d'un multiplicateur binaire, utilisant trois afficheurs-décaleurs et un oscillateur de cadencement. R est un retardateur d'impulsions.

maintenant à l'entrée supérieure de G_1, est un zéro. Autrement dit, le produit par deux du multiplicande ne sera pas envoyé à l'afficheur-décaleur AD_3.

La deuxième impulsion va actionner de nouveau le retardateur R : l'impulsion retardée qui en sort va agir par Z_1 sur AD_1 et par Z_2 sur AD_2.

Donc, puisque nous décalons encore d'un cran vers la gauche, le nombre affiché sur AD_1, nous affichons maintenant sur AD_1 le nombre : 1101000, c'est-à-dire le multiplicande multiplié par 4. De même, le multiplicateur s'est décalé d'un cran sur AD_2, et c'est maintenant le chiffre des quatraines (1) qui est appliqué à l'entrée supérieure de G_1.

La troisième impulsion de cadencement passera donc à travers G_1, passant à travers ceux des circuits g qui reçoivent un 1 par les sorties de AD_1; elle provoquera l'envoi sur AD_3 d'un nombre qui correspond au multiplicande multiplié par 4 (décalé de deux crans vers la gauche).

Ig. — Mais cela va faire alors un affreux mélange sur AD_3!

Cur. — Pas du tout. Avez-vous donc oublié qu'un afficheur-décaleur peut faire la somme de deux nombres parallèles : il suffit de les afficher l'un après l'autre.

Ig. — Mais vous m'avez justement expliqué que cet afficheur-décaleur mettait très longtemps à faire cette somme...

Cur. — N'exagérons rien : il peut mettre un temps égal à la somme des retards de tous les retardateurs qu'il comporte. Mais il peut s'agir seulement de quelques microsecondes. De toute façon, nous lui laisserons un temps nécessaire, en ne faisant pas succéder les impulsions de cadencement trop vite. La troisième impulsion de cadencement étant passée, elle va, retardée par R, provoquer un nouveau décalage du multiplicande dans AD_1 et du multiplicateur dans AD_3. C'est maintenant le multiplicande muni de trois zéros à sa droite (c'est-à-dire multiplié par huit) qui se trouve affiché sur AD_2. Sur AD_2, c'est maintenant le chiffre des huitaines qui sera appliqué à l'entrée supérieure de G_1 : c'est un 1.

La quatrième impulsion de cadencement, pouvant passer par G_1 puisque le chiffre des huitaines du multiplicateur est un 1, va provoquer, par les circuits g, l'affichage du multiplicande multiplié par huit sur AD_3. Ce dernier ajoutera encore ce nouveau nombre à ceux qu'il a déjà additionnés. La somme sera obtenue.

Ig. — Il faudra donc faire bien attention d'arrêter le système de cadencement?

Cur. — Ce ne sera même pas nécessaire. N'oubliez pas qu'après la quatrième impulsion, transmise avec retard à Z_2, l'afficheur AD_2 est « vidé ». Si d'autres impulsions se succèdent elles ne passeront plus à travers G_1 qui aura toujours zéro sur son entrée supérieure.

Ig. — J'ai beau admirer ces techniques binaires, je trouve que ce multiplieur est un cauchemar d'électronicien malade!

Cur. — Je reconnais volontiers qu'il faut une grande attention pour suivre son fonctionnement. Alors je vous fais grâce du diviseur qui est encore plus complexe et qui opère en quelque sorte par essais, tâtonnements et soustractions!

Domaine d'emploi des calculateurs arithmétiques.

Ig. — Je ne voudrais pas vous vexer, Curiosus, mais il me semble que ces machines de calcul arithmétique évoquent exactement la bombe à hydrogène pour tuer la mouche. Vous avez entassé un nombre effarant de transistors, de diodes et autres constituants, et tout cela pour arriver à multiplier 26 par 13! C'est vraiment de gros moyens pour de petits résultats.

Cur. — Vous venez de mettre le doigt sur un aspect important des possibilités des machines arithmétiques. En effet, en ajoutant au multiplieur de la figure 132 des étages supplémentaires, c'est-à-dire en allongeant les afficheurs-décaleurs et en ajoutant des circuits, j'augmenterai régulièrement ses possibilités.

utilisable
jusqu'à 64

Ig. — Oui, mais vous augmenterez en même temps sa complexité.

Cur. — Exact, mais ce que vous ne voyez pas, c'est le point suivant : chaque fois que je rajoute une « tranche » aux afficheurs-décaleurs et un étage g, je me donne la possibilité de traiter des nombres comportant un chiffre de plus, autrement dit des nombres deux fois plus grands : c'est-à-dire que, chaque fois que je rajoute un étage, je double la capacité de la machine.

utilisable
jusqu'à 512

Autrement dit, si une machine arithmétique est parfaitement désastreuse, comme rapport complexité/résultat, quand elle traite des nombres de 4 ou 5 chiffres, elle devient au contraire très intéressante quand elle travaille sur des nombres de 20 ou 30 chiffres. Avec 30 chiffres, par exemple, nous opérerions sur des nombres de l'ordre du milliard, et le résultat serait donné en un temps très court. Autrement dit, les machines à calculer arithmétiques sont essentiellement destinées à donner de grandes précisions sur des nombres comportant beaucoup de chiffres.

Ig. — Si je comprends bien, vous voulez dire que les possibilités de la machine croissent en progression géométrique quand le nombre d'étages croît en progression arithmétique?

Cur. — Ciel! Bien fait pour moi! A force de considérer que vous avez toujours beaucoup de peine à comprendre, j'en suis arrivé, pour une fois, à employer un langage trop simple. Vous avez parfaitement raison.

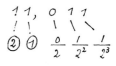

Décimal

Ig. — Mais, dites-moi, vous me parlez de précision; moi je parlerais plutôt de nombres élevés, mais pas de nombres précis. Les nombres binaires n'ont pas de partie fractionnaire.

Cur. — Première nouvelle! Vous pouvez parfaitement écrire un nombre binaire comportant une virgule et des chiffres après cette virgule. Par exemple, le nombre 11,011 signifie : 3 pour la partie entière (une fois 2 + une fois 1), et, à droite de la virgule, nous trouvons comme premier chiffre un zéro, ce qui signifie qu'il n'y a pas de demi, le second chiffre est un 1, ce qui signifie qu'il y a un quart, le troisième chiffre est aussi un 1, ce qui signifie qu'il y a un huitième. Autrement dit, la partie située à droite de la virgule signifie : zéro moitié + un quart + un huitième, c'est-à-dire trois huitièmes. Vous voyez que l'on peut parfaitement parler de nombres fractionnaires, avec une virgule, comme en numération décimale.

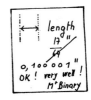

binaire

Ig. — Voilà un système de numération qui doit plaire tout particulièrement aux Anglais. Leur pouce est divisé en moitiés, quarts, huitièmes, etc. Avec cette notation cela devient relativement simple de parler de 17/64 de pouce.

Cur. — J'avoue que je n'y avais pas pensé. Mais, en effet, on pourrait croire que cette notation fractionnaire binaire a été inventée pour faire plaisir aux utilisateurs de ces invraisemblables pouces et de leurs effroyables sous-multiples. Maintenant, pour que vous ayez une idée d'ensemble des machines de calcul arithmétique, il faut que nous disions quelques mots sur les systèmes de mémoires.

Ig. — Quelle curieuse idée. A quoi cela sert-il?

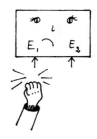

Les mémoires.

Cur. — Les mémoires, dans les machines à calculer, ont exactement le même rôle que le papier que vous employez quand vous faites des calculs. Il faut noter les résultats intermédiaires, pour pouvoir continuer ou les utiliser ultérieurement. Ici, grâce à l'emploi de la numérotation binaire, nous n'aurons à noter que des présences ou absences sur certaines voies, correspondant à des zéros ou des 1. Il faudra qu'un résultat d'opération (ou une donnée) puisse être affiché.

Ig. — Mais vous m'en avez déjà parlé. On peut très bien le faire sur un système afficheur-décaleur.

Cur. — C'est exact, le système afficheur-décaleur comporte des basculeurs. Ceux-ci représentent une forme possible de système à mémoire. Suivant qu'ils se trouvent dans l'état de repos ou dans l'état basculé, ils représentent le chiffre zéro ou le chiffre 1.

Ig. — Alors, comme mémoire, nous allons utiliser des afficheurs-décaleurs?

Cur. — Cela pourra se faire dans certains cas, mais, le plus souvent, ce serait une solution inutilement luxueuse. Nous pourrons nous contenter de basculeurs simples. Nous les attaquerons, par les impulsions à mettre en mémoire, sur une seule de leurs entrées : ainsi, ceux des basculeurs qui auront reçu une impulsion passeront en position travail et y resteront tant qu'on ne les aura pas remis au zéro.

Mais je voudrais vous dire quelques mots de dispositifs de mémoire simples. Il y a une classe intéressante de systèmes qui utilisent des petits anneaux de ferrites (on nomme ainsi des composés de fer, d'oxygène et de quelques métaux, réalisés suivant la technique des céramiques).

Ig. — Ah, bon, je commence à voir arriver l'explication de ces mystérieux « tores à cycle rectangulaire » dont j'avais entendu parler sans comprendre très bien de quoi il s'agissait.

Cur. — C'est exactement cela. On peut réaliser des ferrites qui ont la propriété de garder une aimantation dans un sens ou dans un autre, quand ce produit a été soumis à un champ magnétique suffisamment intense. Supposons que nous prenions un petit anneau comme celui que je vous montre (fig. 133)...

Ig. — Eh bien, si vous n'avez pas de loupe sur vous, vous aurez de la peine à le voir ou à le retrouver!

Cur. — C'est en effet l'intérêt du système : sa petite dimension nous permettra de faire des mémoires avec un nombre considérable d'éléments dans un volume restreint. Faisons passer dans le trou de ce petit anneau un fil conducteur et envoyons-lui un certain courant. Avec l'anneau en question, si l'intensité de ce courant dépasse, par exemple, 0,7 A, tout le système se trouve aimanté dans un certain sens, les lignes de force du champ magnétique se refermant dans l'anneau.

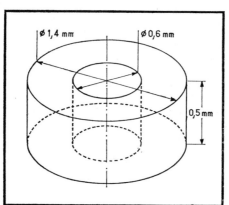

Fig. 133. — Anneau de ferrite servant à conserver une mémoire par le sens dans lequel il est aimanté.

Ig. — Est-ce qu'alors cet anneau devient l'équivalent d'un aimant?

Cur. — Non, il ne donne aucun champ magnétique extérieur, car les lignes de force se referment à l'intérieur du ferrite. Mais nous disposons cependant d'un moyen pour savoir s'il a été aimanté dans

un sens ou dans un autre. Supposez que, l'anneau ayant été aimanté par un courant supérieur à 0,7 A passant dans le fil dans un certain sens, nous envoyions un courant supérieur à 0,7 A dans l'autre sens dans ce même fil : l'aimantation du noyau va se renverser.

Ig. — Je vous crois sans peine, mais je ne suis pas plus avancé que tout à l'heure : votre petit anneau ne donne toujours pas de champ magnétique extérieur.

Cur. — Je suis d'accord avec vous. Mais supposez que nous fassions passer dans l'anneau un second fil. Il constituera, en quelque sorte, un secondaire à une seule spire d'un transformateur dont l'autre fil constitue le primaire et l'anneau de ferrite le noyau. Quand le sens de l'aimantation se retourne dans le noyau, une tension est induite sur ce second fil. Nous disposons donc d'un moyen de savoir si l'anneau a vu son magnétisme retourné ou non.

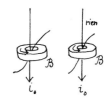

Imaginez dix anneaux tels que celui-ci. Dans chacun d'entre eux passe un fil séparé que nous appellerons fil d'inscription. Un fil unique passe successivement dans tous les anneaux. C'est celui que nous appellerons fil de lecture, ainsi que je vous le représente sur la figure 134. Nous allons commencer par mettre le système dans un état que nous appellerons zéro, en envoyant dans les dix fils verticaux dix courants supérieurs à 0,7 A de haut en bas. C'est ce que l'on appelle « effacer » la mémoire. Maintenant, dans ceux des fils qui correspondent à des

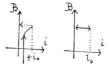

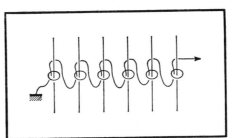

Fig. 134. — **Mémoire magné-tique constituée par des tores aimantables dans chacun des-quels passe un fil d'inscrip-tion-interrogation (vertical) et un fil de lecture.**

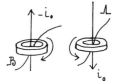

endroits où nous voulons noter une unité, nous enverrons des courants supérieurs à 0,7 de bas en haut. Les anneaux correspondants verront leur magnétisme inversé. Maintenant, pour interroger la mé-moire, nous allons envoyer des courants supérieurs à 0,7 A successive-ment dans chacun des dix fils, de haut en bas. Ceux des anneaux qui ont reçu un courant de bas en haut lors de la notation des chiffres, ver-ront leur magnétisme s'inverser, provoquant une tension induite sur le fil de lecture. Vous voyez que nous avons réalisé ainsi une mémoire.

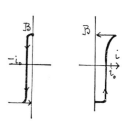

Ig. — Je le vois en effet, mais je regrette une chose : pour lire les résultats de cette mémoire, vous êtes obligé de l'effacer en même temps. D'autre part, ce système d'anneaux alignés avec autant de fils qu'il y a de données à enregistrer me semble un peu complexe.

Mémoires à lignes et colonnes.

Cur. — Effectivement, un des défauts de ce système est qu'il s'agit d'une mémoire à lecture destructrice. On peut envisager des dispositifs spéciaux qui font que, quand on a trouvé, lors de la lecture, un tore magnétisé (représentant une unité), on réinscrive immédiatement ce qui était inscrit dedans, tout de suite après la lecture. Cela complique un peu le système mais c'est une réalisation courante.

Je n'entrerai pas dans le détail des plaques de ferrite à plusieurs trous, qui permettent également une lecture non destructrice. Je préfère répondre surtout à votre deuxième question touchant la complexité du système. On peut l'améliorer énormément de la façon suivante : nous allons utiliser, pour inscrire l'unité dans un des tores ou pour lire ce qui y est inscrit, non pas *un* fil, mais *deux*. Dans chacun de ces fils, nous enverrons une intensité de 0,4 A. Il n'y aura donc pas inscription si nous envoyons le courant dans un seul des deux fils, elle n'aura lieu qu'en l'envoyant dans les deux à la fois.

Ig. — C'est une sorte de circuit *et*.

Cur. — Rigoureusement exact. L'intérêt de ce système est qu'il nous permettra une inscription par ligne et colonne. Vous voyez, sur la figure 135, que je dispose de 16 tores, situés aux points d'intersection de quatre colonnes, $C_1 \ldots C_4$ et de quatre lignes $L_1 \ldots L_4$. Le fil de lecture passe dans tous ces tores, il est représenté en pointillé. Pour inscrire un chiffre dans le tore de la troisième colonne et de la deuxième ligne, j'enverrai un courant de 0,4 A dans le fil C_3 de haut en bas et dans le fil L_2 de gauche à droite. Seul, le tore situé à l'intersection de ces fils recevra l'équivalent d'un courant de 0,8 A et passera dans l'état magnétique correspondant. Quand nous voudrons lire ce qui est écrit dans ce tore, nous enverrons des courants d'interrogation de 0,4 A dans C_3 de bas en haut et dans L_2 de droite à gauche. Si le tore de la troisième colonne en ligne 2 a reçu une inscription, et, dans ce cas seulement, il y aura apparition d'une tension induite sur le fil de lecture.

Vous voyez donc que, avec 16 lignes et 16 colonnes, je peux constituer ce que l'on appelle un « plan de mémoire » de 256 éléments sous un volume très petit.

Ig. — C'est en effet très ingénieux, mais je ne voudrais pas être à la place de ceux qui ont à construire un tel plan de mémoire : c'est un véritable travail de dame au crochet.

Cur. — Ce sont effectivement des femmes qui, en général, construisent ces plans-mémoires. On appelle cette opération le « tissage », car il y a, en effet, une certaine analogie entre cette structure et celle d'un tissu. En entassant un grand nombre de ces plans de mémoire parallèlement, on obtient une mémoire globale, permettant d'enregistrer un très grand nombre de données.

Fig. 135. — **Mémoire magnétique en tableau carré de tores. Le fil en pointillé est le fil de lecture, sur lequel on recueille les tensions quand on a interrogé, au croisement de deux fils, un tore aimanté.**

Pour vous montrer un autre exemple assez intéressant dans le domaine des mémoires, je vous signalerai l'emploi des diodes tunnel.

Mémoires à diodes tunnel.

Ig. — Je connais assez mal ces engins et je ne vois pas du tout comment on va pouvoir les employer à réaliser des mémoires.

Cur. — Une diode tunnel est une diode fonctionnant au-delà d'une certaine tension (disons 0,4 V) comme une diode ordinaire en sens conducteur. En dessous de cette tension, toujours dans le sens direct, nous voyons paradoxalement le courant de la diode augmenter quand la tension diminue. Il y a donc là une zone à résistance négative. Pour une tension particulière, appelée tension de « pic », le courant de la diode passe par un maximum, et, si l'on continue à diminuer la tension aux bornes de la diode, le courant diminue, cette fois très rapidement, jusqu'à zéro. Je vous ai tracé sur la figure 136 la courbe indiquant la variation du courant de la diode en fonction de la tension à ses bornes. Une telle diode tunnel, si elle est alimentée depuis une tension donnée à travers une résistance convenable, nous donne un système bistable.

IG. — Ça, alors, je ne vois pas du tout comment!

CUR. — Examinez le montage de la figure 137, dont vous devez reconnaître qu'il n'est pas tellement compliqué. Nous cherchons à déterminer le courant i dans la diode et sa tension aux bornes v. Il nous faudra trouver un couple de valeurs i et v qui satisfasse à la fois le consommateur (la diode tunnel) et le producteur (pile de force électromotrice e

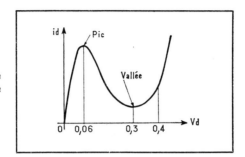

Fig. 136. — Caractéristique tension-courant d'une diode « tunnel » au germanium.

et de résistance interne R). La courbe des exigences du consommateur est celle de la figure 136. La courbe indiquant la relation entre v et i imposée par le producteur est une droite, ainsi que le veut la loi d'Ohm. Cette droite est celle que vous connaissez sous le nom de « droite de charge ». Sur la figure 138, j'ai tracé la caractéristique de la diode tunnel et la droite de charge : vous voyez que l'on peut trouver, comme couples de valeurs v et i correspondant à un état stable, ceux qui sont représentés graphiquement par les points A et B.

IG. — C'est vraiment formidable, cette diode tunnel : faire un sys-

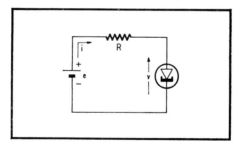

Fig. 137. — Montage de la diode tunnel en élément de mémoire.

tème bistable avec une pile, une résistance et une diode, c'est merveilleux. Mais, que ferez-vous du point C : serait-ce aussi un état possible?

CUR. — Possible, oui, mais pas stable. En cet endroit, la résistance dynamique de la diode tunnel est négative et l'état correspondant ne peut pas se maintenir.

Vous voyez qu'avec un groupe de diodes tunnel nous pourrons réaliser ainsi des mémoires. L'avantage de celles-ci est que l'accès à la mémoire est extrêmement rapide, autrement dit l'inscription ne prend qu'une infime partie de microseconde. On compte plutôt ici les temps en nanosecondes, c'est-à-dire en milliardièmes de seconde. Dans les

tores de ferrite, on descendait à la microseconde dans les meilleurs cas; il faut en effet laisser un certain temps au matériau pour que son magnétisme bascule. Nous pourrons, avec des diodes tunnel, en alimentant chaque diode au moyen de deux résistances, réaliser des systèmes d'inscription par lignes et colonnes comme avec les tores. On peut également, avec ces diodes, réaliser facilement des lectures non destructrices.

Ig. — Il n'y a aucun doute, si, un jour, je réalise une calculatrice arithmétique, la mémoire sera à diodes tunnel!

Cur. — L'idée est bonne, il n'y a malheureusement qu'un inconvénient qui s'atténuera sans doute bientôt : ces diodes tunnel sont relativement coûteuses. Il y a sans doute une possibilité nouvelle intéressante dans le domaine des mémoires : les « ovistors » (du nom de Ovhinsky leur inventeur). Il s'agit de diodes comportant un semiconducteur de nature vitreuse, qui est, normalement, un isolant presque parfait. Au-delà d'une certaine tension à ses bornes, cette diode subit un changement d'état, extrêmement rapide (les temps de réponse sont, paraît-il, du même ordre que ceux des diodes tunnel), qui l'amène à un état conducteur. Suivant la nature du matériau, cet état peut persister quand on a supprimé toute tension (il faut alors une impulsion en sens inverse pour faire revenir l'ovistor dans son état primitif) ou ne se maintenir que si l'on n'a pas réduit la tension aux bornes du dispositif en dessous d'un certain minimum.

Si l'on arrive à produire ces diodes à un prix assez bas, elles constitueront des éléments de mémoire fort intéressants.

Fig. 138. — Les trois états possibles du montage de la figure 137. Seuls les points (A) et (B) correspondent à des états stables.

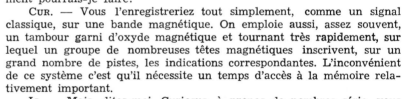

Mémoires pour nombres série.

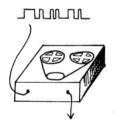

Ig. — Et si je voulais garder en mémoire un nombre série, comment pourrais-je faire?

Cur. — Vous l'enregistreriez tout simplement, comme un signal classique, sur une bande magnétique. On emploie aussi, assez souvent, un tambour garni d'oxyde magnétique et tournant très rapidement, sur lequel un groupe de nombreuses têtes magnétiques inscrivent, sur un grand nombre de pistes, les indications correspondantes. L'inconvénient de ce système c'est qu'il nécessite un temps d'accès à la mémoire relativement important.

Ig. — Mais, dites-moi, Curiosus, à propos de nombres série, vous ne m'avez pas dit comment on pouvait s'y prendre pour les multiplier l'un par l'autre.

Cur. — J'avoue ne pas connaître de schéma de multiplieur pour nombres série. Mais, si vous examinez le schéma du multiplieur de la figure 132, vous vous apercevrez que le multiplicateur et le multiplicande sont affichés sur des afficheurs-décaleurs. Or, je vous ai expliqué que ces dispositifs permettaient aisément la conversion d'un nombre série en nombre parallèle. Si j'avais à multiplier deux nombres série, je commencerais par les afficher par conversion en parallèle sur les afficheurs-décaleurs AD₁ et AD₂ de la figure 132.

Maintenant, vous connaissez donc l'essentiel des systèmes additionneurs, soustracteurs, multiplieurs ainsi que des mémoires, et vous avez une idée de la constitution des calculatrices arithmétiques qui jouent un rôle croissant dans la réalisation des opérations très complexes avec une grande rapidité.

Ig. — Je suis en effet assez d'accord, mais en additionnant les difficultés et en multipliant les embûches, vous avez soustrait toute la matière grise de mon cerveau et j'ai l'impression que mes mémoires sont complètement désaimantées. Si cela ne vous fait rien, je crois que nous ferions mieux de continuer une autre fois, même de préférence dans plusieurs jours pour que je puisse me remettre de ce « bain digital ».

Ignotus est en passe de devenir ingénieur-conseil! Le voici qui a **réalisé un petit système de commande d'antenne. Mais il veut arriver à de meilleurs résultats. Curiosus ne va pas laisser passer cette occasion inespérée de lui apprendre ce qu'est un servomécanisme (avec les dangers cachés d'entrée en oscillation de ces ensembles) et son analogie avec un amplificateur à contre-réaction.**

SERVOMÉCANISMES

IGNOTUS. — Ah, je suis content de vous voir, Curiosus, vous allez probablement me donner la solution d'un problème qui me tracasse.

CURIOSUS. — Allez-y, exposez-moi ça clairement et je suis tout ouïe.

Retransmission de position.

IG. — Un de mes amis, qui fait de l'émission d'amateur, a une antenne orientable. Il m'a demandé de l'aider à réaliser le système d'orientation de l'antenne, car il ne peut pas voir depuis son appartement l'antenne en question qui est sur le toit, et il veut savoir dans quelle direction il l'a braquée. Je lui ai proposé, pour connaître la position de son antenne, de la lier à un potentiomètre, puisque vous m'avez appris que l'on pouvait les utiliser pour transmettre une position.

CUR. — La solution est bonne, mais vous savez que vous ne pourrez pas l'utiliser sur un tour complet : un potentiomètre présente un angle mort.

IG. — Je le sais, mais cela n'a pas d'importance dans le cas présent : mon ami est victime d'une construction proche de chez lui qui lui interdit d'émettre dans un angle d'à peu près 45 degrés. La rotation de son antenne est donc limitée, il a même mis des butées sur le mécanisme pour empêcher qu'on le fasse aller trop loin (fig. 139). J'ai trouvé, pour lui, un très bon potentiomètre qui n'a qu'un angle mort de 5 degrés, et je l'ai aidé à réaliser une commande du moteur de l'antenne par deux transistors pour que l'on puisse actionner le tout avec un tout petit interrupteur. Un voltmètre, mesurant la tension entre le curseur du potentiomètre et une de ses extrémités, permet de recopier la position de l'antenne.

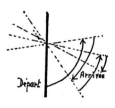

CUR. — Mais, c'est très bien, tout cela. Je ne vois pas en quoi je puis vous donner un conseil, j'ai l'impression que vous avez parfaitement résolu le problème qui vous était posé.

IG. — Euh... à moitié. En réalité, ni moi ni mon ami ne sommes très contents du résultat obtenu. Le moteur a de l'élan, et, quand on l'a lancé, il faut l'arrêter un peu en avance pour obtenir la position voulue. Le plus souvent, on dépasse cette position et il faut revenir en arrière. Il arrive même qu'on revienne trop et qu'il faille encore reprendre le réglage. Je suis sûr que vous avez une solution pour cela.

Cur. — Non seulement j'ai une solution, mais je suis très content que vous m'ayez posé le problème. Supposons que nous voulions faire exécuter à votre antenne un certain mouvement ou, plus exactement, l'amener dans une position bien définie. Nous allons utiliser, comme organe de commande, un second potentiomètre aussi identique que possible à celui qui est commandé par l'antenne. Je vous conseille même de placer ce second potentiomètre sur une planche à travers laquelle passe son axe. Sur cette planche, vous placerez une carte du monde, et un curseur, lié à l'axe du potentiomètre, vous indiquera directement la direction dans laquelle vous allez orienter l'antenne.

Ig. — Ça, alors, si vous arrivez à me donner le moyen de réaliser un tel système, je sens que je passerai pour le plus grand ingénieur de tous les temps aux yeux de mon ami !

Cur. — Vous allez voir que cela sera fait dans quelques heures. Nous allons alimenter par la même tension l'enroulement fixe du poten-

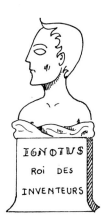

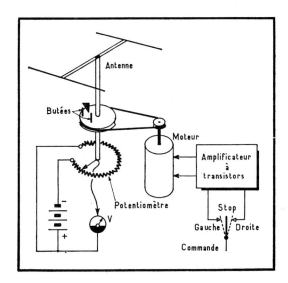

Fig. 139. — La rotation de l'antenne est commandée par le moteur, alimenté par le courant d'un amplificateur. Pour connaître la position de l'antenne, on a lié à celle-ci un potentiomètre qui affiche cette position sur le voltmètre V.

tiomètre d'antenne et de l'autre potentiomètre, que j'appellerai « de commande ».

Le but de la manœuvre est donc de réaliser l'égalité des potentiels des curseurs des deux potentiomètres, celui de commande et celui d'antenne.

Ig. — Oui, je veux bien. Je vois un peu ce que vous allez faire : on placera un voltmètre entre les curseurs de ces potentiomètres et on agira sur la commande du moteur pour amener ce voltmètre à zéro.

Cur. — Vous avez raison en un sens, « on » agira sur la position de l'antenne pour amener à zéro la différence de potentiel des deux curseurs. Mais ce « on » ne sera ni votre ami ni vous, ce sera un système automatique.

Supposez que la différence de potentiel des deux curseurs soit appliquée à l'entrée d'un amplificateur, dont la sortie commande le moteur de l'antenne : si votre amplificateur est bien fait, s'il passe correctement la composante continue, vous aurez en partie résolu le problème.

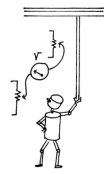

IG. — Mais c'est formidable! Je vais aller tout de suite installer ça chez mon ami et...

CUR. — Et vous vous brouillerez avec lui pour le restant de vos jours! En effet, si vous installez cela sans précaution particulière, vous aurez la très désagréable surprise de voir l'antenne se mettre à s'agiter frénétiquement sans arrêt, jusqu'à destruction du moteur, ou de l'antenne, ou des deux.

IG. — Ça, c'est bien vous. Après m'avoir décrit une solution alléchante, vous m'expliquez que, pour des raisons qui m'échappent, elle est inutilisable!

La stabilisation.

CUR. — Ne vous emballez pas. Il faut simplement ajouter certaines petites choses au schéma initial pour le rendre parfaitement utilisable. En effet, l'oscillation dont je vous ai parlé, se manifestera vraisemblablement. Elle est tout simplement due au fait que l'automatisme se comporte de façon semblable à votre commande manuelle.

Quand le moteur va mettre en route l'antenne, pour l'amener dans la position souhaitée, il va prendre un certain élan. Quand l'antenne arrivera à cette position, le moteur ne recevra plus de tension, mais son élan lui fera dépasser la position, puis sa tension aux bornes va s'inverser et il repartira en sens inverse. Il se peut que les oscillations ainsi produites s'amortissent et que l'ensemble finisse par trouver une position d'équilibre stable, mais il se peut aussi que l'oscillation persiste indéfiniment. Il faudra, à ce moment, faire intervenir des systèmes d'amortissement.

IG. — Je sais amortir un circuit oscillant, mais pas un moteur!

CUR. — C'est pourtant suivant une technique très parallèle que nous procéderons. Pour amortir un circuit oscillant, vous branchez à ses bornes une résistance : quand la tension aux bornes du condensateur (ou du bobinage) est élevée, il y a une forte dissipation de puissance dans la résistance. En ce qui concerne le moteur, je vous conseille, comme première solution, de lier à son axe un système du genre à frottement visqueux. Il s'agit d'une espèce de frein qui fait intervenir un couple de freinage d'autant plus grand que la vitesse est plus élevée. Une réalisation très simple de ce dispositif (fig. 140) est faite sous forme d'un

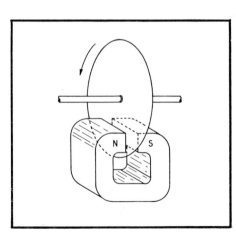

Fig. 140. — Un disque tournant dans l'entrefer d'un aimant subit, du fait des courants de Foucault, un freinage d'autant plus important qu'il tourne plus vite.

disque en cuivre qui passe dans l'entrefer d'un puissant aimant. Les courants induits dans la masse du cuivre lors de la rotation du disque (courants de Foucault) vont provoquer des forces qui freineront la rotation du disque d'autant plus efficacement qu'elle est plus rapide. Dans ces conditions, votre antenne se rapprochera de sa position d'équilibre et n'aura que peu tendance à la dépasser. Elle trouvera sa position définitive après quelques oscillations de petite amplitude.

Ig. — Oui, cette solution est réalisable, mais elle ne me plaît guère : vous allez, de cette façon, limiter beaucoup la vitesse du moteur. C'est très bien lorsque l'antenne est presque arrivée à la position que vous voulez lui faire occuper, mais c'est beaucoup moins bien quand elle en est encore loin : un tel système va augmenter beaucoup le temps nécessaire pour amener l'antenne en position.

Cur. — Un peu moins que vous ne croyez. N'oubliez pas que, plus l'antenne est éloignée de la position qu'elle doit occuper, plus la tension entre les curseurs des potentiomètres est grande. En conséquence, la tension appliquée au moteur est aussi croissante en fonction de l'écart de position. Donc, si cet écart est grand, le moteur pourra tourner assez vite, malgré le freinage, ce dernier ne devenant prépondérant que lorsque l'écart de position est faible. Maintenant, je suis d'accord avec vous pour admettre que cette solution n'est pas parfaite.

Stabilisation par dynamo tachymétrique.

Ig. — Ce qui serait très bien, ce serait d'avoir une sorte de freinage qui n'intervient que lorsque l'antenne est proche de la position qu'elle doit occuper, et uniquement dans la mesure où, à ce moment-là, le moteur tourne trop vite.

Cur. — Vous arrivez exactement sur le bon chemin, Ignotus. Il

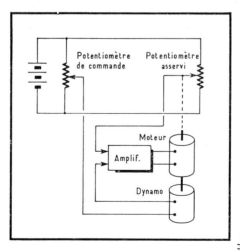

Fig. 141. — **Dans ce servomécanisme, la tension fournie par la dynamo tachymétrique est retranchée de la tension d'erreur (différence de potentiel entre les curseurs des deux potentiomètres). Ainsi, le moteur ne peut tourner vite que si cette tension d'erreur est forte; quand le potentiomètre asservi est proche de la position souhaitée, le moteur ne peut plus tourner aussi vite : la dynamo tachymétrique fait ralentir le mouvement vers la fin, assurant ainsi l'élimination des dépassements et des oscillations.**

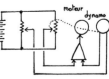

faudra introduire, dans l'amplificateur qui commande le moteur, ajoutée à la tension que l'on trouve entre les deux curseurs, une tension proportionnelle à la vitesse de rotation du moteur. Pour cela, la solution la plus simple consiste à lier au moteur une dynamo que l'on appelle, dans

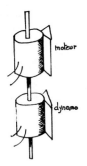

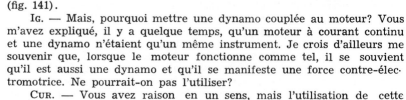

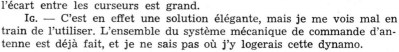

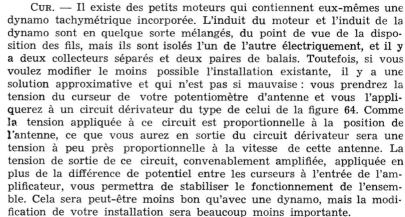

ce genre de système, une *dynamo tachymétrique* et qui donne une tension de sortie *e* proportionnelle à la vitesse du moteur, tension que l'on retranche de la différence de potentiel des curseurs des potentiomètres (fig. 141).

IG. — Mais, pourquoi mettre une dynamo couplée au moteur? Vous m'avez expliqué, il y a quelque temps, qu'un moteur à courant continu et une dynamo n'étaient qu'un même instrument. Je crois d'ailleurs me souvenir que, lorsque le moteur fonctionne comme tel, il se souvient qu'il est aussi une dynamo et qu'il se manifeste une force contre-électromotrice. Ne pourrait-on pas l'utiliser?

CUR. — Vous avez raison en un sens, mais l'utilisation de cette force électromotrice n'est pas toujours commode. En effet, nous avons aux bornes d'un moteur une tension qui est la somme de la force électromotrice et d'une chute de tension due au passage du courant dans les fils de l'induit, lesquels ont aussi une certaine résistance. Il y a des montages qui permettent d'utiliser, en effet, la tension aux bornes du moteur pour obtenir ce terme fonction de la vitesse qui permet de stabiliser l'ensemble. Ces montages sont compliqués et je ne vous conseille pas trop de vous y lancer. En effet, il ne faut pas oublier que votre moteur est lié à la sortie de votre amplificateur. Vous ne disposerez donc pas aussi commodément que vous le voulez de sa tension aux bornes. Si vous avez couplé au moteur une dynamo tachymétrique, vous pourrez avoir une tension proportionnelle à la vitesse, fournie sur deux fils complètement indépendants de la masse, que vous pourrez très facilement retrancher de la différence de potentiel existant entre les curseurs. Vous pourrez même, si cela est nécessaire, écrêter, par des diodes ou des dispositifs analogues, cette tension de dynamo. Ainsi, le terme de freinage correspondant à la vitesse sera limité, ce qui vous permettra des vitesses de rotation très élevées de l'ensemble moteur-dynamo, tant que l'écart entre les curseurs est grand.

IG. — C'est en effet une solution élégante, mais je me vois mal en train de l'utiliser. L'ensemble du système mécanique de commande d'antenne est déjà fait, et je ne sais pas où j'y logerais cette dynamo.

Correction par dérivation.

CUR. — Il existe des petits moteurs qui contiennent eux-mêmes une dynamo tachymétrique incorporée. L'induit du moteur et l'induit de la dynamo sont en quelque sorte mélangés, du point de vue de la disposition des fils, mais ils sont isolés l'un de l'autre électriquement, et il y a deux collecteurs séparés et deux paires de balais. Toutefois, si vous voulez modifier le moins possible l'installation existante, il y a une solution approximative et qui n'est pas si mauvaise : vous prendrez la tension du curseur de votre potentiomètre d'antenne et vous l'appliquerez à un circuit dérivateur du type de celui de la figure 64. Comme la tension appliquée à ce circuit est proportionnelle à la position de l'antenne, ce que vous aurez en sortie du circuit dérivateur sera une tension à peu près proportionnelle à la vitesse de cette antenne. La tension de sortie de ce circuit, convenablement amplifiée, appliquée en plus de la différence de potentiel entre les curseurs à l'entrée de l'amplificateur, vous permettra de stabiliser le fonctionnement de l'ensemble. Cela sera peut-être moins bon qu'avec une dynamo, mais la modification de votre installation sera beaucoup moins importante.

IG. — Je crois que vous avez trouvé là la solution de choix et c'est certainement celle que je vais utiliser : mon ami va être ravi.

CUR. — Je crois en effet que votre installation pourra lui donner tout à fait satisfaction. Avec de bons potentiomètres, il pourra obtenir une précision d'orientation meilleure que un degré, ce qui est plus que suffisant pour une antenne.

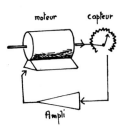

Les systèmes bouclés.

IG. — Il y a quelque chose qui m'intrigue dans votre ensemble. Pour employer vos expressions, le moteur qui agit sur l'antenne est le « restituteur ». Le potentiomètre d'antenne n'est autre que le « capteur ». Or, dans ce système, le restituteur est directement couplé au capteur, ce dernier attaquant cependant le restituteur par l'amplificateur.

CUR. — Vous venez de mettre exactement le doigt sur le point capital de ce type de réalisation : c'est en effet cette action du restituteur sur le capteur qui caractérise les servomécanismes.

IG. — Alors, les servomécanismes ce sont des engins dans lesquels il y a des potentiomètres capteurs?

CUR. — Il n'y a pas que cela. On pourrait envisager beaucoup d'au-

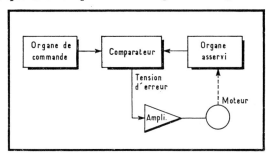

Fig. 142. — Schéma-bloc d'un système asservi (servo-mécanisme) où le moteur cherche à amener l'organe asservi dans une position telle que la tension d'erreur soit nulle.

tres systèmes. Ce qui est caractéristique d'un servomécanisme, c'est, en quelque sorte, sa configuration générale, telle que je vous la représente sur la figure 142. Vous voyez que nous trouvons là un organe de commande, dont un système comparateur compare la position (ou l'état) à la position (ou à l'état) de l'organe asservi, c'est-à-dire de celui que nous voulons commander. L'écart des états de ces deux organes, décelé par le comparateur, se traduit par un signal d'erreur, qui est appliqué à l'amplificateur. La tension de sortie de ce dernier agit sur le moteur, qui tend à amener l'état de l'organe asservi à être aussi voisin que possible de celui de l'organe de commande.

IG. — Quoique je me méfie en général de vos schémas-blocs, il me semble que celui-ci est assez clair. Dans le système de commande d'antenne, l'organe de commande est le potentiomètre sur lequel agira la main de mon ami, l'organe asservi est l'antenne (et, par conséquent, le potentiomètre capteur de position). C'est la différence des potentiels des deux curseurs qui est le signal d'erreur que nous appliquerons à l'amplificateur. Cependant, dans votre schéma de la figure 142, vous n'avez pas représenté les systèmes de stabilisation dont vous me parliez tout à l'heure.

CUR. — Ils ne sont pas toujours indispensables et, de toute façon, on ne les représente généralement pas sur un schéma-bloc aussi simplifié. Maintenant, j'aimerais que vous preniez conscience du fait qu'un servomécanisme est quelque chose de très général. Il faut donner aux

moteur simple

termes que j'ai employés un sens très large. Par exemple, quand je dis « moteur », comprenez qu'il s'agit là de ce qui fait mouvoir, ou plus exactement de ce qui fait varier quelque chose, pas uniquement du moteur électrique tel que nous l'entendons généralement.

Ig. — J'aimerais bien avoir un exemple de ce moteur immatériel.

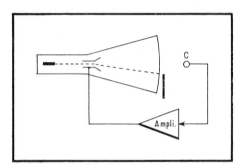

C

Ampli.

Fig. 143. — **Un exemple de système asservi : la cellule photo-électrique C reçoit plus ou moins la lumière du spot du tube cathodique, suivant que ce spot est plus ou moins masqué par le carton, cette cellule commande la position du spot.**

Exemple de système asservi.

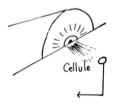

Cellule

Cur. — Dans ce cas, je vais vous citer le « monoformer ». Il s'agit d'un instrument dans lequel on veut que le spot d'un tube cathodique arrive, sur l'écran, exactement à l'endroit où l'on a placé contre ce dernier, à l'extérieur, un carton qui en masque une partie. Nous allons obtenir ce résultat comme je vous l'indique sur la figure 143. L'amplificateur reçoit la tension d'une cellule photo-électrique C et sa tension de sortie, appliquée au système de déviation verticale du tube cathodique, tend à dévier le spot de ce dernier vers le bas lorsque la cellule est éclairée...

Ig. — Ça y est! J'ai compris : quand le spot est dans la zone découverte, il éclaire la cellule, ce qui donne de la tension de sortie à l'amplificateur. Le spot est donc dévié vers le bas jusqu'à ce qu'il soit juste à cheval sur le bord du carton parce que, s'il allait plus loin, l'amplificateur ne donnerait plus de tension de sortie et le spot aurait tendance à remonter.

Cur. — Vous avez parfaitement compris. Vous voyez que, dans cet exemple, le « moteur » n'est autre que l'action déviatrice qu'exerce sur le spot la tension de sortie de l'amplificateur. L'organe asservi est le spot, l'organe de commande est le carton et le comparateur n'est autre que... la loi d'optique qui nous dit que la lumière se propage en ligne droite. En effet, suivant que le spot est plus haut ou plus bas que le bord du carton, la cellule sera éclairée ou pas. Vous voyez donc que l'on doit prendre les termes correspondant à l'agencement de la figure 142 dans un sens très général.

Ig. — J'avoue que je ne vois pas tout de suite l'analogie entre votre « monoformer » et le système de commande d'antenne, si ce n'est dans leur organisation d'ensemble. Mais il faut bien dire que ces questions de servomécanismes sont tout à fait nouvelles pour moi.

Un type de système asservi : l'amplificateur à contre-réaction.

Cur. — Oh! certainement pas. Vous avez probablement fait des servomécanismes, ou plutôt des systèmes asservis (sens plus large que le précédent) sans le savoir. Je suis sûr que vous avez déjà réalisé des amplificateurs basse fréquence munis de contre-réaction.

moteur

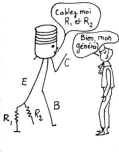

Iɢ. — Oui, comme tout le monde. Mais je ne vois absolument pas le rapport; je dois d'ailleurs dire que, dans ce cas, j'avais suivi d'une façon bête et disciplinée les indications d'un schéma. On m'avait dit que, dans un amplificateur donné, en ajoutant une résistance par ici et une autre par là, on augmentait beaucoup la qualité de cet amplificateur au détriment d'une perte de gain qui n'était pas tellement grave, si l'on en avait beaucoup trop initialement. J'ai essayé, les résultats ont été très bons, mais j'avoue que je ne sais pas encore très bien pourquoi.

Cuʀ. — Si vous analysez de plus près les résistances que vous avez rajoutées dans votre amplificateur, vous verrez qu'elles ont pour objet de reporter à l'entrée de l'amplificateur une fraction déterminée de la tension de sortie, cette fraction étant retranchée de la tension que vous appliquez à l'entrée. Cela se fait, par exemple, en prélevant la tension de sortie du secondaire du transformateur et en en appliquant le dixième, par exemple, au moyen d'un diviseur de tension à résistances, à la cathode du premier tube ou à l'émetteur du premier transistor.

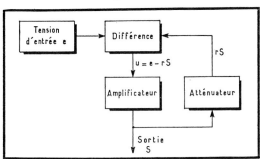

Fig. 144. — Une contre-réaction, dans un amplicateur, consiste à retrancher de la tension d'entrée, une partie de la tension de sortie : c'est exactement un système asservi.

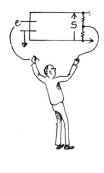

Iɢ. — Oui, j'avais fait cela, mais je n'ai pas eu l'impression de provoquer une différence de tensions quelle qu'elle soit dans mon amplificateur.

Cuʀ. — Mais dites-moi, Ignotus, vous admettrez bien que, si vous appliquez une tension à l'émetteur d'un transistor, c'est un peu comme si vous l'appliquiez, en sens inverse, à sa base. Pour le transistor, la seule chose qui compte, pour déterminer son courant collecteur, est la différence de potentiel entre base et collecteur, et surtout ses variations autour de la valeur de 0,6 V.

Maintenant, si vous comparez le schéma général que je vous ai fait sur la figure 142 et celui de la figure 144, vous verrez que la tension que j'applique à l'entrée de l'amplificateur, u, n'est autre que la différence entre la tension d'entrée e et une fraction r de la tension de sortie S. C'est un atténuateur de rapport r (inférieur à l'unité) qui applique à l'un des côtés (mettons à l'émetteur du transistor d'entrée) du circuit différence la tension rS. La tension e est appliquée à l'autre côté (mettons, la base du transistor d'entrée) de ce circuit différence.

Iɢ. — On réalise donc toujours la différence de deux tensions en appliquant l'une sur l'émetteur d'un transistor, l'autre sur la base?

Cuʀ. — Oh non, il y a cent autres façons. Par exemple, notre bon circuit symétrique, le « L.T.P. » peut être commandé sur ses deux bases et l'on montre facilement que la tension de sortie est fonction de la différence des tensions qui attaquent les bases.

Iɢ. — Je comprends votre montage, mais je n'en vois pas tellement l'intérêt.

Intérêt de la contre-réaction.

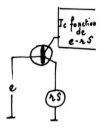

CUR. — Vous allez le voir. Supposez que le gain de l'amplificateur (c'est-à-dire le rapport S/u) soit très élevé. Il suffira donc d'une tension u extrêmement faible, à l'entrée de l'amplificateur, pour avoir la tension de sortie S. On peut donc dire que la différence u, entre la tension d'entrée e et la tension rS, est pratiquement négligeable devant l'une et l'autre de ces deux valeurs. Ces deux grandeurs sont donc égales, ou presque, c'est-à-dire que nous avons pratiquement : $e = rS$. Prenons un exemple numérique. Supposons que l'amplificateur ait un gain initial de 10 000; pour obtenir une tension de sortie de 10 V, il nécessite une tension d'entrée de 1 mV. Supposons que l'atténuateur ait un rapport d'atténuation de 50, autrement dit que l'on ait $r = 0,02$. Nous en déduisons que la tension rS vaut 200 mV quand S vaut 10 V. Pour obtenir une tension u de 1 mV, il faudra que la tension e à l'entrée soit de 201 mV. Ainsi la différence entre e et rS ne sera que 1 mV.

IG. — Je vous ai suivi sans difficulté, mais jusqu'ici, le seul « avantage » que je vois à votre montage est qu'il nécessite une tension d'entrée deux cent une fois plus grande que si j'attaquais l'amplificateur directement. C'est peut-être intéressant, mais j'avoue que je ne vois pas en quoi

CUR. — Vous avez raison en un sens, il faut en effet une tension d'entrée plus grande et c'est là un des inconvénients du montage, en général sans gravité, parce que l'on peut toujours disposer d'un surcroît de gain initial. Mais vous allez très vite découvrir les avantages du système. Voyons, Ignotus, quels sont les principaux défauts d'un amplificateur?

IG. — Je dirais qu'il est cher et ennuyeux à construire.

CUR. — Ce n'est pas à ce genre de défaut que je pensais, mais à ses imperfections électriques.

IG. — Dans ce cas, je pense que vous faites allusion à sa distorsion et au fait que sa bande passante n'est pas aussi large que l'on voudrait, autrement dit qu'il passe quelquefois moins bien les fréquences très élevées et très basses que les fréquences moyennes.

CUR. — C'est exactement cela que je voulais vous faire dire. Vous remarquerez que ces deux défauts ressortent l'un et l'autre d'une variation de gain. La mauvaise transmission des fréquences trop élevées ou trop basses tient à une variation de gain en fonction de la fréquence; si c'est en fonction de l'amplitude que le gain varie, cela nous donnera de la distorsion non linéaire.

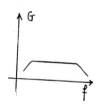

Examinez maintenant le montage de la figure 144 : le nouveau gain est extrêmement voisin de 50 (10 V de sortie pour 201 mV d'entrée). Mais, supposons que, pour une raison quelconque, le gain de l'amplificateur devienne dix fois plus petit. Il lui faudra maintenant à l'entrée, pour produire 10 V de sortie, non plus 1 mV mais 10 mV. Par contre, la tension rS sera restée de 200 mV. La tension e à appliquer pour obtenir en u 10 mV sera alors de 210 mV. Autrement dit, le nouveau gain de l'ensemble ne sera plus 50 mais $10/0,21 = 47,6$, ce qui ne représente qu'une variation d'environ 4,2 % du gain par rapport à sa valeur initiale. Vous voyez que, quand le gain de l'amplificateur varie beaucoup. le gain du montage global ne varie que d'une façon insignifiante. Notre montage a donc permis de rendre le gain parfaitement constant.

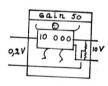

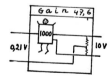

Gain égale inverse d'atténuation.

IG. — Mais, votre gain ne sera constant que dans la mesure où cette atténuation de 50 est constante elle-même.

Cur. — Très bonne remarque. Mais n'oubliez pas qu'il est extrêmement facile de réaliser une atténuation parfaitement constante. Cela se fera au moyen de diviseurs de tension à résistances, au besoin compensés par des petits condensateurs, pour contrebalancer l'effet des capacités parasites. Il est très facile de réaliser un atténuateur divisant une tension d'entrée par 50 dans une gamme de fréquences considérable et pour des tensions d'entrée très variables. Autrement dit, nous avons obtenu que le gain du montage global soit l'inverse du rapport r d'atténuation de l'atténuateur. C'est ainsi que nous avons rendu ce gain tout à fait constant.

Ig. — Je suis enchanté d'avoir compris ce système. Vous venez de me donner là la solution d'un problème que je m'étais posé il y a quelque temps : je voulais réaliser un petit amplificateur de gain 1 000 pour le placer à l'entrée d'un voltmètre et convertir ce dernier en millivoltmètre. J'en avais bien réalisé un, mais j'étais très gêné par ses variations de gain d'un jour à l'autre, en fonction de la tension du secteur et de l'effet de la température sur les transistors.

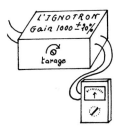

Cur. — C'est en effet la solution rêvée pour faire un amplificateur de mesure. Voyez-vous, Ignotus, l'introduction de la notion de contre-réaction est celle qui a permis de transformer un amplificateur ordinaire en un appareil de mesure. En effet, si l'on sait bien réaliser des amplificateurs de gain très élevé, il est, par contre, beaucoup plus difficile, sans utiliser de contre-réaction, d'obtenir un gain compris entre deux limites très proches. On transforme la nécessité de maintenir ce gain entre ces limites en celle de le rendre supérieur à un certain minimum, ce qui est très facile. Maintenant, j'ajouterai que la contre-réaction apporte d'autres améliorations au montage. Elle commence par réduire le bruit parasite de l'amplificateur, en particulier celui qui pourrait venir d'un mauvais filtrage de l'alimentation.

Ig. — Ça, alors, je ne vois pas comment.

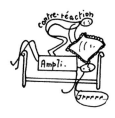

Cur. — Tout simplement parce que ce bruit parasite nous donne une certaine tension qui se superpose à S, comme si l'on avait placé une source de tension parasite en série avec la sortie de l'amplificateur : l'atténuateur reportera à l'entrée du circuit différence une partie de cette tension parasite, et celle-ci viendra donc se trouver à l'entrée de l'amplificateur, faisant apparaître dans sa tension de sortie une composante qui luttera contre cette tension parasite, arrivant à l'atténuer considérablement. Je ne me lancerai pas dans le calcul, d'ailleurs fort simple, de l'amélioration apportée; sachez seulement que la tension parasite de sortie se trouve divisée par le coefficient rG, que l'on appelle le taux de contre-réaction. Dans notre exemple numérique, ce taux est égal à 200.

Ig. — Mais c'est formidable! Ainsi, si l'amplificateur ronfle horriblement, la contre-réaction va le calmer entièrement.

Cur. — C'est exact. Mais vous n'êtes pas au bout de vos surprises agréables. L'effet de cette contre-réaction va encore se manifester par une diminution de la résistance de sortie. En effet, si je consomme un certain courant à la sortie de l'amplificateur, la tension S a tendance à diminuer, en raison de la présence d'une résistance interne de sortie dans l'amplificateur. Cette diminution est, en quelque sorte, une tension parasite, comme le ronflement de tout à l'heure. Il y aura donc lutte contre cette diminution par l'effet de la boucle de contre-réaction, et la diminution résultante sera beaucoup plus petite : la résistance interne de sortie de l'amplificateur est ainsi divisée par rG. On peut démontrer aussi que la résistance d'entrée de cet amplificateur est, au contraire,

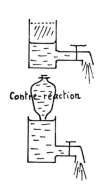

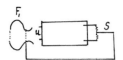

très fortement augmentée par la contre-réaction puisqu'elle se trouve cette fois *multipliée* par le coefficient rG.

Ig. — C'est absolument sensationnel! Cette contre-réaction arrange tout!

Problèmes de stabilité.

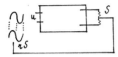

Cur. — Elle arrange en effet bien des choses. Il faut cependant une certaine prudence dans son emploi : l'amplificateur que nous avons uti-lisé nous donne, en principe, une tension de sortie S en phase avec la tension d'entrée u. Pour les fréquences élevées, la tension de sortie peut se déphaser par rapport à celle d'entrée. Si ce déphasage atteint une demi-période, il ne s'agit plus de contre-réaction, mais de réaction posi-tive. Nous avons alors perdu tous les avantages de la contre-réaction;

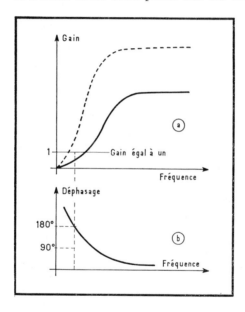

Fig. 145. — Aux fré-quences faibles, le gain de l'amplificateur diminue (a) et le déphasage augmente (b). A une certaine fréquence, ce dé-phasage atteint 180º. Si, à cette fréquence, le gain de boucle de l'amplifica-teur est inférieur à l'unité (courbe en trait gras), la contre-réaction n'introduit pas d'instabilité. Si le gain de l'amplicateur croît (courbe en pointillé), le gain de boucle est supé-rieur à l'unité pour la fré-quence correspondant au déphasage de 180º : le tout entre en oscillations.

nous avons, au contraire, les inconvénients de la réaction positive, accompagnés toutefois d'une augmentation de gain, sauf si le gain de l'amplificateur est grand pour la fréquence à laquelle ce déphasage atteint une demi-période. Dans ce dernier cas, le tout entre en oscilla-tions. Quand on utilise une contre-réaction dans un amplificateur, plus on veut réaliser un taux de contre-réaction élevé, plus il faut veiller au problème de déphasage.

Ig. — Cela me rappelle en effet une mésaventure qui m'était arrivée. J'avais réalisé un amplificateur muni de contre-réaction qui marchait très bien et j'ai un jour remplacé un de ses tubes par un autre analogue qui avait un gain beaucoup plus grand : l'amplificateur est devenu fou et m'a donné un son bizarre évoquant le moteur de bateau.

Cur. — C'est en effet une oscillation, cette fois à fréquence très basse : l'amplificateur que vous aviez réalisé n'avait certainement pas de couplages continus. En conséquence, pour les fréquences très basses, il introduisait un déphasage entre l'entrée et la sortie (fig. 145 *b*). Avec un gain initial modéré (courbe en trait gras en *a*), vous n'arriviez pas à faire entrer le tout en oscillations. En augmentant votre gain initial d'amplificateur (courbe pointillée sur la figure 145 *a*), vous avez augmenté le taux de contre-réaction et dépassé la limite pour laquelle il y a accrochage.

Ig. — Oui; et je me suis douté que c'était sans doute parce que mon amplificateur passait mal les fréquences basses.

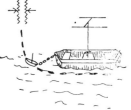

Cur. — C'est en partie vrai, quoique le problème ne soit pas dans le gain, mais dans le déphasage. Ce déphasage était apporté par les circuits de liaison (les condensateurs liant l'anode d'un tube à la grille du suivant).

Ig. — Dans ce cas, j'aurais pu m'en tirer en augmentant la valeur de tous ces condensateurs.

Cur. — Je rectifierai un petit peu votre méthode : il fallait augmenter la valeur de tous les condensateurs *sauf un*. Vous justifier cette dernière affirmation nécessiterait des calculs très complexes, mais vous pourrez cependant avoir une idée de sa signification si je vous dis que un seul circuit de liaison peut présenter un déphasage qui est au maximum d'un quart de période. En plus, il introduit une atténuation d'autant plus grande que la fréquence est plus basse. Si l'on peut diminuer la fréquence, l'atténuation décroissant toujours, avant que les autres circuits de liaison commencent eux aussi à introduire des déphasages importants, on pourra réduire le gain de l'amplificateur en dessous de la valeur critique d'accrochage pour la fréquence à laquelle le déphasage total atteint une demi-période.

Ig. — Oh là là! C'est bougrement compliqué! C'est toujours la même chose quand il y a des histoires de phase : cela devient horrible.

Cur. — En un sens, vous avez raison : les problèmes touchant la phase sont souvent délicats, d'autant plus que beaucoup de gens sont peu habitués à les résoudre.

Ig. — Je commence à comprendre l'analogie des servomécanismes et des amplificateurs à contre-réaction. On peut dire que le système que vous m'avez proposé pour l'orientation de l'antenne réalisait un « pilotage » de celle-ci, jusqu'à ce que la différence de potentiel entre les curseurs des potentiomètres soit nulle. Votre amplificateur de la figure 144 va également « piloter » sa tension de sortie jusqu'à ce que la différence entre *e* et le 1/50 de sa tension de sortie soit pratiquement nulle, ou plus exactement juste égale à ce que demande l'entrée de l'amplificateur.

Cur. — Vous avez parfaitement compris, Ignotus, et vous méritez de moins en moins votre nom. Vous êtes particulièrement en forme aujourd'hui!

Ig. — Je vous en prie, je suis toujours comme ça.

Montages abaisseurs d'impédance.

Cur. — Eh bien, j'en profiterai pour vous faire remarquer que nous avons déjà rencontré cette contre-réaction et son intérêt dans des montages précédents. Vous souvenez-vous des systèmes que nous avions employés pour abaisser l'impédance de sortie d'un amplificateur?

Ig. — Oui, vous m'avez parlé d'étage à sortie cathodique ou à sortie sur l'émetteur d'un transistor. Je me souviens aussi d'un montage assez bizarre que vous appeliez le muscleur (fig. 50).

Cur. — Dans ce cas, vous comprenez maintenant pourquoi ce montage avait des propriétés intéressantes : le montage de la figure 51 était

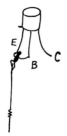

un amplificateur à deux étages, à très grand gain et à couplage direct par utilisation de transistors *n-p-n* et *p-n-p*. Sa tension d'entrée était appliquée entre l'émetteur du premier transistor et la base de celui-ci; sa tension de sortie était prélevée aux bornes de la résistance de charge collecteur du second transistor, autrement dit entre ce collecteur et la masse. Dans le montage de la figure 50, en reliant l'émetteur du premier transistor au collecteur du second, nous appliquons sur cet émetteur la *totalité* de la tension de sortie, qui se retranche ainsi de la tension d'entrée. Ici, le coefficient *r* est égal à l'unité. Le gain global du nouveau montage sera donc d'autant plus proche de l'unité que le gain initial de l'amplificateur de la figure 51 était plus élevé. Pour le simple étage à sortie sur l'émetteur, comme celui de la figure 49, c'est la même chose : si, en ayant toujours laissé la résistance de charge entre l'émetteur et la masse, vous aviez appliqué la tension d'entrée entre émetteur et base (tension d'entrée fournie sur deux fils indépendants l'un et l'autre de la masse), vous auriez eu un amplificateur classique.

Ig. — Certainement pas! La résistance de charge est dans l'émetteur au lieu d'être dans le collecteur.

Cur. — Aucune importance : la seule chose qui compte c'est que le courant du transistor soit commandé par une tension appliquée entre base et émetteur et que ce courant traverse une résistance, pour produire aux bornes de celle-ci une tension variable. Peu importe que la résistance soit dans l'émetteur ou dans le collecteur : le courant qui passe dans ces électrodes est pratiquement le même. Vous voyez donc que, à partir de ce montage, on passe au montage à émetteur asservi de la figure 49 en appliquant simplement la tension d'entrée entre base et *masse*. Dans ces conditions, la tension de sortie se retranche de la tension d'entrée pour donner la tension *u*, entre base et émetteur. C'est encore là une contre-réaction *totale*, c'est-à-dire une contre-réaction avec un coefficient *r* égal à l'unité.

Ig. — Maintenant, je comprends l'intérêt de ces montages : il est tout à fait évident qu'ils auront une résistance interne de sortie faible, un gain très constant et une résistance interne d'entrée élevée.

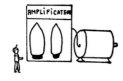

Asservissement de vitesse.

Cur. — C'est exactement cela. J'aimerais, pour terminer le sujet, vous parler un peu des asservissements de vitesse : le problème est de faire tourner un moteur à une vitesse rigoureusement connue et ajustable.

Ig. — Pour cela, aucune difficulté : je suppose que vous emploierez un moteur synchrone, auquel vous enverrez une tension alternative à fréquence bien définie?

Cur. — Cela se fait dans certains cas. Mais il peut être difficile de réaliser ainsi un amplificateur à large bande, un générateur de fréquence variable, le tout prévu éventuellement pour fournir des puissances considérables s'il s'agit d'un moteur de grande taille. On préfère en général utiliser, par exemple, un moteur à courant continu entraînant un capteur de vitesse, par exemple une dynamo tachymétrique.

Ig. — Que vient-elle faire là-dedans, celle-là? C'est un système de stabilisation.

Cur. — Elle *peut* servir de système de stabilisation dans les asservissements de *position* comme dans le cas de l'antenne de votre ami. Nous l'utiliserons maintenant d'une façon différente (fig. 146) : nous comparerons sa tension u à une tension fixe e_0 de commande; ce sera la différence de ces deux tensions que nous appliquerons à l'entrée de l'amplificateur dont la tension de sortie commande le moteur. En cas de ralentissement de celui-ci, sa tension de commande va augmenter, ce qui lui permettra de lutter contre le freinage. Nous aurons ainsi réalisé un asservissement de vitesse.

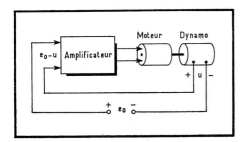

Fig. 146. — Pour maintenir la vitesse d'un moteur à une valeur constante, on applique à l'entrée de l'amplificateur qui le commande la différence entre une tension fixe e_0 et la tension u, proportionnelle à la vitesse, fournie par une dynamo tachymétrique liée au moteur.

On emploie aussi beaucoup la commande du moteur par thyratrons ainsi que je vous l'ai déjà expliqué, en faisant en sorte que ce soit la vitesse du moteur qui agisse sur le déphasage des impulsions d'amorçage du thyratron. C'est en particulier ce que l'on fait pour les variateurs de vitesse industriels, très utilisés dans les machines-outils, qui permettent d'obtenir d'un énorme moteur qu'il tourne tout doucement, avec un couple élevé cependant, ou à grande vitesse si on le désire, mais toujours à vitesse très constante.

IG. — J'ai bien suivi vos explications, mais j'ai l'impression que ma forme, comme vous dites, baisse rapidement. Je sens qu'il serait préférable de continuer cela une autre fois.

De plus fort en plus fort! Ignotus vient de construire une « machine à calculer électronique » à potentiomètres. Le principe est excellent, mais des perturbations amènent quelques imprécisions. Curiosus lui montre comment on peut éliminer ces défauts et en profite traîtreusement pour lui apprendre ce que sont les amplificateurs opérationnels et les machines analogiques. Ignotus voudrait maintenant se lancer dans des réalisations; toutefois il préfère laisser un peu décanter tout ce qu'il a appris, afin de voir les points délicats qui auront pu le dérouter pendant ses réflexions.

CALCULATEURS ANALOGIQUES
AMPLIFICATEURS OPERATIONNELS

CURIOSUS. — Oh, oh, Ignotus, vous semblez particulièrement fier ce matin! Auriez-vous fait une nouvelle invention?

IGNOTUS. — Mais, mon cher, inventer n'est rien : réaliser est tout. Sachez, en effet, que je suis assez fier de la machine à calculer électrique que je viens de réaliser.

CUR. — Ah!...

Linéarité d'un potentiomètre.

IG. — Mais je vous en prie, ne vous évanouissez point. Voici comment cela a commencé : je suis allé choisir des potentiomètres pour la commande d'antenne de mon ami et j'en ai acheté quelques-uns, parce que j'avais trouvé un lot de surplus assez intéressant. Le marchand qui me les a vendus m'a dit qu'ils étaient très linéaires, c'est-à-dire que, à partir de la position de départ, quand on tourne l'axe, on obtient une résistance entre le curseur et un des bouts qui est tout à fait proportionnelle à l'angle dont on a tourné l'axe.

CUR. — Je ne vous reconnais plus, Ignotus, votre définition frise les mathématiques. Elle est d'ailleurs parfaitement exacte. Mais continuez.

IG. — J'ai voulu vérifier si ce que m'avait dit le marchand était exact. J'ai donc appliqué à l'enroulement de ce potentiomètre une tension faisant rigoureusement 10 V, venant d'une bonne alimentation stabilisée. J'ai placé sur l'axe du potentiomètre un petit cadran que j'ai gradué avec soin, le divisant en dix parties égales depuis la position de départ jusqu'à la position d'arrivée, et j'ai mis un très bon voltmètre entre le curseur du potentiomètre et l'extrémité de la résistance d'où le curseur part. J'ai, à ce moment-là, vérifié que l'indication du voltmètre correspondait tout à fait aux graduations du cadran. Sur la cinquième graduation, à mi-course, j'obtenais une tension de 5 V.

CUR. — Je vous félicite, Ignotus, vous avez fait tout à fait ce qu'il faut pour vérifier la linéarité du potentiomètre. Maintenant je trouve que vous allez peut-être un peu loin en appelant cela une machine à calculer.

Un second potentiomètre.

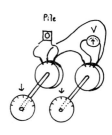

Ig. — Mais voyons, Curiosus, pensez-vous que j'aurais eu l'audace de vous déranger pour si peu? Laissez-moi finir ma description. Comme je disposais d'une tension qui variait comme la rotation de l'axe du potentiomètre, j'ai pensé que je pourrais l'appliquer au bobinage d'un second potentiomètre, très analogue au premier, mais d'une résistance beaucoup plus grande pour ne pas perturber la tension du curseur du premier. Ce second potentiomètre est, lui aussi, muni d'un cadran gradué de 0 à 10 pour toute sa course. Le voltmètre se trouve alors placé entre le curseur de ce second potentiomètre et son extrémité basse, comme je vous le dessine sur la figure 147. La tension appliquée au potentiomètre P_2 est alors u; celle que je lis sur le voltmètre V, soit v, n'est autre que le produit de u par l'atténuation du second potentiomètre. En admettant que j'appelle 100 unités la déviation de V jusqu'au bout (10 V), cette déviation me donnera un nombre qui est le produit des

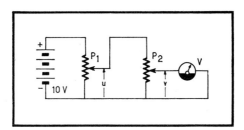

**Fig. 147. — Le « multiplicateur analogique Ignotus »
se compose de deux potentiomètres de haute linéarité
et d'un voltmètre V.**

nombres affichés sur les deux graduations. Et voilà, je pense que vous appréciez?

Cur. — C'est tout à fait réussi, Ignotus, vous venez de réaliser exactement le multiplicateur analogique, tel qu'on l'emploie quelquefois dans les machines à calculer.

Ig. — Aaah! C'est donc déjà connu! Moi qui avais déjà commencé à rédiger le brevet!

Cur. — Ne vous inquiétez pas, Ignotus, si vous continuez ainsi, vous allez bientôt pouvoir en prendre, des brevets. Votre système est très ingénieux et je vous félicite de l'avoir trouvé tout seul. Quelles sont les valeurs des potentiomètres P_1 et P_2?

Ig. — P_1 est un 2 000 Ω, P_2 a une résistance de 100 000 Ω et mon voltmètre V est un contrôleur universel de 20 000 Ω/V.

Cur. — Est-ce que votre montage est très précis?

Problème de précision.

Ig. — Pour être franc, j'ai été quelquefois un peu déçu. Surtout quand je mets le curseur de P_2 près du milieu de sa course. C'est ainsi que, par exemple, en mettant les deux curseurs à mi-course (sur la division 5 l'un et l'autre), le voltmètre V devrait afficher 25 divisions (2,5 V). Or j'en trouve un tout petit peu plus de 22. Je n'ai sans doute pas fait mes graduations avec assez de précision.

Cur. — Ce n'est pas cela, je vous connais et je sais que vous êtes un garçon très précis dans vos dessins quand vous le voulez. Cela vient d'autre chose. Laissez-moi calculer... Bon, bon, cela va, l'erreur est juste.

Ig. — Alors là, je demande des explications.

Cur. — Mais tout simplement vous avez oublié de tenir compte du fait que le voltmètre V perturbe le potentiel du curseur du potentiomètre P_2. Ce potentiomètre a une résistance de 100 000 Ω; le voltmètre V, sur son échelle 10 V, représente 200 000 Ω. Vous voyez que cette résistance n'est pas du tout infinie par rapport à celle de P_2 et que la tension v que vous mesurez est inférieure à celle que vous auriez trouvée en utilisant un voltmètre de résistance plus grande.

Ig. — Alors, il va falloir utiliser un voltmètre tout à fait spécial pour V?

Cur. — Vous pouvez vous en tirer sans cela. Vous aurez déjà de bien meilleurs résultats en utilisant un potentiomètre P_2 de résistance plus faible. Le calcul indique que sa meilleure valeur serait de 14 000 Ω; vous aurez déjà quelque chose de bon en en prenant un de 10 000.

Ig. — J'admets volontiers que, dans ce cas, le voltmètre V ne va plus perturber le potentiel du curseur de P_2. Mais je crains que cette résistance de 10 000 Ω, branchée sur le curseur de P_1, ne perturbe cette fois fortement le potentiel de ce dernier.

La transformation de Thévenin.

Cur. — Je vais vous montrer comment on calcule cette perturbation. Pour cela, je vais vous apprendre une méthode très générale que l'on appelle la transformation de Thévenin.

Soit (fig. 148) une source de tension E branchée sur un diviseur de tension constitué par les résistances P et Q. Entre les points A et B, si tout l'ensemble de la source et des résistances se trouve enfermé

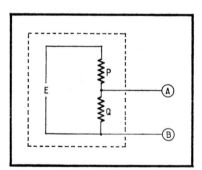

Fig. 148. — Une tension E, appliquée à un diviseur de tension P-Q, donne une certaine tension entre (A) et (B).

dans une boîte, j'ai, en quelque sorte, l'équivalent d'une nouvelle source. La transformation de Thévenin nous dit que, entre les points A et B vus de l'extérieur de la boîte, tout se passe comme si nous avions une source ayant une force électromotrice E' et une résistance interne r. Nous allons calculer ces deux valeurs. Pour ce qui est de E', pas de difficulté : c'est la différence de potentiel que nous trouverons entre A et B quand on ne branche rien entre ces points à l'extérieur de la boîte. Vous pouvez sans doute calculer cette valeur en commençant par calculer le courant débité par la source E.

Ig. — Cela me semble assez facile : la source débite dans les résistances P et Q en série, le courant passant dans ces résistances est donc

E/(P + Q) ; ce courant, passant dans la résistance Q y provoque une chute de tension EQ/(P + Q).

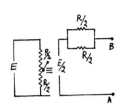

Cur. — Parfaitement exact. Ce sera donc la valeur de E' (fig. 149). La résistance interne de la source équivalente vaudra...

Ig. — Je suppose que ce sera tout simplement P.

Cur. — Vous faites là l'erreur que presque tout le monde commet. En réalité, cette résistance interne équivalente correspondra à P et Q en parallèle, c'est-à-dire à PQ/(P + Q).

Ig. — C'est plutôt inattendu comme résultat. La résistance P est pourtant bien en série entre la source E et le point A.

Cur. — Je peux vous justifier le résultat mathématiquement...

Ig. — Tout, mais pas cela !

Cur. — Je m'attendais à votre réaction. Dites-vous que la résistance Q est en parallèle avec ce que vous pourrez placer entre A et B. Si elle est faible par rapport à P, nous pourrons placer entre A et B une résistance faible par rapport à P, mais grande par rapport à Q. La valeur de Q ne sera donc guère modifiée, ce qui veut dire que la tension entre A et B changera peu : vous voyez donc que notre source équivalente aura une résistance interne très inférieure à P.

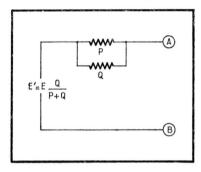

Fig. 149. —**La tension entre (A) et (B) de la figure 148 est équivalente (transformation de Thévenin) à celle que donnerait une pile de force électromotrice E' et dont la résistance interne serait P en parallèle avec Q** (soit $\dfrac{P\ Q}{P + Q}$).

$$E' = E\ \frac{Q}{P+Q}$$

Ig. — Bon, j'admets votre transformation de Thévenin. Comment allons-nous l'utiliser pour notre potentiomètre P_1 ?

Cur. — Tout simplement en considérant que votre source de 10 V et les deux parties du potentiomètres P_1 qui se trouvent respectivement au-dessus et en dessous du curseur, sont remplacées par une source de tension plus petite que 10 V, correspondant d'ailleurs exactement à la graduation du potentiomètre P_1, et dont la résistance interne serait égale aux deux parties de P_1 mises en parallèle.

Vous voyez que, quand le curseur de P_1 est placé près d'une extrémité du bobinage, cette résistance interne est très faible, puisqu'une des deux parties du potentiomètre représente une faible résistance. On peut démontrer que cette résistance interne équivalente passe par un maximum au moment où le curseur de P_1 est au milieu de sa course. A ce moment, les deux parties du potentiomètre ont chacune une résistance égale à la moitié de la résistance totale. Une fois mises en parallèle, cela vous donne une résistance équivalente égale au quart de la résistance totale. Autrement dit, la source équivalente à l'ensemble de votre alimentation de 10 V et du potentiomètre P_1 a une force électromotrice qui varie de zéro à 10 V selon la position du curseur de P_1. Sa résistance interne partant de zéro quand le curseur de P_1 est tout en bas, passera

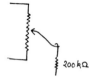

200 kΩ

par un maximum égal à 500 Ω quand le curseur de P_1 est au milieu, pour redevenir nulle quand ce curseur est tout en haut. Il faudra donc compter sur une résistance interne équivalente maximale de 500 Ω. Vous voyez qu'un potentiomètre P_2 de 10 000 Ω ne perturbera donc que fort peu la tension à vide présente entre curseur de P_1 et masse.

IG. — Je comprends alors mes résultats : entre le curseur de P_2 et la masse j'avais une résistance interne équivalente qui pouvait atteindre, quand le curseur était à mi-course, 25 000 Ω. Dans ces conditions, il était normal qu'une résistance comme celle du voltmètre, représentant 200 000 Ω sur l'échelle de 10 V, perturbe fortement une telle source.

CUR. — Exactement, la perturbation était de l'ordre de 11 %.

Perturbations en cascade.

IG. — Mais la situation me semble catastrophique : si vous prenez pour P_2 une valeur de résistance élevée, c'est le voltmètre V qui va perturber la tension de sortie de P_2. Si vous prenez pour P_2 une valeur faible, c'est lui qui va perturber la tension du curseur du potentiomètre P_1. Autrement dit, la situation est aussi dramatique que celle de cet homme qui voulait gagner beaucoup d'argent (pour être riche) mais très peu (pour payer peu d'impôts).

CUR. — Ce problème est particulièrement douloureux. Mais il a une solution, comme celui de votre système de calcul : le compromis. C'est en choisissant une valeur de P_1 de l'ordre de 14 000 Ω que nous aurons la perturbation la plus faible.

Néanmoins, si nous voulions faire le produit de trois grandeurs avec trois potentiomètres en cascade, nous commencerions à être très gênés pour trouver des valeurs de résistances en progression géométrique pour les potentiomètres. Nous utiliserons donc une méthode plus simple : entre le curseur de P_1 et l'enroulement résistant de P_2, nous mettrons un amplificateur abaisseur d'impédance d'un gain aussi voisin que possible de l'unité, ayant une grande résistance d'entrée et une faible résistance de sortie.

IG. — Je pense que vous utiliserez quelque chose dans le genre de l'étage à émetteur asservi ou du « muscleur » que vous m'avez schématisé sur la figure 50.

Les amplificateurs opérationnels.

CUR. — C'est exactement cela. En fait, nous allons utiliser ici en grand ce composant dont nous avons parlé il y a quelque temps : l'amplificateur opérationnel.

IG. — Nous l'avions utilisé pour faire un gain en tension de 1, si mes souvenirs sont exacts. On avait même pris un modèle à très faible courant d'entrée pour faire un électromètre.

CUR. — C'est exact. Je vous rappelle que cet amplificateur n'est jamais utilisé en « boucle ouverte » (autrement dit sans contre-réaction). Il va donc toujours se comporter comme un système asservi, qui « pilote » lui-même le potentiel de son entrée dite « — » pour l'amener au même potentiel que celui de son entrée dite « + ».

La contre-réaction, dans ces amplificateurs, peut se faire sous deux formes différentes, en courant ou en tension.

Pour la contre-réaction en courant, on met à la masse l'entrée « + » (fig. 150) et l'on applique la tension d'entrée E à l'entrée « — » à travers une résistance R_1. Vous voyez que la résistance R_4 réalise un retour de la sortie vers l'entrée.

Supposons que nous ayons monté un tel amplificateur comme je vous l'indique sur la figure 150. Le gain de l'amplificateur est négatif; autrement dit, il donne une tension de sortie négative pour une tension d'entrée positive (très faible en raison de son très grand gain). Pourriez-vous m'indiquer les courants qui vont passer dans les résistances R_1 et R_2 que nous avons choisies d'égale valeur?

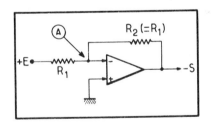

Ig. — Vous avez tellement insisté sur la valeur très élevée du gain de votre amplificateur que je suppose que l'on doit considérer le potentiel de son entrée A comme nul. Le courant dans R_1 sera donc A/R_1 et celui qui passe dans R_2 sera A/R_2.

Cur. — Parfaitement exact. Maintenant, pouvez-vous me dire ce que valent ces courants l'un par rapport à l'autre.

Ig. — Ça, je n'en ai aucune idée.

Cur. — Pourtant, je vous ai bien dit que la résistance d'entrée de cet amplificateur était très grande. Son courant d'entrée est donc pratiquement nul. Cela veut dire que les courants qui circulent dans R_1 et R_2 sont égaux. Puisque les résistances R_1 et R_2 sont égales vous pouvez en conclure que $E = S$.

Ig. — Vous vous êtes vraiment donné beaucoup de peine pour me réexpliquer la contre-réaction.

Cur. — Je suis content que vous l'ayez reconnue. Donc, un tel amplificateur permet de réaliser une inversion, c'est-à-dire d'obtenir,

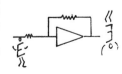

Fig. 150. — Le grand taux de contre-réaction appliqué à l'amplificateur fait que son gain devient égal à — 1 (il faut toujours considérer comme presque nulle la tension en A et le courant d'entrée de l'amplificateur est également négligeable).

à partir d'une tension donnée, une tension égale et de sens opposé. Maintenant, si la résistance R_2 n'était pas égale à R_1, mais cinq fois plus élevée par exemple, nous aurions une tension de sortie S qui vaudrait cinq fois la tension d'entrée. Nous disposons donc d'un moyen commode pour multiplier une tension par 5.

Ig. — Mais tout cela vous me l'avez déjà expliqué. Il n'y a rien de nouveau ici.

L'addition.

Cur. — Je vais y arriver. Considérons maintenant le montage de la figure 151. Les courants qui passent dans les trois résistances de gauche valent respectivement E_1/R, E_2/R, et E_3/R. Celui qui passe dans la résistance de droite, vaudra, comme tout à l'heure S/R. Le potentiel du point A est, en effet, toujours considéré comme nul en raison du gain très élevé de l'amplificateur. En raison de sa grande impédance d'entrée, le courant qui arrive à l'entrée de l'amplificateur doit aussi être considéré comme nul, ce qui fait que la somme des trois courants arrivant à A doit être égale au courant qui en part. Si vous écrivez cette égalité, en supprimant les dénominateurs R, vous obtenez $E_1 + E_2 + E_3 = S$. Nous avons ainsi réalisé une tension égale à la somme de trois tensions.

Ig. — Très ingénieux, votre système. Il me rappelle un petit peu le fonctionnement d'une espèce de balance. Si le bras gauche du fléau était, en réalité, triple, avec trois bras de longueur égale portant chacun un plateau, nous pourrions dire que nous avons mis des poids égaux à E_1, E_2 et E_3 dans le plateau de gauche. Il serait en équilibre avec un poids S dans le plateau de droite quand ce poids vaudrait la somme de ceux que l'on a mis à gauche.

Cur. — Votre analogie est excellente. On peut dire d'ailleurs

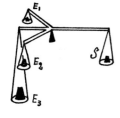

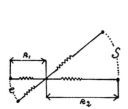

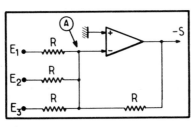

Fig. 151. — Ce montage fournit une tension de sortie égale (au signe près) à la somme des trois tensions d'entrée.

qu'elle s'applique au cas de la figure 150 : le potentiel du point A reste fixe, les potentiels de l'extrémité gauche de R_1 et de l'extrémité droite de R_2 varient proportionnellement aux valeurs de ces résistances; c'est exactement comme les mouvements des deux extrémités d'un levier dont le point A constituerait le point d'articulation, les longueurs des bras du levier étant respectivement R_1 et R_2.

Ig. — Vous m'avez donné ainsi une méthode pour additionner trois tensions...

Cur. — J'ai pris le cas de trois entrées, uniquement comme exemple. On pourrait en mettre autant que l'on veut.

Ig. — Cela, je l'avais compris. Ce que je voulais dire, c'est que ce système fait des additions et que je voudrais bien savoir comment vous ferez des soustractions.

Cur. — C'est bien simple : au moyen du montage de la figure 150, avec des résistances R_1 et R_2 égales, vous faites correspondre à une tension E positive, une tension S négative et de même valeur. En « ajoutant » cette tension —S à d'autres tensions dans le montage de la figure 151, cela revient à retrancher la tension E.

Maintenant, j'aimerais que vous me disiez ce que vous pensez du montage de la figure 152.

L'intégrateur.

Ig. — Il a l'air très simple, mais je me méfie de ces simplicités apparentes. Je crois que, pour raisonner comme nous l'avons fait jusqu'ici,

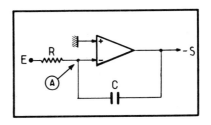

Fig. 152. — Montage de l'amplificateur en intégrateur.

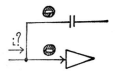

je pourrais dire que le potentiel du point A reste pratiquement nul. Le courant qui passe dans R serait par conséquent E/R. Seulement, cela ne va plus du tout, puisque ce courant ne peut pas aller dans l'entrée de l'amplificateur (résistance d'entrée infinie). Il devrait aller dans le condensateur, or, on ne peut envoyer un courant continu dans un condensateur.

Cur. — Evidemment pas, s'il s'agit d'un état de régime. Mais je ne vois pas du tout ce qui s'oppose à ce que l'on envoie un courant continu pendant un certain temps dans un condensateur pour le charger.

Ig. — C'est vrai, je n'y avais pas pensé. Mais, il ne peut pas se charger, votre condensateur : l'armature de gauche est à potentiel nul et celle de droite est reliée à la sortie de l'amplificateur!

Cur. — Décidément, Ignotus, vous êtes moins en forme que tout à l'heure : la sortie de l'amplificateur n'est pas un point à potentiel constant. Au fur et à mesure que le condensateur va se charger le potentiel de son armature de droite va s'abaisser. Vous voyez donc que, à chaque instant, le courant qui charge le condensateur est proportionnel à E. Que pouvez-vous en conclure?

Ig. — Je crois que, si je maintiens E constant, le condensateur C va se charger à courant constant, c'est-à-dire suivant une loi tout à fait régulière.

Cur. — Exact, je dirais plus précisément : une loi *linéaire*. Et si E n'était plus une constante?

Ig. — Cela devient horrible : le condensateur va accumuler le courant reçu, ajouter tout cela et faire une horrible pagaïe.

Cur. — Il ne va pas exactement l'ajouter, il fera mieux : il va l'intégrer. Ce que nous avons réalisé ainsi est un circuit intégrateur presque parfait. Vous vous souvenez que nous en avions réalisé un avec uniquement une résistance et un condensateur (fig. 70). Ce circuit ne pouvait être utilisé que dans la mesure où la tension de sortie S restait faible et même négligeable par rapport à la tension d'entrée E, pour que l'on puisse considérer que la tension aux bornes de la résistance R était bien égale à E. Dans le montage de la figure 152, même si la tension de sortie est importante, la tension aux bornes de R est rigoureusement égale à E. Ce circuit est donc un intégrateur parfait.

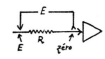

Ig. — Quand on commence à parler d'intégrateur et autres, je suis assez inquiet. Mais je crois que ce type de circuit ne va jamais seul. Quand on parle de l'intégrateur, je suppose que le dérivateur n'est pas loin.

Cur. — Et vous avez raison. Je ferai un circuit dérivateur en permutant, dans le montage de la figure 152, la résistance et le condensateur. Vous voyez que, avec ces amplificateurs opérationnels, nous pouvons faire des multiplications par une constante, des additions, des soustractions, des intégrations et des dérivations.

Multiplicateur analogique.

Ig. — Oui, mais il me manque encore quelque chose. Si vous voulez partir de grandeurs qui sont toujours des tensions, je ne vois pas comment vous ferez des multiplications de deux tensions l'une par l'autre. Le « montage Ignotus » de la figure 147 ne s'applique qu'à des positions d'axes de potentiomètres et pas à des tensions.

Cur. — Nous pourrions, à la rigueur, appliquer ce que vous appelez, en toute modestie, le « montage Ignotus », en commandant les curseurs des potentiomètres P_1 et P_2 par des servomécanismes excités par les tensions à multiplier. Il y a d'autres méthodes, par exemple celle qui est basée sur « l'effet Hall ».

Ig. — Serait-ce l'effet de résonance que l'on entend dans le hall d'une gare.

Cur. — Soyons sérieux, s'il vous plaît. L'effet en question consiste en l'apparition d'une différence de potentiel entre deux points d'une plaquette de semiconducteur dans laquelle passe un courant, perpendiculairement à un champ magnétique, ainsi que je vous l'indique sur la figure 153. Le courant passe dans la plaque de gauche à droite, le champ magnétique H de haut en bas; il apparaît une différence de potentiel

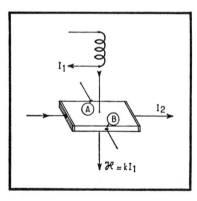

Fig. 153. — Effet Hall : dans une plaque de semiconducteur, parcourue par un courant I_2 et soumise à un champ magnétique H apparaît une différence de potentiel entre les points A et B, proportionnelle à I_2 et à H.

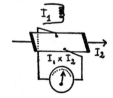

entre les points A et B, proportionnelle au courant d'une part, et au champ magnétique, d'autre part. Si l'on produit le champ magnétique par un bobinage excité par un courant I_1, et que l'on envoie dans la plaquette un courant I_2, la différence de potentiel entre A et B sera proportionnelle au produit $I_1 I_2$. C'est ainsi que l'on peut réaliser un multiplieur analogique.

Le domaine du calcul analogique.

Ig. — Cela me semble en effet assez clair. Je comprends par contre mal l'adjectif « analogique » que vous avez déjà employé plusieurs fois.

Cur. — Ce qualificatif désigne toute une classe de machines à calculer, opérant sur des grandeurs électriques à variation continue. Ces grandeurs représentent, par une *analogie électrique*, les grandeurs de différentes natures sur lesquelles on veut effectuer des calculs. Par exemple, avec le circuit intégrateur de la figure 152, nous appliquerons à l'entrée une tension qui représente la vitesse d'un mobile. La tension de sortie représentera, sous forme d'une analogie électrique, le chemin parcouru par ce mobile. Vous voyez donc que la méthode utilisée ici est tout à fait différente de celle que nous avions employée dans le calcul binaire : les machines de ce dernier type utilisaient des nombres et faisaient sur ces nombres des opérations arithmétiques, chaque nombre ne pouvant varier que d'une façon discontinue et ne représentant pas l'équivalent analogue d'un phénomène, mais l'expression chiffrée de ce phénomène.

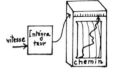

Ig. — J'ai bien compris la différence. Il me semble que les machines analogiques sont beaucoup plus simples et plus sympathiques que les machines arithmétiques. Leur structure est infiniment plus facile à saisir.

Cur. — C'est en partie exact. Mais leur précision est plus limitée : obtenir 1 % est assez aisé, dépasser 1/1 000 devient très délicat. Autrement dit, le calcul analogique est plus indiqué quand on ne désire pas une précision poussée. Maintenant, si leur structure est, en apparence, plus simple, n'oubliez pas qu'un amplificateur opérationnel est un instrument d'une réalisation délicate : il doit en effet avoir un gain considérable (on dépasse souvent 100 000) en ayant toutes les autres qualités que je vous ai énumérées.

Réalisation des amplificateurs opérationnels.

Ig. — Et comment arrive-t-on à ce résultat?

Cur. — On emploie, en général, un de ces modulateurs par découpage en tout ou rien dont je vous ai déjà parlé. Plutôt qu'un modulateur mécanique, on fait souvent appel à un modulateur à transistors, ou à système de photorésistances (résistances dont la valeur ohmique varie avec l'éclairement). On emploie de plus en plus les modulateurs tout ou rien à transistors à effet de champ que nous avons indiqués plus haut (page 16). On voit cependant ces modèles à découpage concurrencés de plus en plus par les ensembles intégrés, dans lesquels une structure très ingénieuse, essentiellement symétrique presque jusqu'à la sortie, et un apairage quasi automatique des éléments d'entrée permet de minimiser la dérive à un point tel que le fonctionnement par découpage n'est plus aussi avantageux. Comme on risquerait ainsi d'avoir une bande passante trop limitée, qui nous gênerait lors de l'application de grands taux de contre-réaction, on utilise un montage assez complexe, le montage de Goldberg, dans lequel on s'arrange à injecter en un point donné de l'amplificateur la composante alternative de la tension d'entrée, la composante continue étant transmise par un préamplificateur muni

d'un modulateur et d'une détection. Le tout est assez complexe, mais c'est pratiquement la meilleure solution pour obtenir un gain très élevé, une bonne stabilité et la possibilité de taux de contre-réaction très élevé. N'oubliez pas que, dans le montage de la figure 150, si je prends $R_1 = R_2$, j'ai appliqué un taux de contre-réaction égal au gain de l'amplificateur; je vous ai dit que ce dernier pouvait être de l'ordre de 100 000.

Ig. — Je comprends maintenant pourquoi vous avez toujours considéré le potentiel de l'entrée A comme négligeable. Mais je comprends aussi que ces amplificateurs opérationnels doivent être des ensembles terriblement complexes et coûteux.

Cur. — Vous ne vous trompez pas, Ignotus. Ces amplificateurs sont en effet des pièces très coûteuses, et un grand calculateur analogique peut en contenir des quantités.

Applications des calculateurs analogiques.

Ig. — Je ne vois pas très bien pourquoi il en faut tellement. J'aimerais que vous me donniez un exemple des possibilités de ces calculateurs.

Cur. — Vous savez qu'il existe en mécanique des systèmes oscillants : tout corps doué de masse, et ramené à une position donnée par un ressort qui agit avec une force proportionnelle à l'écart entre la position du corps et sa position de repos, se met à osciller si on l'écarte de cette position. Il peut y avoir plusieurs systèmes analogues dans un ensemble mécanique. Par exemple, quand, avec votre 2 CV, vous faites monter une roue sur un trottoir, il y a une impulsion donnée aux pneus, impulsion représentée par la dénivellation due au trottoir. Sur la roue même, vous avez un système oscillant amorti : ce que l'on appelle le batteur. La roue est liée au coffre de la voiture par les systèmes de suspension, réalisant ainsi un second système oscillant. Le choc dû à la dénivellation du trottoir est transmis par quelque chose d'élastique : le pneu. Au moyen de systèmes analogiques, nous simulerons les systèmes oscillants par des circuits constitués de condensateurs et de bobinages, leurs amortissements mécaniques par des résistances en parallèle. Nous appliquerons à tout l'ensemble, qui représente la voiture (ou plutôt son comportement) sous une forme électrique, une impulsion correspondant à la montée sur le trottoir.

Ig. — Ça semble en effet très bien. Ainsi on risque moins d'abîmer les pneus.

Calculs en « temps fictif ».

Cur. — Ce n'est point là le seul avantage. Nous pouvons faire en sorte que nous ayons modifié l'échelle des temps. Le phénomène électrique qui se déroule correspond bien à ce qui se passerait mécaniquement (par exemple, la tension sur une certaine électrode correspondra aux mouvements de la carrosserie de la voiture en fonction du temps), mais suivant une échelle de temps différente. Autrement dit, comme disent les cinéastes, il ne nous est pas indispensable d'opérer « en temps réel ». Nous pourrons donc, par exemple, faire en sorte que l'évolution électrique qui nous représente l'analogie du phénomène soit plus lente que ce dernier. Nous aurons ainsi toute facilité pour enregistrer la tension de sortie.

Il y a d'autres cas, au contraire, où l'on désire réaliser l'équivalent électrique d'un phénomène, mais sous forme accélérée.

IG. — Je n'en vois vraiment pas l'intérêt : il est tout de même plus intéressant de détailler avec soin ce qui se passe dans un phénomène.

CUR. — Oui, si ce phénomène est très rapide. Mais il peut se faire qu'il soit d'une évolution très lente. C'est en particulier le cas d'une grosse chaudière actionnant une turbine : si vous augmentez la puissance du foyer, cela ne réagira sur la pression de vapeur qu'au bout d'un temps considérable, en raison de l'inertie thermique de la chaudière. Il est très intéressant de réaliser un modèle analogique de chaudière et de la turbine qui permettra ainsi de savoir à chaque instant, par une sorte d'anticipation accélérée, comment l'ensemble va réagir à une pelletée de charbon en plus ou en moins. En le réalisant en temps accéléré, nous avons la possibilité de conduire exactement l'opération de chauffe avec le maximum de rentabilité.

IG. — Au fond, c'est la version moderne de la boule de cristal des sorciers : vous prédisez parfaitement l'avenir avec cette méthode!

CUR. — Je trouve votre expression un peu imagée : je ne peux « prédire l'avenir » que dans la mesure où celui-ci est rigoureusement soumis à des lois mathématiques simples. Ce n'est que dans ce cas qu'il m'est possible d'extrapoler dans le temps les conséquences d'une action relativement limitée.

IG. — Jusqu'au moment où tous ces automates électroniques se retourneront contre ceux qui les ont fabriqués.

CUR. — Je vous en prie! Ne tombez pas dans la grandiloquence de la mauvaise grande presse! N'oubliez pas qu'une machine électronique ne vous donne jamais que ce que vous avez mis dedans. Elle ne peut pas plus se révolter ou essayer de dévorer son propre constructeur qu'une voiture ne risque de se mettre en marche toute seule et de foncer sur son conducteur en le poursuivant dans les virages alors qu'il n'y a personne à bord. Rassurez-vous, Ignotus, nous avons fait un peu le tour des questions électroniques, et, ce que j'aime particulièrement dans cette science, c'est qu'elle a des propriétés passionnantes quand il s'agit d'aider l'homme et qu'elle permet des développements de la technique, insoupçonnables encore maintenant, mais en grande partie bienfaisants.

IG. — Si vous en venez aux grandes conclusions générales, je dois considérer que nous avons terminé nos entretiens.

CUR. — Il y aurait encore beaucoup de choses à dire. Je vous propose, Ignotus, de rester une quinzaine de jours à réfléchir, après quoi vous viendrez me retrouver et vous me demanderez des précisions, en vrac, sur tous les sujets qui vous auront semblés complexes. J'espère qu'il n'y en aura pas trop et que nous en viendrons rapidement à bout.

Ignotus revient avec une masse de questions. Elles lui ont presque toutes été suggérées par la visite d'un radar et la lecture de la notice de ce radar. En compagnie de Curiosus, il s'initiera donc aux hyperfréquences, aux magnétrons et klystrons, aux coaxiaux dont le conducteur central est isolé par... une tige de cuivre, au système d'aiguillage émission-réception des radars, à la stabilisation des tensions d'alimentation et aux systèmes de recopie de positions appelés « selsyns ». Complètement déchaîné, il envisage alors une réalisation véritablement grandiose, montrant par là que l'électronique n'a plus aucun secret pour lui.

VOYAGE AUTOUR D'UN RADAR

CURIOSUS. — Alors, Ignotus, avez-vous trouvé de nombreuses questions à me poser?

IGNOTUS. — Des quantités. Seulement je crois que je pourrais répondre à un bon nombre moi-même. J'ai seulement sélectionné certaines questions qui, chose curieuse, tournent toutes autour de la visite d'un radar que j'ai faite la semaine dernière. Pour commencer, j'aimerais que vous m'expliquiez comment fonctionne un magnétron.

Le magnétron à deux anodes.

CUR. — Nous allons d'abord envisager le magnétron à deux anodes. Il se compose d'une cathode chaude, située dans l'entrefer d'un puissant aimant, dans le sens des lignes de force. Les deux anodes sont simplement deux demi-cylindres qui entourent cette cathode. Nous allons les relier aux deux extrémités d'un circuit oscillant, dont le point milieu est relié au pôle positif d'une source de haute tension, le pôle négatif de cette source étant relié à la cathode, ainsi que je vous le représente assez schématiquement sur la figure 154. Bien entendu, l'ensemble de la cathode et des deux anodes se trouve dans une ampoule pour pouvoir être dans le vide. Supposez que, du fait d'un léger déséquilibre, une des deux demi-anodes se trouve momentanément à un potentiel légèrement plus élevé que l'autre.

IG. — Comment voulez-vous que cela soit possible? Ces anodes sont reliées par le circuit oscillant.

CUR. — Précisément, il peut très bien se faire que ce circuit ait tendance à osciller légèrement, établissant momentanément une différence de potentiel entre ses deux extrémités. Que feront alors, selon vous, les électrons issus de la cathode?

IG. — Oh! Il n'y a vraiment aucun problème : les électrons iront en beaucoup plus grand nombre sur celle des deux anodes qui est la plus positive.

CUR. — C'est du moins dans cette direction qu'ils partiront. Mais il ne faut pas oublier la présence du champ magnétique : celui-ci tend à

enrouler les trajectoires des électrons autour de la cathode. En conséquence, ces électrons qui étaient partis plus nombreux vers l'anode la
plus positive vont arriver, du fait de la déviation de leur trajectoire, sur
l'anode qui est la moins positive.

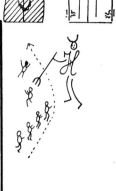

IG. — Ça, alors, voilà des électrons idiots!

CUR. — Oh que non! En effet, ces électrons vont avoir tendance à
accentuer un déséquilibre initial : ils feront augmenter la différence de

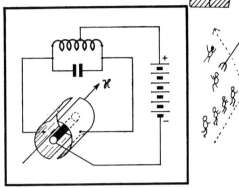

**Fig. 154. — Premier type de magné-
tron à deux anodes soumis à un
champ magnétique parallèle à l'axe
de la cathode.**

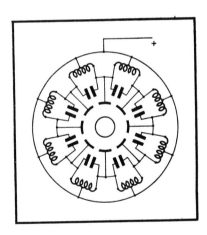

**Fig. 155. — Magnétron du type
« polyphasé » à huit anodes réunies
par des circuits oscillants.**

potentiel entre les deux anodes jusqu'à ce que celle-ci devienne trop
élevée et que le circuit oscillant commence à faire varier cette différence
dans l'autre sens. C'est donc l'action des électrons et du champ magnétique qui entretiendra l'oscillation.

IG. — Très ingénieux cela! Au fond votre magnétron n'est autre
qu'une diode à deux anodes.

Magnétron à anodes multiples.

CUR. — C'est exactement cela. En général, on réalise ce magnétron
avec plus de deux anodes, par exemple huit ou dix. On pourrait les
grouper comme je vous l'indique sur la figure 155. L'oscillation se pro-

duira exactement comme pour la figure 154, avec cette différence qu'il y a maintenant huit circuits oscillants couplés qui oscilleront en même temps. A un moment donné, les anodes paires seront positives par rapport aux anodes impaires; à la demi-période suivante ce sera le contraire.

IG. — Je comprends le fonctionnement, mais la réalisation de ce système à huit anodes avec huit circuits oscillants me semble bougrement compliquée!

CUR. — C'est beaucoup plus simple que vous ne croyez, Ignotus. On réalise en effet ces circuits oscillants et ces anodes dans un seul bloc de cuivre découpé comme je vous l'indique sur la figure 156. C'est tout l'ensemble du bloc de cuivre qui se trouve relié au + H.T. Vous voyez que, pour aller d'une des anodes à une autre, le courant doit contourner les cavités, ce qui nous donne l'équivalent d'un bobinage à une seule spire.

IG. — Pour le bobinage, je vois bien, mais par contre, je ne vois pas du tout le condensateur.

CUR. — Vous n'avez pas alors les yeux où il faut : entre les deux faces en regard de la petite fente qui fait communiquer l'espace situé autour de la cathode avec une des cavités, il y a une certaine capacité.

IG. — En effet, et je pense que cela doit osciller à des fréquences très élevées, étant donné qu'il n'y a que très peu de self-induction et très peu de capacité.

CUR. — On réalise, avec de tels magnétrons, des fréquences dépassant facilement 30 000 MHz, autrement dit trente milliards de périodes par seconde. Cela correspond à des longueurs d'onde de moins d'un centimètre. Plus couramment, dans les radars usuels, on emploie de tels magnétrons pour produire des oscillations à 3 GHz (soit 3 000 MHz ou 10 cm de longueur d'onde) ou bien à 10 GHz (3 cm). En général, pour

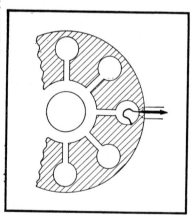

Fig. 156. — **Réalisation pratique du magnétron à huit anodes : les circuits oscillants sont remplacés par des cavités résonnantes fraisées dans le bloc anodique. Dans l'une d'entre elles, une boucle prélève l'énergie.**

les radars, on alimente ces magnétrons pendant un temps très court (une microseconde ou moins) par une tension assez élevée et l'on obtient une très grosse puissance instantanée.

IG. — Et comment la fait-on sortir du magnétron, cette puissance?

CUR. — On place tout simplement, dans une des cavités, une boucle, constituant le secondaire d'un transformateur et qui se termine par un câble coaxial emmenant l'énergie.

Câble coaxial « isolé » par du cuivre.

Ig. — A propos de coaxial, je voulais vous poser une question. Dans les radars, j'ai l'impression qu'on l'utilise assez peu. Qu'est-ce donc qui vient nous gêner?

Cur. — Tout simplement le fait que l'on doit transmettre des puissances importantes avec de faibles pertes à de très grandes fréquences. Dans un coaxial, ce qui nous gêne le plus, c'est la nécessité de supporter mécaniquement le conducteur central. Si l'on met un isolant quelconque, celui-ci introduira des pertes qui représentent une déperdition d'énergie notable.

Ig. — Quel est le meilleur isolant, alors, que vous pourrez employer dans un coaxial?

Cur. — Dans ce cas-là, je vous conseille le cuivre.

Ig. — Est-ce que vous vous moquez de moi? Je voudrais bien savoir qui, de vous ou de moi, a reçu un grand coup de coaxial sur la tête!

Cur. — Je comprends votre surprise. N'oubliez pas que nous tra-

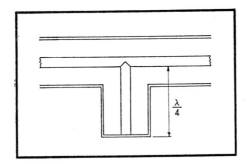

Fig. 157. — Support quart d'onde pour un conducteur central de coaxial.

vaillons ici avec des fréquences très élevées. Réalisons donc, dans un coaxial, un support en cuivre comme celui que vous montre la figure 157, ayant une longueur égale au quart de la longueur d'onde de l'oscillation que conduit le coaxial. Puisque l'extrémité de ce morceau quart d'onde se trouve court-circuitée, l'onde qui est réfléchie par ce court-circuit arrive au point de départ en phase avec celle qu'elle y rencontre. Tout se passe donc comme si la tige support était coupée à l'endroit où elle rejoint le conducteur central.

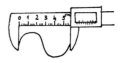

Ig. — Très ingénieux, cette solution. Je suppose que l'on a ainsi résolu tous les problèmes de transmission d'hyperfréquences?

Cur. — Tant s'en faut, hélas! Un tel système n'est valable que pour une fréquence bien définie.

Or, il est souvent utile de faire varier la fréquence dans un radar. Le coaxial, même avec des supports quart d'onde, n'étant pas parfait, on préfère utiliser un tube, en général de section rectangulaire, dans lequel l'onde se propage par réflexions successives : c'est ce que l'on appelle un guide d'ondes.

Le klystron à plusieurs cavités.

Ig. — J'aimerais maintenant vous demander ce qu'est un klystron et comment cela fonctionne.

Cur. — Nous allons d'abord envisager le cas d'un klystron amplifi-

cateur à deux cavités. Pour cela, il faut d'abord que vous sachiez ce qu'est une cavité résonnante du type « rhumbatron ». Vous en aurez une idée en considérant la figure 158 : vous voyez deux plaques planes circulaires, face à face, constituant le condensateur, que l'on relie par plusieurs boucles de fil, constituant des bobinages en parallèle. A la limite, nous obtenons ce que je vous représente en coupe sur la figure 159 et qui a, au fond, l'aspect d'un pneu d'automobile (pas la chambre à air) sur lequel on aurait tendu deux toiles rondes face à face.

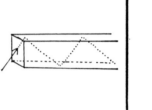

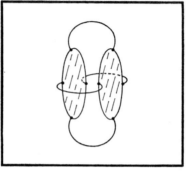

Fig. 158. — Deux plateaux reliés par quelques boucles forment un ensemble résonnant.

Ig. — Décidément, il faut bien s'habituer à voir des circuits oscillants tout à fait spéciaux, dans cette technique des hyperfréquences. Et c'est là-dedans que les électrons vont danser la rumba?

Cur. — Si vous voulez. Disons plutôt que ce sont les champs électromagnétiques qui le feront d'une façon approximative. Considérons donc, comme sur la figure 160, une cathode qui émet des électrons et une anode qui les collecte. Entre ces deux électrodes, j'ai placé deux

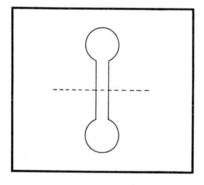

Fig. 159. — Coupe suivant l'axe du « rhumbatron » qui constitue la cavité résonnante d'un klystron.

cavités résonnantes. Les parois de ces cavités sont d'ailleurs des grilles pour laisser passer les électrons.

Supposons que j'excite la première cavité, au moyen d'une boucle de couplage, par une petite tension hyperfréquence qui la fasse osciller sur sa fréquence de résonance. Quand les électrons se présenteront au niveau des deux grilles correspondantes, ils pourront se trouver accélérés (quand la grille traversée en second sera **positive par rapport à** celle qu'ils traversent en premier), ou ralentis (dans le cas contraire).

Ig. — Cela doit créer une épouvantable pagaïe : les électrons se trouveront donc tantôt accélérés, tantôt ralentis. Ils doivent tous s'emmêler !

Cur. — Vous n'êtes pas si loin de la vérité. Si on laisse un parcours suffisant pour les électrons, ceux qui vont vite rattraperont ceux qui vont lentement, et nous obtiendrons ainsi un groupement d'électrons en paquets. Si les conditions sont bonnes, ce groupement sera plus marqué au niveau des deux grilles de la deuxième cavité. Ces paquets d'électrons, passant dans la deuxième cavité, lui céderont leur énergie et provoqueront l'apparition, dans cette cavité, d'une oscillation avec une puissance plus élevée que celle qui a servi à exciter la première.

Ig. — Le klystron est donc un tube amplificateur ?

Cur. — Il y a des klystrons amplificateurs. C'est même avec ces tubes que l'on peut obtenir les plus grandes puissances de crête en hyperfréquences : on arrive maintenant à 30 000 kW de puissance de crête pour des ondes de 3 gigahertz.

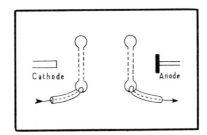

Fig. 160. — Structure du klystron à deux cavités : la première module les électrons en vitesse. Dans l'espace entre les cavités, les électrons se groupent en paquets et excitent la seconde cavité, il n'arrive qu'un courant continu à l'anode.

On peut aussi utiliser le klystron en oscillateur : si vous couplez la cavité de sortie à la cavité d'entrée avec la phase adéquate, le tout entre en oscillation.

Ig. — Mais c'est assez difficile, cela, si l'on veut faire varier la fréquence : il faut donc changer l'accord des deux cavités à la fois.

Le klystron « réflex ».

Cur. — C'est exactement pour s'affranchir de cet inconvénient que l'on a imaginé le klystron « réflex ». Il ne possède qu'une seule cavité, portée dans l'ensemble à un potentiel fortement positif, et on y remplace l'anode par une électrode portée à un potentiel très négatif. Les électrons traversent la cavité une première fois, entraînés par leur élan ils s'approchent de l'électrode négative, sont repoussés par elle, et passent une deuxième fois dans la cavité. Celle-ci, servant à la fois de cavité de départ et de cavité d'arrivée, introduit donc le couplage adéquat, et le tout entre en oscillation. Ces klystrons « réflex » sont employés surtout comme oscillateurs locaux, produisant une faible puissance, pour obtenir un battement avec l'onde à recevoir dans les récepteurs radars, qui sont en général du type superhétérodyne.

Ig. — On envoie alors, sur une grille d'un tube l'oscillation du klystron, et, sur une autre grille, celle qui vient de l'antenne ?

Cur. — Cela serait déconseillé à des fréquences aussi élevées. On envoie, en réalité, l'oscillation locale du klystron, dans une cavité résonnante (morceau de guide d'ondes) où aboutit également le guide d'ondes relié à l'antenne de réception. A l'endroit où ces deux ondes se rencontrent, on place un minuscule cristal détecteur, réalisant l'élément non linéaire qui est nécessaire pour produire un battement entre les deux ondes. On recueille, dans le circuit du cristal, la moyenne fréquence, qui sera amplifiée par un amplificateur classique à transistors ou à tubes. On tend de plus en plus à remplacer les klystrons et les tubes analogues, quand il s'agit de produire quelques milliwatts, par des dispositifs semiconducteurs. Parmi ces derniers, on peut citer essentiellement :

1° Les multiplicateurs de fréquence (ou « varactors ») constitués de diodes qui présentent une capacité variable selon la tension qui leur est appliquée. Si l'on envoie à une telle diode une tension sinusoïdale, la variation de sa capacité au cours de la période peut se traduire par l'apparition d'harmoniques du signal envoyé. Ces harmoniques, filtrés, peuvent, à leur tour, attaquer un nouveau multiplicateur de fréquence analogue. On part d'un signal H.F. de quelques centaines de mégahertz, fourni par un oscillateur à transistors, et l'on obtient, par multiplication, des signaux de puissance moyenne à quelques gigahertz (dans les bandes décimétriques et centimétriques).

2° Les diodes à avalanche (souvent appelées « diodes Reed »). Il s'agit de diodes qui, sous un certain régime de polarisation inverse, présentent une résistance dynamique négative. En les couplant à une cavité accordée, on peut produire une oscillation hyperfréquence.

3° L'utilisation de l' « effet Gunn ». Il s'agit de la naissance d'oscillations de très haute fréquence dans un barreau d'arséniure de gallium où l'on fait passer du courant.

L'aiguillage émission-réception.

Ig. — Vous venez de me parler de l'antenne de réception. Pourtant, sur les radars, il n'y a qu'une seule antenne?

Cur. — En effet, elle sert d'abord à l'émission, puis à la réception. Cette utilisation double a d'ailleurs posé des problèmes délicats : la puissance de l'émission peut dépasser le millier de kilowatts, tandis que le récepteur est capable de discerner un millionième de microwatt. Pour le protéger de la destruction par l'onde émise, on a réalisé un système très ingénieux de tubes contenant des gaz sous faible pression, sur le parcours des guides d'ondes ou à proximité de ceux-ci. Lors de l'émission, la puissance circulant dans les guides étant très forte, ces gaz s'ionisent. Ils deviennent alors semblables à des milieux conducteurs. On réalise ainsi une obturation du guide d'ondes qui lie l'antenne au récepteur, et ce dernier ne reçoit pratiquement rien. Au contraire, quand il faut recevoir l'écho, la puissance de ce dernier est tellement faible que les gaz ne s'ionisent plus. Le passage du guide allant vers le récepteur est alors ouvert, et l'onde reçue va vers ce dernier. Un autre tube à gaz, placé sur le côté du guide, entre le point de bifurcation vers le récepteur et le magnétron, joue le rôle d'une obturation, qui empêche l'onde reçue d'aller vers le magnétron. Ce tube est placé sur le côté, c'est donc quand il n'est pas ionisé qu'il réalise l'équivalent d'une fermeture de guide, contrairement au tube placé sur le parcours du guide d'ondes vers le récepteur qui, lui, ne laisse passer l'onde que quand il n'est pas ionisé.

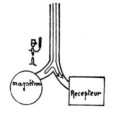

Ig. — Pourquoi empêcher l'onde reçue d'aller vers le magnétron? Elle ne risque pas de le détruire.

Cur. — Certainement pas. Mais elle serait bêtement perdue pour le récepteur, alors que l'on n'a pas d'énergie à gaspiller. Etant donné les emplacements des tubes à gaz sur le parcours du guide et sur le côté de celui-ci (ces tubes s'appellent TR et ATR), toute l'énergie reçue de l'écho est envoyée dans le récepteur.

Ig. — C'est extrêmement ingénieux, ce système d'aiguillage automatique instantané des signaux. Mais je voudrais vous demander, toujours à propos du radar, comment on fait une alimentation stabilisée. Il en était mentionné plusieurs dans le schéma-bloc de radar que j'ai examiné, et je ne sais pas comment les réaliser.

Stabilisation de tension par diode Zener.

Cur. — Vous le savez déjà un peu, Ignotus. En particulier, je vous ai déjà parlé des diodes Zener.

Ig. — Oui, mais je ne vois pas trop comment les employer pour stabiliser une tension.

Cur. — Vous les monterez tout simplement en parallèle avec le montage alimenté, ainsi que je vous le représente sur la figure 161. Vous voyez que la diode Zener consomme le courant que le montage alimenté ne consomme pas. Quand ce montage voit sa consommation varier, le courant passant dans la diode Zener varie en sens inverse. On choisit une tension d'alimentation U plus grande que celle que l'on veut obtenir, la différence des puissances devant être dissipée dans la résistance R. Comme la résistance interne de la diode Zener est beaucoup

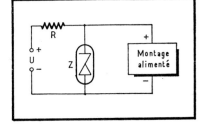

Fig. 161. — Stabilisation de tension par diode Zener.

plus petite que R, les variations de la tension U ne se retrouvent que fortement atténuées aux bornes de la diode et du montage alimenté.

Ig. — Ce fonctionnement est tout à fait analogue à celui des tubes stabilisateurs à gaz. Mais je suppose que l'on doit pouvoir faire des montages plus évolués.

Cur. — Vous ne vous trompez pas, Ignotus. On peut utiliser un système asservi, très analogue, au fond, aux servomécanismes, qui maintient la tension de sortie constante par une contre-réaction, en comparant cette tension de sortie à une tension de référence, en amplifiant l'écart résultant de cette comparaison et en agissant, au moyen de la sortie de cet amplificateur, sur l'organe régulateur.

Ig — Cela, c'est un peu vague. J'aimerais bien un exemple concret.

Alimentation stabilisée.

CUR. — Dans ce cas, je vous en donne un, que je représente sur la figure 162. La tension à stabiliser, U, est appliquée à travers la résistance R_3 à une diode Zener Z, qui fournira notre tension de référence. Nous rendrons celle-ci variable, pour faire changer la tension de sortie, en n'en prenant qu'une partie au moyen du potentiomètre P. La tension de sortie stabilisée E, est réduite dans un certain rapport par le diviseur de tension R_1-R_2. C'est donc une partie donnée de cette tension de sortie qui se trouve appliquée sur l'émetteur du transistor T_2. Suivant que la tension de sortie est trop grande ou trop petite, le transistor T_2 est bloqué ou conduit. Son courant collecteur, qui représente la tension d'erreur amplifiée, est envoyé à la base T_1. Le couplage entre les deux est très simple puisque T_1 est un modèle p-n-p. Supposez que, pour une raison quelconque, le montage alimenté par la tension E ait tendance à consommer trop. La tension E va diminuer; le potentiel de l'émetteur T_2 en fera autant, ce qui augmentera le courant collecteur de T_2. Ce dernier courant, passant par la base de T_1, augmentera très notablement le courant collecteur de T_1, ce qui compensera l'effet perturbateur initial.

IG. — Ce qui m'inquiète, là-dedans, c'est que le transistor T_1 supporte toute la différence entre U et E, il doit en même temps dissiper beaucoup de puissance.

CUR. — Nous prendrons pour T_1 un modèle de puissance, monté sur un bon radiateur qui assure une dissipation adéquate de la chaleur. On peut très facilement obtenir ainsi des dissipations de plus de 100 W dans un transistor, ce qui est supérieur aux possibilités de la plupart des tubes que vous avez utilisés.

IG. — C'est vraiment remarquable, une alimentation aussi simple avec toutes ces qualités de stabilisation. Je vais probablement m'en construire une d'ici peu.

CUR. — Si vous l'utilisez avec soin, elle vous donnera de très bons résultats. Rappelez-vous cependant qu'elle n'est pas protégée contre les courts-circuits : si vous reliez les deux bornes de sortie par une résistance trop faible, vous pouvez arriver à la destruction du transistor T_1.

IG. — Je pense qu'il suffit de mettre un fusible.

CUR. — Il en existe, paraît-il, qui réagissent assez vite. En général, c'est le transistor qui protège le fusible, en mourant avant ce dernier. Si vous voulez être tout à fait sûr de ne pas avoir d'ennuis, il faudra ajouter à cette alimentation un montage relativement simple à trois transistors, qui joue le rôle de basculeur et obtient la coupure de la tension de sortie, presque instantanément (quelques microsecondes) après une

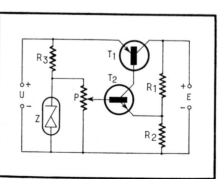

Fig. 162. — Stabilisation de tension par transistors. La tension de référence est une fraction de celle qu'il y a aux bornes de la diode Zener, l'amplificateur d'erreur est T_2, T_1 étant un transistor de puissance.

surintensité. Je ne vous décrirai pas ce montage ici, il est un peu complexe, mais nullement compliqué; vous en trouverez les détails dans des quantités de schémas divers.

Les selsyns.

Ig. — Je me méfie un peu de ces schémas complexes mais non compliqués, comme vous dites; je pense toutefois que j'arriverai à m'en dépêtrer. Je voudrais maintenant vous demander qu'est-ce que c'est qu'un « selsyn », dont j'ai beaucoup entendu parler, justement dans cette brochure sur le radar.

Cur. — Un selsyn est un petit appareil, semblable extérieurement à un moteur, qui sert à retransmettre la position d'un arbre. Il comporte (fig. 163) une partie fixe (stator), constituée de trois bobinages B_1, B_2 et B_3, disposés à 120° les uns des autres. Sa partie mobile (rotor) comporte un seul bobinage, donnant un champ magnétique perpendiculaire à l'axe du rotor, relié à l'extérieur par deux bagues sur lesquelles frottent deux balais.

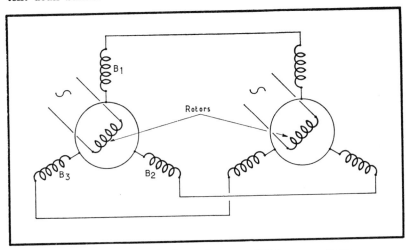

Fig. 163. — Couple de « selsyns », utilisés pour retransmettre une position mécanique par les trois amplitudes des tensions induites dans les trois bobines du stator émetteur par le rotor émetteur.

Ig. — Cela ressemble en effet un peu à un moteur; je ne vois pas comment on va pouvoir l'utiliser pour transmettre une position.

Cur. — Supposez que nous ayons utilisé deux selsyns identiques. J'ai connecté, comme je vous l'indique sur la figure 163, les trois bobines du stator du premier aux bobines correspondantes du second...

Ig. — Ah, non, alors! Je ne suis pas d'accord. Vous avez bien relié un fil de chaque bobine du premier à un fil de la bobine correspondante du second, mais vous vous êtes contenté de court-circuiter les trois fils des bobines du premier d'une part, et les trois autres extrémités des bobines du second, d'autre part. J'aurais admis que vous utilisiez un fil commun pour ces trois extrémités, mais à condition de les relier d'un stator à l'autre.

$$i_1 + i_2 + i_3 = 0$$

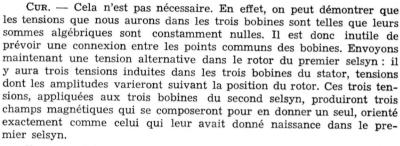

Cur. — Cela n'est pas nécessaire. En effet, on peut démontrer que les tensions que nous aurons dans les trois bobines sont telles que leurs sommes algébriques sont constamment nulles. Il est donc inutile de prévoir une connexion entre les points communs des bobines. Envoyons maintenant une tension alternative dans le rotor du premier selsyn : il y aura trois tensions induites dans les trois bobines du stator, tensions dont les amplitudes varieront suivant la position du rotor. Ces trois tensions, appliquées aux trois bobines du second selsyn, produiront trois champs magnétiques qui se composeront pour en donner un seul, orienté exactement comme celui qui leur avait donné naissance dans le premier selsyn.

Il y a maintenant deux façons d'utiliser le second selsyn. Nous pouvons lui appliquer, sur son rotor, une tension qui est la même que celle que l'on applique sur le rotor du premier (en général, c'est une tension alternative à 50 Hz d'environ 90 à 100 V). Dans ces conditions, le champ magnétique du rotor du second agira sur celui des bobines du stator de ce même selsyn et amènera son rotor exactement dans la même position que celui du premier selsyn.

Ig. — Je comprends le fonctionnement du système, mais je ne vois pas bien ce qui différencie le selsyn qui envoie la commande de celui qui la reçoit.

Cur. — Vous avez raison de ne pas voir de différence : il n'y en a pas. La transmission peut aller dans les deux sens. Tout se passe comme si vous aviez un long câble flexible de transmission de mouvement entre le premier selsyn et le second. Si vous empêchez le rotor du second de tourner, vous sentirez la résistance correspondante sur le rotor du premier. Ce n'est qu'une transmission de position, mais ce n'est pas un système asservi. En général, on ne l'utilise que pour déplacer, au moyen du second selsyn, une aiguille sur un cadran, pour repérer une position. Ce système est très commode, il remplace avantageusement la retransmission par potentiomètre quand vous avez besoin d'une rotation continue sans angle mort.

Par contre, les choses seront tout à fait différentes si je n'applique pas de tension sur le rotor du second selsyn et que je déplace celui-ci à la main. Que se passera-t-il, selon vous?

Ig. — Je pense qu'il y aura une tension induite sur ce secondaire.

Cur. — Parfaitement exact. Comment variera-t-elle?

Ig. — Je pense aussi qu'elle variera quand je ferai tourner le rotor du second selsyn. Elle doit sans doute être élevée quand ce second rotor est orienté de telle sorte que le champ magnétique passe bien dans ses spires. Elle sera probablement très faible quand je mettrai les spires de façon telle que le champ ne puisse plus passer dedans.

Cur. — C'est exact, mais pour dire cela avec plus de rigueur, je préciserai seulement que cette tension induite passe rigoureusement par zéro quand j'ai amené le rotor dans une position telle que le plan des spires soit parallèle au champ magnétique engendré par les trois bobines du stator. Cette position est perpendiculaire à celle dans laquelle le rotor se mettrait si je l'alimentais par la même tension que celui du premier selsyn, comme je l'avais fait tout à l'heure.

Nous pourrons envoyer la tension de ce second rotor dans un amplificateur, puis dans un détecteur spécial, sensible à la phase, qui nous donnera une tension, positive ou négative, suivant que le rotor est décalé, dans un sens ou dans l'autre, par rapport à la position dans laquelle il n'y a plus de tension induite dans ce rotor.

IG. — Il me vient même une idée...

CUR. — Allez-y, vous semblez très en forme aujourd'hui.

IG. — Mais de rien, je suis toujours comme cela. Si l'on utilisait cette tension du rotor, convenablement amplifiée, pour l'appliquer à un moteur diphasé, on pourrait ainsi le faire tourner dans un sens ou dans l'autre.

e max.

CUR. — C'est parfaitement exact et cela se fait. Que l'on utilise votre méthode, ou un moteur continu commandé par le détecteur sensible à la phase dont je vous parlais plus haut, on emploiera toujours ce moteur pour agir sur le rotor du selsyn, afin de le maintenir dans une position telle qu'il n'y ait plus qu'une tension induite négligeable dans ce rotor.

e = o

IG. — Et quel est l'avantage de cette méthode par rapport à la première?

CUR. — Cette fois, la transmission n'est pas réversible. C'est le premier selsyn qui commande, le second étant asservi. Par ailleurs, la puissance dont on dispose sur le rotor du selsyn asservi ne dépend que de l'amplificateur et du moteur que ce dernier commande. On peut donc ainsi amener à la position voulue un organe très lourd et doué de beaucoup d'inertie. C'est la raison pour laquelle ce système de transmission est souvent employé pour les antennes de radar.

IG. — C'est, au fond, très commode ce système de selsyn que l'on peut employer de beaucoup de façons différentes. Le numéro deux peut aussi bien servir dans les deux modes d'utilisation que vous m'avez indiqués.

CUR. — Théoriquement, ce serait possible; en fait, on préfère spécialiser un petit peu les selsyns. Il y en a qui sont surtout faits pour servir de transmetteurs. On s'arrange pour que leurs bobines ne puissent pas être trop perturbées par les charges sur lesquelles elles peuvent avoir à débiter. En ce qui concerne le selsyn répéteur, s'il fonctionne directement en affichage de position, comme je vous l'ai indiqué, on prend certaines précautions pour amortir la rotation du rotor. Par contre, si l'on veut l'utiliser avec un système asservi et un moteur, c'est-à-dire selon le fonctionnement appelé synchro-détection, il faut que le fer de son rotor soit parfaitement homogène pour que ce dernier n'introduise aucune réaction sur les bobines du selsyn transmetteur. Dans le cas de la transmission directe, sans moteur d'entraînement du second selsyn (on appelle cette transmission le télé-affichage), il n'est pas nécessaire que l'homogénéité du noyau de fer du rotor du second selsyn soit aussi parfaite. Ce rotor étant mis en position par les forces magnétiques, il n'y aura pas réaction sur le transmetteur.

L'encodeur digital.

IG. — Il y avait encore quelque chose de bizarre dans la notice de ce radar : on parlait de transmission de position par « encodeurs digitaux ». Qu'est-ce que c'est?

CUR. — Il s'agit tout simplement de systèmes liés à un axe et qui transmettent la position de celui-ci sous forme numérique, en général en code binaire. On peut, par exemple (fig. 164), les réaliser au moyen d'un disque qui porte une succession de couronnes, comportant chacune des parties transparentes et des parties opaques. Au niveau de chaque couronne se trouve une lampe qui éclaire cette couronne suivant une partie du rayon du disque et, de l'autre côté, une cellule photo-électrique. Suivant qu'une partie transparente (ou opaque) de cette piste en forme de couronne se trouve entre la lampe et la cellule, celle-ci délivre (ou non) de la tension. Par une répartition adéquate des zones transparentes et opaques sur les couronnes, on peut faire en sorte que les tensions fournies par les cellules représentent, en code binaire, un numéro qui permet de repérer la position de l'axe.

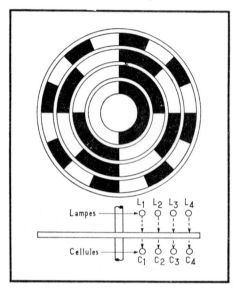

Fig. 164. — Le disque encodeur porte des pistes à zones transparentes et opaques. Suivant la position angulaire du disque, les lampes L_1, L_2, L_3 et L_4 éclairent ou non les cellules photo-électriques correspondantes C. Ces dernières envoient ainsi, sur autant de fils qu'il y a de pistes, la position du disque, codée en code binaire.

Il en va de même que pour la comparaison du calcul arithmétique et du calcul analogique. Un système de transmission arithmétique (ou digital) présente de l'intérêt quand on utilise une retransmission comportant beaucoup de chiffres, ce qui correspond à une très grande précision. Pour une précision plus limitée, on peut parfaitement se contenter de variations continues de grandeurs, comme, par exemple, les amplitudes de trois tensions dans trois bobines ainsi qu'on le fait avec des selsyns.

Des projets grandioses.

IG. — Je suis très content de connaître le fonctionnement de ces encodeurs digitaux. Ils vont me permettre de résoudre un problème qui me travaillait depuis un certain temps : un de mes amis m'a demandé de lui réaliser une commande automatique de machine-outil suivant un programme donné. Je vais utiliser, couplé à la machine, un tel encodeur. Le nombre qu'il m'indiquera sera stocké sur un afficheur-décaleur. Ce dernier me permettra de l'additionner avec le nombre du programme, lui-même enregistré sur des mémoires magnétiques...

CUR. — Je vous savais en forme, Ignotus, mais, à ce point-là, je ne l'aurais jamais soupçonné! Décidément, pour vous, l'électronique...

IG. — L'électronique?... Mais c'est très simple!

F I N

UNE LETTRE DE CURIOSUS
A IGNOTUS

CHER AMI,

Il y a longtemps que je ne vous ai revu et j'imagine que la réalisation de votre commande programmée de machine-outil vous absorbe totalement. Je pense que, pour mettre en ordre ce que nous avons évoqué au cours de nos conversations, il serait bon que je vous en fasse une sorte de classement.

Vous vous souvenez que c'est votre semi-échec dans la réalisation de votre anti-vol électronique qui m'a amené à vous parler des *capteurs* (p. 10), puis à essayer de vous définir l'électronique (p. 12) et enfin, pour préparer les discussions suivantes, à vous inciter à relire un traité d'électricité simple.

Dans le chapitre 2 (p. 14), nous avons vu qu'il pouvait être nécessaire d'utiliser un capteur même si le phénomène à envoyer à la partie électronique est déjà électrique : nous avons vu comment on transforme en tensions alternatives les tensions continues pour les amplifier plus commodément (p. 14) et comment on procède pour les tensions très élevées (p. 16). Nous avons vu les capteurs de champ électrique (p. 18) et les *jauges de contrainte* (p. 21) qui permettent les mesures de force, ainsi que les systèmes à *corde vibrante* (p. 25) et les systèmes *piézo-électriques*.

Au troisième chapitre (p. 26), nous avons parlé de la notion précise d'accélération (p. 27) et d'*accéléromètres* (p. 28). Nous avons vu les capteurs de sons, ou *microphones* (p. 29), ceux qui sont sensibles à la température (dont les *thermistances* à la p. 30 et les *thermocouples*) et à la lumière : parmi ceux-ci, nous avons étudié d'abord les *cellules photo-électriques* à vide (p. 31), les *cellules à gaz* (p. 32), les *photo-résistances* (p. 33), les *photo-diodes* (p. 34), puis les *photo-multiplicateurs* (p. 35).

Lors de notre quatrième entretien (p. 38), je vous ai expliqué ce qu'il y avait dans les noyaux des atomes (les *protons* et les *neutrons*) et ce qu'étaient les *isotopes* (p. 39). Nous avons pris connaissance de la nature des *rayonnements nucléaires*, alpha, bèta et gamma (p. 40) et des moyens de les mesurer, comme la *chambre d'ionisation* (p. 41), le *compteur de Geiger Müller* (p. 42) et le *scintillateur* (p. 43).

Nous avons, en partant de là, fait un petit tour dans l'électrochimie des ions : je vous ai défini le pH (p. 46) et la façon de le mesurer avec l'*électrode de verre* (p. 48), puis le potentiel d'oxydo-réduction.

Quand nous nous sommes revus pour la cinquième fois, je vous ai montré l'importance des faibles résistances internes de sortie dans les amplificateurs, puisque le dit amplificateur constituait le commencement de l'étude de la partie électronique proprement dite des réalisations. Nous avons également vu comment on peut accroître énormément la résistance d'entrée des amplificateurs, arrivant à l'électromètre (pour ne consommer que la puissance la plus faible possible à la source qui attaque l'entrée).

Au cours de notre sixième entretien, nous avons étudié comment on augmente la bande passante d'un amplificateur vers les fréquences basses et comment on lutte contre la dérive. Comment il fallait accroître la bande passante du côté des fréquences hautes, je vous ai un peu rappelé comment les capacités parasites limitaient cette amplification des hautes fréquences.

Quand nous nous sommes revus pour la septième fois (p. 80), nous avons parlé des altérations de forme du signal, comme l'*écrêtage* (p. 82), et le montage qui peut le faire, l'amplificateur symétrique, dit « long tailed pair » (p. 85) et surtout le montage régénératif dit « trigger de Schmitt » (p. 86). Avec ces signaux à flancs raides, nous avons attaqué des circuits *différentiateurs* (p. 90) et *intégrateurs* (p. 92). Pour préciser leurs rôles, j'ai dû vous dire ce qu'étaient une dérivée (p. 94) et une intégrale (p. 95).

A notre huitième rencontre (p. 99), nous avons vu la *multiplication de fréquence* (p. 99) dans le cas d'une fréquence fixe, puis dans le cas d'une fréquence quelconque (p. 101). Il m'a fallu, pour vous permettre de diviser une fréquence, vous parler du *multivibrateur* (p. 103), puis de son utilisation spéciale pour la division par un nombre pair (p. 108). Ce dernier cas m'a amené à voir avec vous comment est constitué le *bistacle d'Eccles-Jordan* (p. 110), à partir duquel vous avez parfaitement compris le montage *monostable* ou *univibrateur* (p. 115).

Au cours de notre neuvième rencontre (p. 121), vous avez appris ce qu'est un *discriminateur d'amplitude* (p. 122) et un *sélecteur* (p. 123).

Notre dixième entretien (p. 128) a porté sur différents restituteurs, en commençant par les *relais* (p. 129), en continuant par le *moteur à courant continu* (p. 134) et en arrivant au *moteur à courant alternatif* (p. 140).

Quand nous nous sommes revus pour la onzième fois (p. 154), vous avez voulu savoir ce qu'étaient les *excitateurs de vibration* (p. 154), les *générateurs d'ultra-sons à piézo-électricité* (p. 156) ou *à magnéto-striction* (p. 158). A propos des sources lumineuses modulées, nous avons vu le *Bélinographe* (p. 159), puis le *Laser* (p. 160).

C'est au cours de notre douzième rencontre (p. 168), que vous avez appris comment on fait du comptage électronique, d'abord binaire (p. 169), puis décimal (p. 173), et comment on affiche les résultats (p. 175).

Avant d'aborder les machines à calculer arithmétiques, il fallait, au début de notre treizième entretien (p. 186) que je vous entraîne un peu à l'arithmétique binaire, pour l'addition (p. 187) et les *circuits logiques* (p. 188) qui nous permettent de réaliser un *semi-additionneur* (p. 191) et un *afficheur décaleur* (p. 192).

En nous revoyant une quatorzième fois (p. 198) nous étions prêts à affronter l'*additionneur binaire* complet (p. 199) et le *multiplicateur* (p. 202). Pour calculer, il faut des *mémoires*, je vous ai montré comment fonctionnent les mémoires à *tores de ferrite* (p. 206) et à *diodes tunnel* (p. 208).

Nous en sommes arrivés à notre quinzième entrevue (p. 212) au cours de laquelle je vous ai parlé des *commandes asservies* (p. 213), de leur stabilisation (p. 214) et des *servomécanismes* en général (p. 217). Nous avons parlé d'une version de système asservi : l'*amplificateur à contre-réaction* (p. 218).

Vous êtes arrivé à notre seizième réunion (p. 226) avec un projet original de *multiplieur analogique* (p. 227) qui m'a amené à vous parler des *amplificateurs opérationnels* (p. 230), puis du *calcul analogique* en général (p. 235).

Le but de notre dix-septième rencontre (p. 238) était de répondre à vos questions touchant les *hyperfréquences*, en particulier au sujet de leur production par un *magnétron* (p. 238), leur acheminement par *coaxial à isolants quart d'onde* (p. 241) et leur mélange à la fréquence fixe produite par un *klystron* (p. 241). Nous avons également vu le *duplexeur* (p. 244) qui oriente les signaux hyperfréquence dans un *radar*. C'est pour les circuits annexes de celui-ci que nous avons passé en revue les montages de *stabilisation d'alimentation* (p. 245) et les organes de recopie de position appelés *selsyns* (p. 247).

C'est à ce moment que, sans plus douter de rien, vous vous êtes lancé dans votre grandiose réalisation de *commande programmée*, ce dont je vous félicite.

Nous ne pourrions évidemment pas prétendre, vous et moi, avoir traité « toute l'électronique » au cours de nos dix-sept rencontres. J'espère seulement vous avoir un peu aidé à vous initier à cette science. Elle est passionnante, elle conditionne le monde moderne et elle évolue à une vitesse foudroyante. C'est pour cela qu'il vous faudra vous tenir au courant sans cesse, apprendre l'électronique chaque jour comme je le fais moi-même.

Si, au cours de ce « recyclage permanent «, vous éprouvez quelques difficultés, n'hésitez pas à me demander des conseils. Si je peux répondre, je le ferai; mais il y a fort à parier que, un jour, vous me « collerez » et c'est fort bien ainsi : les jeunes doivent dépasser leurs aînés.

En attendant, je vous assure de ma cordiale amitié.

Votre
Curiosus.

. . . .

Quelques années plus tard...

UNE LETTRE D'IGNOTUS A CURIOSUS

Mon cher Curiosus

Je suis affreusement découragé : je viens de m'apercevoir que je ne sais plus rien de l'électronique actuelle.

Figurez-vous que la maison où je travaille (je fais encore illusion, mais ils vont vite s'apercevoir que je suis un « son et lumières ») ne m'a pas donné l'occasion de suivre les perfectionnements de l'électronique. Ils ne reçoivent pas les revues actuelles, et l'on y travaille « comme autrefois ».

Or, voici qu'ils viennent d'engager un nouvel agent technique, qui doit travailler avec moi et on m'a demandé de l'aider à se mettre au courant. Vous pouvez imaginer ma fierté, à l'idée de « jouer les CURIO-SUS » à mon tour et de faire briller mes connaissances. Si j'avais su...!

J'ai ressorti les notes que nous avions prises ensemble, ainsi que les quelques compléments que vous m'aviez envoyés entre-temps et j'ai utilisé cela pour illustrer mes laïus à mon nouveau collègue.

C'est alors que j'ai compris à quel point j'étais dépassé. Le nouveau venu (très sympathique par ailleurs), a regardé les notes que j'avais, et j'ai tout de suite senti une sorte de recul de sa part. Il m'a dit : « Mais, tout cela date beaucoup. J'espérais que vous alliez m'apprendre des choses sur les vrais montages, c'est-à-dire utilisant uniquement des circuits intégrés. Les transistors séparés, c'est un peu dépassé, cela, et je vois même que vous avez parlé de tubes dans vos notes, alors je me demande si cela va m'être utile, puisque le tout date de très longtemps. »

Ça y est : je suis un « croulant » de l'électronique. Je ne sais que fort peu de choses sur les circuits intégrés, alors que lui en connaît plusieurs, même par leurs numéros de désignation. Je ne vais tout de même pas lui demander de m'expliquer ! On a sa fierté, tout de même !

Donc, je vais être obligé de tout apprendre à partir de zéro, d'étudier les circuits intégrés de A à Z. Et comme cela me demandera des mois (je pense plutôt des années), quand j'y serai arrivé, si j'y arrive,

la technique aura encore progressé, et je resterai perpétuellement un « ancêtre de l'électronique ».

Alors, que puis-je faire ? Je vous envoie un véritable S.O.S. (ça y est, là aussi, je retarde, on dit maintenant M.D. !). Si vous connaissez une solution qui me permette au moins de « sauver la face » par rapport à mon collègue, dites-la moi, de grâce !

Votre dévoué

Ignotus (Oh, combien ignorant !)

⁂

REPONSE DE CURIOSUS A IGNOTUS

Mon pauvre Ignotus,

Comme beaucoup de vos pareils, vous vous êtes laissé impressionner par quelques demandes, vous avez, comme on dit vulgairement « perdu les pédales » un instant et vous en avez conclu que vous n'étiez plus bon à rien.

Rassurez-vous. Votre impression est tout à fait trompeuse. Qu'est-ce que je dirais, moi, qui suis votre aîné de... non, je ne vous le dirai pas ?

Votre jeune collègue, soyez-en bien persuadé, n'a sur les circuits intégrés que des connaissances bien inférieures aux vôtres. Mais si, ne protestez pas. N'oubliez pas qu'un circuit intégré, c'est un moyen de réaliser technologiquement une fonction, alors que vous savez réaliser cette fonction par des éléments séparés, des transistors, des résistances, des diodes, etc.

Alors, qu'est-ce que cela peut vous faire que le tout soit logé dans un même morceau de silicium ? Les performances sont sensationnelles dans de nombreux cas, la simplification du montage est spectaculaire, mais ce qu'il y a sous le capot du circuit intégré n'est pas nouveau pour vous.

Si vous regardez le schéma de ce circuit, vous serez dérouté. Ce n'est pas du tout parce que vous êtes (ou plutôt croyez être) un « son et lumière » de l'électronique. Non, cela tient tout simplement au fait suivant :

Quand on réalise un circuit intégré, on s'aperçoit que l'on fait très facilement un transistor ou une diode, beaucoup moins facilement une résistance, surtout de valeur élevée, tout particulièrement si l'on souhaite qu'elle ait une valeur précise. Donc, dans un schéma de circuit intégré, si l'on peut remplacer une résistance par

trois transistors et deux diodes, on y a gagné. Cela amène forcément la réalisation de schémas qui vous sembleront (au début, tout au moins) assez farfelus.

Cela dit, que dire des tubes ? Est-ce que, en toute honnêteté, vous avez dû, comme le disaient certains, « oublier tout ce que vous saviez des tubes pour comprendre quelque chose aux transistors » ? Non, n'est-ce pas ? Alors, ne vous laissez pas impressionner. D'ailleurs, je vous signale qu'un des derniers venus dans le domaine des semiconducteurs, le transistor à effet de champ, est tellement semblable aux tubes que pour ceux qui, comme vous, ont un peu employé les tubes, la manipulation de ces transistors est plus aisée que pour les plus jeunes.

Ne vous laissez pas éblouir et encore moins décourager par les progrès de la technique ni surtout de la technologie. Lisez un petit livre sur les circuits intégrés linéaires pour commencer (vous serez sans doute un peu moins dérouté). Vous verrez comment la tournure d'esprit des réalisateurs (autant de transistors que l'on veut, pas trop de résistances, surtout pas de condensateurs, sauf si c'est rigoureusement impossible de les éviter) les a amenés à des schémas tout à fait bizarres, tout au moins pour ceux qui en prennent connaissance pour la première fois (mais on s'y habitue très vite, croyez-moi).

Une fois que vous aurez lu ce petit livre (et quelques notices de constructeurs), achetez-vous quelques circuits intégrés analogiques, un amplificateur différentiel, un comparateur, une alimentation stabilisée et « amusez-vous » avec eux quelques heures. Vous verrez comme on s'y fait vite.

Lisez alors un autre livre, mais surtout pas trop abstrait, sur les circuits logiques intégrés. Vous y ferez connaissance avec les transistors à plusieurs émetteurs, solution commode pour augmenter le nombre des points par où l'on peut soutirer du courant à une jonction base-émetteur. Regardez comment est fait un circuit « et complémenté » (ou « non et », on a tendance à dire maintenant une « porte nand »). Achetez encore quelques circuits intégrés, des logiques cette fois, et amusez-vous avec eux, faites un basculeur avec deux portes « nand » et essayez de reproduire quelques structures dessinées en schéma-bloc dans les notices des réalisateurs de circuits intégrés logiques.

A mon point de vue, il vous faudra quinze jours pour que cela vous semble de nouveau « très simple ».

Vous me parlez des notes que vous aviez prises au cours de nos entretiens sur l'électronique. J'en avais gardé un double. Alors je les ai relues et j'ai eu l'agréable sensation de voir quelque chose de relativement actuel. Pour vous rassurer, j'ai fait quelques additifs, que j'ai placés, dans l'exemplaire que vous avez en main, aux endroits où vous les auriez mis si nos entretiens s'étaient déroulés plus récemment.

Vous parlez de vous « recycler ». Je n'aime pas cette expression : il faudrait parler de l' « éducation permanente ». Je suis bien persuadé que, malgré ce que vous m'avez écrit sous le coup du découragement, vous n'avez pas ignoré totalement les revues techniques qui passaient à votre portée pendant ces dernières années. Que vous le vouliez ou non, vous avez complété votre ensemble de connaissances.

Votre jeune collègue va, en effet, être une merveilleuse occasion pour vous de rafraîchir vos connaissances. Dites-lui simplement que vous allez commencer par lui montrer les structures des circuits fondamentaux; parlez-lui des capteurs (ils n'ont pas tellement changé depuis nos entretiens). Il vous faudra bien quinze jours pour cela. A l'issue de ce temps, vous aurez surmonté votre « complexe » (comme diraient les psychanalystes) à l'égard des circuits intégrés. Et vous, quand vous en parlerez, vous saurez ce qu'il y a dans la boîte, ce qui vous aidera à mieux comprendre leurs propriétés. Celui qui considérera ces circuits comme des composants, sans vouloir savoir, même de loin, comment ils sont faits, commettra les mêmes erreurs d'utilisation que ceux qui ont voulu utiliser le transistor sans savoir un traître mot de ce qui se passait dans le silicium ou dans le germanium.

Allez, un peu de cran, Ignotus! J'ai mis une soirée à rédiger les additifs que je vous envoie : je ne pense pas que vous mettrez beaucoup plus pour les lire. Savez-vous ce que je crains le plus? Que vous arriviez dans un mois à la conclusion que l'électronique n'a presque pas changé depuis que nous en avons parlé. Ce serait une exagération assez dangereuse, elle vous amènerait à négliger des occasions de vous tenir au courant. Mais cela vaudrait quand même presque mieux que l'excès contraire, où vous étiez tombé quand vous m'avez écrit votre lettre.

Allons donc, tout cela, toutes ces nouveautés... mais il n'y a rien de plus simple (enfin, il faut le dire vite, il y en a tout de même que je trouve « bougrement compliquées », comme dirait quelqu'un que je connais).

Votre dévoué

CURIOSUS.

TABLE DES MATIÈRES
